MW00790505

# Le BLED

**Édouard BLED**
**Odette BLED**
*Lauréats de l'Académie française*

Nouvelle édition assurée par

**Daniel Berlion**
*Inspecteur d'académie*

hachette
ÉDUCATION

**Conception graphique**
Couverture : Karine NAYÉ
**Photographies de couverture :**
Intérieur : Laurent CARRÉ – Audrey IZERN

**Réalisation**

Intérieur : MÉDIAMAX

© HACHETTE LIVRE 2012, 43, quai de Grenelle, 75905 PARIS Cedex 15.
ISBN 978-2-01-160430-9

# SOMMAIRE

# Des signes orthographiques

# L'écriture des sons

# L'écriture des mots

# GRAMMAIRE ............................................................ 97

# CONJUGAISON ............................................................ 111

# VOCABULAIRE ................................................. 145

# TABLEAUX DE CONJUGAISON TYPES ............. 163

# INDEX DES VERBES .................... 251

# INDEX DES NOTIONS CLÉS ................ 314

# ALPHABET PHONÉTIQUE ................ 320

Il en est de l'orthographe, de la grammaire et de la conjugaison comme de bien d'autres apprentissages : pour atteindre l'objectif fixé, avec ce que cela implique d'efforts patients, persévérants et ordonnés, il faut procéder méthodiquement.

Cette démarche fut adoptée par Odette et Edouard Bled dans tous leurs ouvrages. Nous avons conservé la ligne de conduite qui a assuré le succès de la collection : la rigueur, l'exhaustivité, la clarté de la présentation. Tous les utilisateurs des Bled retrouveront ici ces qualités, gages de progrès.

## Une nouvelle édition modernisée en profondeur

Les recherches linguistiques ont mis en évidence certains faits qui permettent de mieux soutenir les efforts de ceux qui apprennent ; aussi avons-nous introduit une cohérence nouvelle, sans pour autant modifier un contenu qui demeure le socle essentiel de notre langue.

Par ailleurs, les transformations, voire les bouleversements de notre société sont tels que nous avons choisi d'introduire des verbes qu'un citoyen du XXIe siècle utilise désormais dans sa vie quotidienne.

## Un apprentissage progressif

### L'orthographe grammaticale

Toutes les règles fondamentales font l'objet d'un exposé accompagné d'exemples. À partir de situations variées et soigneusement choisies, vous apprendrez à reconnaître la nature des mots pour appliquer correctement les règles des différents accords. Nous vous proposons également des procédés pour éviter les erreurs dues aux homonymies.

### L'orthographe d'usage

Le classement des mots par analogie de sons, de terminaisons ou de difficultés orthographiques vous permettra de constituer des séries et de mémoriser progressivement les circonstances d'usage des différentes écritures.

### Les notions grammaticales

Les notions grammaticales vous aideront à structurer vos écrits et à résoudre les problèmes que pose l'emploi de certains mots (paronymes, barbarismes, pléonasmes) ou de certaines tournures syntaxiques.

### La conjugaison

Les différentes conjugaisons sont présentées selon un classement en trois groupes qui facilite la mémorisation des terminaisons ou des modifications du radical.

Les conjugaisons particulières, les temps et les modes les plus usuels font l'objet d'études détaillées. Pour les formes et terminaisons homophones, nous proposons des procédés simples de différenciation par substitution qui vous permettront de placer rapidement la terminaison correcte.

## Le vocabulaire

Les notions lexicales que nous vous présentons apportent une structuration et un enrichissement du vocabulaire pour permettre à chacun de gagner en précision.

## ▶ Une organisation claire en 146 leçons

Chacune des leçons traite une difficulté spécifique. Les principales règles, exposées clairement et simplement, sont suivies de remarques qui prolongent la réflexion. Règles et remarques sont accompagnées de nombreux exemples.

## ▶ Les 83 tableaux de conjugaison types et l'index de plus de 6 000 verbes

Pratiquement tous les verbes du français peuvent être rattachés à 83 séries types qui présentent les mêmes variations du radical et les mêmes termi-naisons. Chacune de ces séries fait l'objet d'une présentation exhaustive des temps et des personnes dans des tableaux de lecture aisée. Ces 83 tableaux sont complétés de 3 fiches (84, 85 et 86) qui précisent les modalités de l'accord du participe passé des verbes pronominaux. Pour conjuguer un verbe, il vous suffira de le chercher dans l'index et de noter le numéro du modèle de conjugaison type. Vous y trouverez des renseignements complémentaires sur chaque verbe : transitif ou intransitif, auxiliaire utilisé aux temps composés.

## ▶ L'index des notions clés

Toutes les notions sont répertoriées dans l'index (pages 314 à 319) qui renvoie à la page où la difficulté est présentée.

Nous avons voulu offrir à la personne rencontrant des difficultés un ouvrage qui lui permette de reprendre confiance et de progresser à sa mesure ; quant au lecteur plus avancé dans la maîtrise de la langue, il trouvera dans ce livre matière à se perfectionner pour être toujours plus assuré dans ses écrits.

Daniel BERLION
Inspecteur d'académie

# ORTHOGRAPHE

# 1 LES POINTS

Les signes de ponctuation donnent des indications précieuses pour la lecture et la compréhension d'un texte. Ils marquent les pauses et les inflexions de la voix dans la lecture et fixent les rapports entre les propositions et les idées. Une ponctuation mal placée, ou omise, peut entraîner des contresens.

## Le point

**Le point** marque la fin d'une phrase dont le sens est complet. Il indique une pause très nette ; l'intonation est descendante.
L'architecte a conçu un immeuble fonctionnel.
Les locataires emménageront dans les prochains jours.

### ⚠ Remarque

Une phrase nominale, ou sans verbe, se termine par un point, sauf s'il s'agit d'un titre d'œuvre.

À tout seigneur, tout honneur.
Léon fut surpris par l'accueil. Un vrai repas de fête.
*Voyage au bout de la nuit* (roman de Céline)

## Le point d'interrogation

**Le point d'interrogation** se place à la fin d'une phrase lorsqu'on pose une question ; l'intonation est montante.
Quelle est la capitale de la Birmanie **?**
Les navires sont-ils arrivés au port **?**

### ⚠ Remarques

**1** Lorsque l'interrogation est indirecte, on place simplement un point.
Dites-nous ce que vous ferez pendant les vacances.

**2** Placé entre parenthèses, le point d'interrogation peut marquer le doute.
Clovis fut baptisé en 496 (**?**) à Reims.

## Le point d'exclamation

**Le point d'exclamation** se place à la fin d'une phrase ayant un sens injonctif ou exclamatif ; l'intonation est montante.
Vous devez immédiatement répondre à ce courrier **!**
Quel beau jardin que celui de Villandry **!**

### ⚠ Remarques

**1** Le point d'exclamation peut aussi être placé après une interjection. Dans ce cas, le mot suivant ne prend pas de majuscule et le point d'exclamation se répète à la fin de la phrase.
Attention **!** ce trottoir est glissant **!**

**2** La phrase impérative se termine généralement par un point.
Emporte un anorak, des gants et un bonnet.

Mais pour marquer l'intention ou l'ordre, on place un point d'exclamation.
Viens ici immédiatement **!**

# LA VIRGULE

La virgule marque une courte pause dans la lecture, sans que la voix baisse.

## L'emploi de la virgule

• **La virgule** sépare, dans une même phrase, les éléments semblables, c'est-à-dire de même nature ou de même fonction, qui ne sont pas unis par l'une des conjonctions de coordination *et, ou, ni*.
Voilà un spectacle magnifique, il faut le reconnaître.
• Lorsque, dans une succession d'éléments semblables, les conjonctions de coordination *et, ou, ni* sont utilisées plusieurs fois, il faut séparer ces éléments semblables par des virgules.
Dans ce désert, on ne trouve ni oasis, ni puits, ni abri, ni piste.
• Les conjonctions *mais, ou, donc, car* sont précédées d'une virgule.
L'eau est froide, mais nous nous baignons.
Nous nous baignons, car l'eau est chaude.

## Un élément de séparation

La virgule peut séparer :
• **les sujets d'un même verbe**
Les gazelles, les lions, les gnous, les éléphants peuplent ce parc naturel.

• **les épithètes ou les attributs d'un même nom ou d'un même pronom**
Une plainte lointaine, brève, pratiquement inaudible, perça le silence.
La statue était imposante, admirable, parfaitement ressemblante et bien éclairée.

• **les compléments d'un verbe, d'un nom, d'un adjectif**
Julien éplucha les courgettes, les aubergines, les tomates, les oignons.
L'expert détermine la valeur des timbres, des pièces, des cartes postales.
L'officier se présenta bardé de décorations, de médailles, de cocardes, d'écussons.

• **les verbes ayant un même sujet**
Le valet de chambre frappa, entra, se présenta et attendit les ordres.

• **les propositions de même nature, plutôt courtes**
Dehors, le vent soufflait, les volets claquaient, la pluie fouettait les murs.

• **les mots mis en apostrophe ou en apposition**
Moi, je ne partirai pas avant vingt heures.
L'avion, retardé par des vents contraires, n'atterrira qu'à dix heures.

• **les propositions incises**
Cette offre, je l'avoue, me tente.

• **les compléments circonstanciels ou les subordonnées placés en tête de phrase**
Devant la barrière de péage, les véhicules attendent.

### ⚠ Remarque

On ne place pas de virgule entre les pronoms relatifs *qui, que* et leur antécédent, sauf pour isoler une proposition subordonnée explicative.

L'émission qui vient d'être diffusée n'a duré que vingt minutes.

L'émission, que chacun a pu apprécier, n'a duré que vingt minutes.

# 3 LE POINT-VIRGULE – LES POINTS DE SUSPENSION

Le point-virgule s'emploie dans une phrase ; les points de suspension dans et en fin de phrase.

## Le point-virgule

**Le point-virgule** sépare des propositions ou des expressions qui ont un lien faible. Son emploi est délicat car il est proche du point ou de la virgule.
Les cultures manquent d'eau **;** la récolte de maïs sera médiocre.

### ⚠ Remarques

**1** On place un point-virgule lorsque la deuxième proposition commence par un adverbe.
Les travaux sont terminés **;** désormais, la circulation est fluide.

**2** Le point-virgule ne peut jamais terminer un texte et n'est jamais suivi d'une majuscule.

## Les points de suspension

• **Les points de suspension** (toujours trois) indiquent que la phrase est inachevée. Ils marquent une interruption causée par l'émotion, la surprise, l'hésitation ou un arrêt voulu dans le développement de la pensée pour mettre en relief certains éléments de la phrase.
Il était une fois un prince charmant**...**
Un jour, je partirai à l'aventure**...**

• Ils peuvent également marquer la fin d'une énumération, peut-être incomplète. Dans ce cas, ils suivent directement le dernier mot.
L'alpiniste vérifie l'état de son piolet, la fixation de ses crampons, la fermeture de son sac, la présence de sa lampe frontale, le nombre de ses mousquetons**...**

### ⚠ Remarques

**1** Les points de suspension ne peuvent jamais être placés après une virgule ou un point-virgule.

**2** Les points de suspension placés entre crochets indiquent une coupure dans une citation.
De tous les bonheurs qui lentement m'abandonnent, le sommeil est l'un des plus précieux, des plus communs aussi. Un homme qui dort peu et mal [...] médite tout à loisir sur cette particulière volupté.
Marguerite Yourcenar, *Mémoires d'Hadrien*, Plon, 1953, Folio, Gallimard, 1977.

**3** On emploie les points de suspension après l'initiale d'un nom que l'on ne veut pas citer.
J'ai rencontré monsieur K**...** dans l'escalier.

**4** *Etc.* est une abréviation (latin : *et cætera*) qui signifie *et ainsi de suite*, soit l'équivalent de points de suspension. C'est pourquoi, elle n'est jamais suivie de points de suspension.
Au supermarché, on trouve de tout, des jouets, des aliments, des livres, des vêtements, **etc.**

# LES DEUX-POINTS – LES GUILLEMETS – LES PARENTHÈSES

Les deux-points **annoncent un groupe de mots.** Les guillemets **et** les parenthèses **isolent un mot ou un groupe de mots.**

## Les deux-points

On utilise **les deux-points** pour annoncer :
• **une énumération**
Tout le monde était là **:** les femmes, les hommes, les enfants.
• **une explication**
Vous ne pouvez pas entrer **:** la porte est fermée à clé.
• **une justification**
Je n'ai pas avalé ce sirop pour la toux **:** il est proprement imbuvable.
• **une citation**
Rimbaud a écrit **:** « Je est un autre. »
• **un discours direct**
Lorsqu'il vit le souterrain obstrué, Henri s'écria **:** « Me voilà pris au piège ! »

## Les guillemets

**Les guillemets** (créés par l'imprimeur Guillaume, dit Guillemet, en 1525) encadrent un discours direct. L'ouverture des guillemets est généralement précédée de deux-points.
L'homme s'arrêta à ma hauteur et me demanda : « Avez-vous l'heure ? »

### ⚠ Remarques

**1** Lors d'un dialogue, on place **un tiret** au début de chaque changement de prise de parole ; on n'en place pas pour la première personne qui parle.

Lorsque le client eut déposé ses achats sur le tapis, la caissière lui demanda :
« Comment réglez-vous ?
— Par carte bancaire.
— Alors, insérez-la ici. »

En fin de phrase ou de dialogue, le point (simple, d'interrogation, d'exclamation) est toujours placé à l'intérieur des guillemets.

**2** Parfois, dans un dialogue, il faut indiquer la personne qui parle. Dans ce cas, on ne ferme pas les guillemets après ses paroles ; on place simplement une courte phrase entre deux virgules.

La caissière demanda poliment :
« Avez-vous une carte de fidélité ?
– Non, **répondit le client,** je ne viens qu'exceptionnellement dans ce magasin. »

Cette courte **proposition incise** n'est jamais précédée d'un point et ne commence jamais par une majuscule.

## Les parenthèses

**Les parenthèses** servent à isoler une idée, une réflexion qui pourraient être supprimées sans altérer le sens de la phrase.
Comme il est maître nageur (même s'il n'en a pas fait son métier), Jean-Paul a appris à nager à tous ses neveux.

La lettre majuscule est aussi appelée lettre capitale.

## L'emploi de la majuscule

On met une majuscule :
* **au premier mot d'une phrase**
On a découvert une trace de dinosaure dans cette carrière.

* **aux noms propres, aux prénoms, aux surnoms, aux noms de famille**
Pasteur – Charles-Henri – Philippe le Bel – la famille Dupont

* **aux noms communs pris comme des noms propres**
un chien nommé Caramel
La Commune de Paris fut une date marquante de l'histoire de France.

* **aux noms ou aux titres des œuvres artistiques ou littéraires, des journaux, des magazines**
la Joconde de Léonard de Vinci          la Bible et le Coran
Le premier journal sportif fut l'Auto. Aujourd'hui, l'Équipe lui a succédé.

* **à certains termes de politesse**
Madame, Mademoiselle, Monsieur

* **aux noms qui marquent la nationalité**
Cette partie oppose les Anglais aux Gallois.

* **à certains termes historiques ou géographiques**
Richelieu – la Libération – Marseille – Jupiter – les Vosges

* **aux noms de bateaux, d'avions, de rues, d'édifices**
le Titanic – l'Airbus – l'avenue de la Gare – le musée du Louvre

* **aux noms d'institutions, de sociétés ou de distinctions**
le Conseil régional – l'Éducation nationale – Air France – la Légion d'honneur

* **aux premiers mots des vers de poèmes**
Ô temps, suspends ton vol ! et vous, heures propices,
Suspendez votre cours !                    (Lamartine, *Méditations poétiques*)

## Cas particuliers

* Les noms de mois, de saisons, de dates s'écrivent avec des minuscules.
le premier mardi du mois de juillet – le début du printemps

* Les noms de fêtes prennent des majuscules.
La Toussaint – Noël – l'Ascension – Pâques – Yom Kippour

* Les points cardinaux, lorsqu'ils désignent un territoire, une région, un pays, prennent une majuscule.
les régions du Nord – les départements de l'Ouest – les peuples d'Orient
Mais s'ils désignent les points de l'horizon, ils prennent une minuscule.
le vent souffle du nord – aller en direction du sud-ouest

* Les noms déposés et les noms de marques prennent une majuscule.
boire un Martini – piloter un Jodel – réparer une Vespa

# 6

# LE GENRE DES NOMS

Les noms ont un genre – masculin ou féminin –, fixé par l'usage et repérable, le plus souvent, par le déterminant singulier qui les précède.

## Noms féminins sur lesquels on peut hésiter

| | | | |
|---|---|---|---|
| une acné | une argile | une encaustique | une oasis |
| une acoustique | une artère | une éphéméride | une octave |
| une agrafe | une atmosphère | une épigramme | une omoplate |
| une alcôve | une attache | une épitaphe | une orbite |
| une alèse | une autoroute | une épithète | une oriflamme |
| une algèbre | une azalée | une épître | une primeur |
| une amnistie | une chrysalide | une espèce | une primevère |
| une amorce | une dynamo | une gaufre | une réglisse |
| une anagramme | une ébène | une gemme | une stalactite |
| une antilope | une ecchymose | une idole | une stalagmite |
| une apostrophe | une échappatoire | une idylle | une stèle |
| une apothéose | une écritoire | une mandibule | une vésicule |
| une arachide | une égide | une nacre | une vis |

## Noms masculins sur lesquels on peut hésiter

| | | | |
|---|---|---|---|
| un abîme | un armistice | un esclandre | un opercule |
| un ail | un arôme | un exode | un opuscule |
| un amalgame | un astérisque | un globule | un ovule |
| un ambre | un autographe | un haltère | un pétale |
| un amiante | un automate | un hémisphère | un pétiole |
| un anathème | un chrysanthème | un horoscope | un planisphère |
| un antidote | un edelweiss | un hymne | un pore |
| un antipode | un éloge | un indice | un poulpe |
| un antre | un emblème | un insigne | un rail |
| un aphte | un en-tête | un interclasse | un sépale |
| un apogée | un épiderme | un intermède | un tentacule |
| un appendice | un épilogue | un ivoire | un termite |
| un arcane | un équinoxe | un obélisque | un tubercule |

### ⚠ Remarques

**1** Tous les noms en -e ne sont pas féminins et tous les noms féminins ne se terminent par un -e.

le répertoire – un massage – un héroïsme – le souffle – le chêne – un parapluie... la douleur – une pression – une loi – la vertu...

**2** Certains noms changent de sens selon leur genre.

faire **un tour** – admirer **une tour**

**3** Quelques noms ne s'emploient qu'au féminin, même s'ils désignent un homme ou un animal mâle !

une sentinelle – une idole – une victime – une vigie – une recrue – une bête...

**4** Pour certains noms, les deux genres sont acceptés.

un (une) après-midi – un (une) alvéole – un (une) enzyme – un (une) HLM

# LE FÉMININ DES NOMS

On forme généralement le féminin des noms des être animés en ajoutant un **-e** à la forme du nom masculin. Si le nom masculin se termine déjà par un **-e**, on place simplement un article féminin devant le nom.

un apprenti → une apprenti**e**           un marchand → une marchand**e**
un journaliste → une journaliste           un élève → une élève

## Terminaisons différentes au féminin

- Les noms masculins terminés par **-er** font leur féminin en **-ère**.
un écuyer → une écuy**ère**           un gaucher → une gauch**ère**
- Certains noms masculins doublent la consonne finale.
un paysan → une pays**anne**           un chat → une ch**atte**
- Les noms masculins terminés par **-eur** font souvent leur féminin en **-euse**.
un nageur → une nag**euse**           un coiffeur → une coiff**euse**
- Des noms masculins terminés par **-teur** font leur féminin en **-trice**.
un directeur → une direc**trice**           un éducateur → une éduca**trice**
- Certains noms masculins terminés par **-e** font leur féminin en **-esse**.
un prince → une princ**esse**           un âne → une ân**esse**
- Certains noms masculins changent la consonne finale.
un époux → une épou**se**     un veuf → une veu**ve**     un loup → une lou**ve**
- Quelques noms masculins sont légèrement modifiés au féminin.
un vieux → une vi**eille**     un fou → une f**olle**     un jumeau → une jum**elle**

## Autres cas

- Le nom masculin a un équivalent féminin différent.
un oncle → une tante           un coq → une poule
Attention à certaines confusions :
Le crapaud n'est pas l'équivalent masculin de la grenouille.
Le hibou n'est pas l'équivalent masculin de la chouette.
- Peu à peu, l'usage donne à tous les noms masculins (notamment les noms de métiers) un équivalent féminin.
un député → une député**e**           un professeur → une professeur**e**
Mais certains noms masculins n'ont toujours pas de féminin.
un bandit – un assassin – un bourreau – un cardinal – un forçat – un témoin...

### ⚠ Remarques

**1** Le mot *enfant* a une forme unique.
un/une enfant

**2** Les noms d'habitants prennent également la marque du féminin.
un Anglais → une Anglaise
un Italien → une Italie**nne**

**3** Le féminin de certains noms peut avoir un sens tout à fait différent du nom masculin ; il ne désigne pas alors un être animé.
Le portier nous précède dans le hall.
Vous fermez la portière.

# 8 LE PLURIEL DES NOMS

On forme généralement le pluriel des noms en ajoutant un **-s** au nom singulier.

## Règles générales

- Les noms terminés par **-au**, **-eau**, **-eu** prennent un **-x** au pluriel.
un tuyau → des tuyaux    un seau → des seaux    un cheveu → des cheveux
**Exceptions** :
des landaus – des sarraus – des pneus – des bleus – des émeus (oiseaux australiens) – des lieus (les poissons)

- Beaucoup de noms masculins terminés par **-al** font leur pluriel en **-aux**.
un animal → des animaux    le général → les généraux    un cheval → des chevaux
**Exceptions** :
des bals – des chacals – des carnavals – des festivals – des récitals – des régals...

- Une majorité de noms terminés par **-ail** au singulier font leur pluriel en **-ails**.
un rail → des rails    un détail → des détails    le portail → les portails
**Exceptions** :
les coraux – des émaux – des soupiraux – des travaux – des vitraux...

- Les noms terminés par **-ou** prennent un **-s** au pluriel.
un trou → des trous    le clou → les clous    un cachou → des cachous
**Exceptions** :
les bijoux – les cailloux – les choux – les genoux – les hiboux – les joujoux – les poux

- Les noms terminés par **-s**, **-x**, **-z** ne prennent pas la marque du pluriel.
le bois → les bois    une voix → des voix    un gaz → des gaz

## Cas particuliers

- Certains noms ont un pluriel particulier.
un monsieur → des **messieurs** ; un œil → des **yeux** ; un ail → des **aulx** (des **ails**)

- Certains noms ne s'emploient qu'au singulier ; d'autres seulement au pluriel.
Uniquement **au singulier** : le bétail – (faire) le guet – (joindre) l'utile à l'agréable
Uniquement **au pluriel** : les funérailles – les entrailles – les préparatifs – les mœurs – les ténèbres – les honoraires – aux confins – les vivres – les alentours – les décombres – les arrhes

### ⚠ Remarques

**1** Au pluriel, certains noms ont un sens différent de celui du singulier.

faire sa **toilette** ≠ aller aux **toilettes**
Le film tire à sa **fin**. (il se termine) ≠ Jean arrive à ses **fins**. (il réussit)
prendre le **frais** (l'air) ≠ entraîner des **frais** (des dépenses)

**2** Quand un nom sans article, précédé des mots à, de, en, sans, ni, pas de..., est complément d'un autre nom, il peut être au singulier ou au pluriel selon le sens.

des bracelets en or – une paire de chaussettes – des patins à roulettes – des jours sans soleil

# 9 · LE PLURIEL DES NOMS PROPRES ET DES NOMS D'ORIGINE ÉTRANGÈRE

Les noms propres et d'origine étrangère peuvent parfois prendre la marque du pluriel.

## Les noms propres

**Les noms propres** ne prennent pas la marque du pluriel.
Les sœurs **Ferlet** nous ont rendu visite.     Les magasins **Carrefour** soldent.
Les nouvelles **Citroën** sont des voitures économiques.

**Exceptions :**
• les noms de population ou de lieux géographiques qui désignent un ensemble ;
les Toulousains – les Mexicains – les Péruviens – les Alpes – les Canaries – les Baléares
Mais il n'y a pas de marque du pluriel si la pluralité n'est pas réelle.
Il n'existe pas deux **Rome** en Italie.

• certaines familles royales, princières ou illustres de très vieille noblesse.
les Horaces – les Capétiens – les Condés – les Césars

### ⚠ Remarques

**1** On admet deux orthographes pour :
– des personnages illustres pris comme types ;
les Pasteur(s) – les Curie(s) – les Einstein(s)

– des œuvres artistiques ou littéraires désignées par le nom de leur créateur.
des Picasso(s) – des Simenon(s)

**2** Le nom propre, une fois considéré comme un nom commun, prend la marque du pluriel.

Les **harpagons** rendent leur famille malheureuse.

## Les noms d'origine étrangère

**Les noms d'origine étrangère** peuvent :
• prendre un **-s** au pluriel s'ils sont francisés depuis longtemps par l'usage ;
un duo → des duos     un album → des albums     un matador → des matador**s**

• garder leur pluriel étranger ;
une lady → des lad**ies**          un rugbyman → des rugby**men**
un erratum → des errat**a**        un scenario → des scenar**ii** (sans accent)

• avoir deux pluriels, indifféremment l'étranger et le français ;
un sandwich → des sandwich**es**/des sandwich**s**
un maximum → des maxim**a**/des maximum**s**

• rester invariables pour certains noms d'origine latine.
un extra → des extra          un credo → des credo

### ⚠ Remarque

Donner aux noms d'origine étrangère le pluriel de leur langue est une marque d'affectation. On francisera donc largement les pluriels des noms d'origine étrangère.
Quelquefois, la forme plurielle francisée s'est imposée aussi au singulier.
des confettis → un confetti
(singulier italien : un confetto)
des touaregs → un touareg
(singulier arabe : un targui)

# 10 LE PLURIEL DES NOMS COMPOSÉS

Les noms composés sont formés de deux ou trois mots unis par un ou des traits d'union.

## Les noms composés variables

Dans les noms composés, seuls les noms et les adjectifs se mettent au pluriel.
une basse-cour → des basses-cours    un rouge-gorge → des rouges-gorges

**⚠ Remarques**

**1** Lorsque le nom composé est formé de deux noms unis par une préposition, en général, seul le premier nom s'accorde.
un chef-d'œuvre → des chefs-d'œuvre

**2** Si l'adjectif a une valeur adverbiale, il reste invariable.
un haut-parleur → des haut-parleurs
un long-courrier → des long-courriers

## Les noms composés invariables

Dans les noms composés, les verbes, les adverbes, les prépositions sont toujours invariables.
des pince-sans-rire – des laissez-passer – des quant-à-soi – des avant-toits

**⚠ Remarque**

*Garde* s'accorde quand il est employé comme nom ; il reste invariable s'il s'agit du verbe.
des gardes-chasses – des gardes-malades
des garde-manger – des garde-robes

## Cas particuliers

• Pour un nom composé singulier, le sens peut imposer le pluriel du second mot.
un porte-bagages → C'est un dispositif pour porter **les** bagages.

• Pour un nom composé pluriel, le sens peut imposer le singulier du second mot.
des timbres-poste → des timbres pour **la** poste

• Quelquefois, le sens s'oppose à l'accord de certains noms composés.
des pot-au-feu → de la viande et des légumes mis dans **un** pot sur **le** feu

• Si le premier mot d'un nom composé est un élément terminé par la voyelle **-o**, il est invariable.
des primo-arrivants – des broncho-pneumonies – des auto-écoles

**⚠ Remarques**

**1** Les dictionnaires mentionnent parfois deux orthographes.
un essuie-main(s) – des grand(s)-mères

**2** Certains noms composés sont formés de deux mots que l'usage a soudés.

Ils prennent normalement les marques du pluriel.
un portefeuille → des portefeuilles

Quelques noms qui se sont soudés ont conservé des pluriels particuliers.
madame → **mesdames**
un bonhomme → des **bonshommes**

21

# 11
# LE FÉMININ DES ADJECTIFS QUALIFICATIFS

Les adjectifs qualificatifs s'accordent en genre.

## Règles générales

- On forme généralement le féminin des adjectifs qualificatifs en ajoutant un **-e** à la forme du masculin.
un joli bouquet → une joli**e** fleur      un grand détour → une grand**e** traversée
- Les adjectifs qualificatifs terminés par **-e** au masculin ne changent pas de forme.
un ami fidèl**e** → une amie fidèl**e**      un lieu agréabl**e** → une région agréabl**e**

## Cas particuliers

- Les adjectifs qualificatifs terminés par **-er** au masculin font leur féminin en **-ère**.
un morceau enti**er** → une part enti**ère**
- Certains adjectifs qualificatifs doublent la consonne finale au féminin.
un meuble ba**s** → une table ba**sse**      un genti**l** garçon → une genti**lle** fille
- Les adjectifs qualificatifs terminés par **-et** au masculin doublent généralement le **t** au féminin.
un prix ne**t** → une ne**tte** différence      un ruban viole**t** → une écharpe viole**tte**
**Exceptions** : *complet, concret, désuet, discret, inquiet, replet, secret* se terminent par **-ète** au féminin.
un tour compl**et** → une partie compl**ète**      un cri discr**et** → une joie discr**ète**
- Certains adjectifs qualificatifs modifient leur terminaison au féminin.
un objet précieu**x** → une pierre précieu**se** – un fau**x** nom → une fau**sse** adresse
un pain fr**ais** → une boisson fr**aîche** – un drap blan**c** → une chemise blan**che**
un parc publi**c** → une place publi**que** – un regard hâti**f** → une réponse hâti**ve**
un sourire dou**x** → une voix dou**ce** – un long par**cours** → une lon**gue** randonnée
un sourire mal**in** → une mimique mal**igne** – un théâtre gre**c** → une statue gre**cque**
- Les adjectifs qualificatifs terminés par **-eur** au masculin font généralement leur féminin en **-euse**.
un fil balad**eur** → une lampe balad**euse**
Néanmoins, certains adjectifs qualificatifs masculins terminés par **-eur** font leur féminin en **-resse** ou en **-eure**.
un coup veng**eur** → une réplique veng**eresse**
un espace intéri**eur** → une cour intéri**eure**
- Nombre d'adjectifs qualificatifs en **-teur** font leur féminin en **-trice**.
un projet nova**teur** → une idée nova**trice**

 **Remarque**

Formes particulières au féminin :
un cri aigu → une plainte aiguë
un fromage mou → une pâte molle
un numéro favori → une carte favorite

un vieux livre → une vieille revue
un beau visage → une belle coiffure
un texte rigolo → une histoire rigolote
le peuple hébreu → la langue hébraïque

22

# 12 LE PLURIEL DES ADJECTIFS QUALIFICATIFS

Les adjectifs qualificatifs s'accordent en nombre.

## Règle générale

• On forme généralement le pluriel des adjectifs qualificatifs en ajoutant un **-s** à la forme du singulier.
des réglages parfait**s** – des travaux manuel**s** – des saules pleureur**s**

• C'est notamment le cas de tous les adjectifs qualificatifs féminins.
des salles bruyante**s** – des assiettes creuse**s** – des destinations lointaine**s**

## Cas particuliers

• Les adjectifs qualificatifs terminés par **-s** ou **-x** au singulier ne prennent pas de marque du pluriel.
un détail préci**s** → des détails préci**s**   un hôtel luxueu**x** → des hôtels luxueu**x**

• L'adjectif *bleu* prend un **-s** au pluriel.
un drap bleu → des draps bleu**s**   une eau bleue → des eaux bleue**s**

• Les quelques adjectifs qualificatifs terminés par **-eau** au singulier prennent un **-x** au pluriel.
un nouveau jeu → de nouveau**x** jeux   un beau tir → de beau**x** tirs

• Les adjectifs qualificatifs terminés par **-al** au singulier forment le plus souvent leur pluriel en **-aux**.
un site régional → des sites région**aux**   un plan mondial → des plans mondi**aux**
**Exceptions :**
*bancal, fatal, final, natal, naval* prennent simplement un **-s** au pluriel.
un lit bancal → des lits bancal**s**   un destin fatal → des destins fatal**s**
un point final → des points final**s**   un pays natal → des pays natal**s**
un chantier naval → des chantiers naval**s**

### ⚠ Remarques

**1** *Banal* a un pluriel en **-aux** dans les termes de féodalité.
des fours ban**aux** – des moulins ban**aux** – des pressoirs ban**aux**

Dans les autres cas, au sens de *sans originalité*, son pluriel est en **-s**.
des propos banal**s** – des compliments banal**s**

**2** Les adjectifs qualificatifs composés s'accordent lorsqu'ils sont formés de deux adjectifs.
des paroles aigres-douce**s**
des personnes sourdes-muette**s**

Si l'un des deux termes de l'adjectif composé est un mot invariable (ou un adjectif pris adverbialement), ce terme reste invariable.
des petits pois extra-fin**s**
des veaux nouveau-né**s**
les accords franco-italien**s**

**3** Avec l'expression *avoir l'air*, l'adjectif peut s'accorder avec *air* ou avec le sujet de *avoir l'air* lorsqu'il s'agit de personnes. S'il s'agit de choses, l'accord se fait avec le sujet.
Les fillettes ont l'air doux (ou dou**ces**).
Les voitures ont l'air neu**ves**.

23

# 13 LES PARTICIPES PASSÉS EMPLOYÉS COMME ADJECTIFS QUALIFICATIFS

La plupart des participes passés peuvent être employés comme des adjectifs qualificatifs. Ils s'accordent, en genre et en nombre, avec les noms auxquels ils se rapportent.

## Les verbes du 1er groupe

Les participes passés des **verbes du 1er groupe** (ainsi que *aller*) se terminent tous par **-é**.

saler → sal**é**   souder → soud**é**   entourer → entour**é**   aller → all**é**

### ⚠ Remarque

On peut confondre le participe passé d'un verbe du 1er groupe avec son infinitif, car, à l'oral, les terminaisons sont semblables.

des sols nivel**és**
Cet engin permet de niveler les sols.

Pour faire la distinction, on peut remplacer le verbe du 1er groupe par un verbe du 2e ou du 3e groupe ; on entend alors la différence.

des sols entreten**us**
Cet engin permet d'entretenir les sols.

## Les verbes des 2e et 3e groupes

• Les participes passés des **verbes du 2e groupe** se terminent tous par **-i**.
remplir → rempl**i**   enfouir → enfou**i**   abolir → abol**i**

• Les participes passés des **verbes du 3e groupe** se terminent généralement par **-i** ou par **-u**.
servir → serv**i**   suivre → suiv**i**   vendre → vend**u**   taire → t**u**
Mais il peut exister des consonnes muettes en fin de participe passé ;
séduire → sédui**t**   surprendre → surpri**s**   éteindre → étein**t**
ou des formes particulières.
mourir → **mort**   naître → **né**   couvrir → **couvert**
Mettre ces participes au féminin permet de vérifier la présence, ou non, d'une consonne finale.
un public sédui**t** → une salle sédui**te**   un public surpri**s** → une salle surpri**se**
Sauf pour : *dissoudre* → du sucre dissou**s** – une matière dissou**te**

### ⚠ Remarques

**1** Comme l'adjectif qualificatif, le participe passé peut se trouver séparé du nom auquel il se rapporte par un adverbe.
une fête très/plutôt/parfaitement réussi**e**

**2** Les participes passés *attendu, compris, non compris, y compris, entendu, excepté, passé, vu*, placés devant le nom, s'emploient comme des prépositions et restent invariables.

**Vu** les intempéries, les maçons ne travailleront pas aujourd'hui.
**Passé** les fêtes, les magasins sont déserts.

**3** Certains participes passés peuvent être employés comme noms (plus rarement au féminin). Dans ce cas, ils s'accordent en genre et en nombre.
*handicaper* → un (des) handicapé(s)
*inscrire* → un (des) inscrit(s)

24

# 14 LES ADJECTIFS QUALIFICATIFS ET LES PARTICIPES PASSÉS ÉPITHÈTES OU ATTRIBUTS

Les adjectifs qualificatifs et les participes passés peuvent être épithètes ou attributs.

## Les épithètes

• Les adjectifs qualificatifs et les participes passés peuvent être employés comme **épithètes** des noms (ou pronoms) auxquels ils se rapportent ; ils appartiennent alors au groupe nominal et s'accordent avec le nom principal (ou pronom) de ce groupe.
L'épithète peut précéder ou suivre le nom et en être séparée par un adverbe.

• Pour trouver ce nom (ou pronom), il faut poser, devant l'adjectif qualificatif ou le participe passé, la question : « Qui est-ce qui est (sont) ? ».
Tu visites des **petits** édifices **romans** bien **restaurés**.
Qui est-ce qui sont **petits, romans, restaurés** ? **des édifices** → masculin pluriel

## Les attributs

• Lorsque les adjectifs qualificatifs et les participes passés sont séparés du nom sujet (ou pronom sujet) par un verbe, ils sont **attributs** du sujet de ce verbe (*être, demeurer, paraître, rester, sembler...*) avec lequel ils s'accordent en genre et en nombre.
L'émission fut **intéressante**. M. Léonardi demeure **fidèle** à ses convictions.

• L'attribut se rapporte généralement au sujet du verbe, mais il peut également se rapporter au complément d'objet (souvent un pronom) avec lequel il s'accorde.
Les pâtes sont préparées avec passion par les cuisiniers italiens ; celui qui les déguste les trouve **délicieuses**.
Qui est-ce qui sont **délicieuses** ? **les** (mis pour les pâtes) → féminin pluriel

### ⚠ Remarques

**1** L'adjectif qualificatif et le participe passé, épithète ou attribut, peuvent eux-mêmes avoir des compléments.
Elle porte des vêtements **passés** de mode.
Ces portraits sont **célèbres** dans le monde entier.

**2** Pour les 1re et 2e personnes du singulier et du pluriel, bien souvent seule la personne qui écrit sait quel accord il faut faire.

Je suis actif.
(un homme parle)
Nous sommes heureuses.
(des femmes parlent)

**3** *Vous* peut désigner une seule personne (formule de politesse). Dans ce cas, l'adjectif qualificatif ou le participe passé qui s'y rapporte reste au singulier.
« Vous serez **satisfait(e)** », déclare le vendeur.

25

# L'APPOSITION

Les adjectifs qualificatifs et les participes passés peuvent être placés en apposition.

## Les adjectifs et les participes apposés

• Lorsqu'ils sont séparés du nom par une ou deux virgules, l'adjectif qualificatif et le participe passé sont mis en **apposition**.
**Confortables,** ces voitures séduisent de nombreux conducteurs.
**Bien équipées,** ces voitures séduisent de nombreux conducteurs.
Ces voitures, **confortables,** séduisent de nombreux conducteurs.
Ces voitures, **bien équipées,** séduisent de nombreux conducteurs.

• Plusieurs adjectifs qualificatifs ou participes passés peuvent être placés en **apposition**.
**Confortables et économiques,** ces voitures séduisent de nombreux conducteurs.
Ces voitures, **confortables et économiques,** séduisent de nombreux conducteurs.

### ⚠ Remarques

**1** L'adjectif qualificatif et le participe passé mis en apposition sont souvent accompagnés d'un complément.

**Différentes de leurs concurrentes,** ces voitures séduisent de nombreux conducteurs.

**2** On peut supprimer l'apposition sans rendre la phrase incorrecte ni en modifier le sens.

Ces voitures séduisent de nombreux conducteurs.

## Les autres formes de l'apposition

L'apposition, qui apporte un complément d'information dans un rapport d'équivalence, peut également être :

• **un nom (ou un groupe nominal)**
M. Leroux, **le boulanger,** cherche vainement un apprenti.
M. Leroux, **le seul boulanger du quartier,** cherche vainement un apprenti.

• **un pronom (ou un groupe pronominal)**
M. Leroux, **lui-même,** cherche vainement un apprenti.
M. Leroux, **celui que tout le monde connaît,** cherche vainement un apprenti.

• **un infinitif**
M. Leroux n'a qu'une idée en tête, **chercher un apprenti.**

• **une subordonnée relative**
M. Leroux, **qui tient boutique dans le quartier,** cherche vainement un apprenti.

• **une subordonnée conjonctive**
M. Leroux ne pense qu'à une chose : **qu'un apprenti se présente.**

### ⚠ Remarque

Il ne faut pas confondre l'apposition et le complément de nom.
L'apposition et le nom, auquel elle apporte un complément d'information, renvoient à la même réalité.

Le complément de nom concerne une réalité différente de celle du nom.

Apposition : la profession de boulanger

Complément de nom : la boulangerie de M. Leroux

# 16 LES PARTICULARITÉS DE L'ACCORD DES ADJECTIFS QUALIFICATIFS

Les adjectifs qualificatifs et les participes passés s'accordent en genre et en nombre avec le nom auquel ils se rapportent. Néanmoins, certaines particularités sont à connaître.

## Règles générales

• Lorsque l'**adjectif qualificatif** (ou le participe passé) est employé avec deux noms singuliers, il s'écrit au pluriel.

Le parc et le jardin sont désert**s**.  La place et l'avenue sont désert**es**.

• Lorsque l'adjectif qualificatif (ou le participe passé) est employé avec des noms de genres différents, on l'accorde au masculin pluriel.

La place et le parc sont désert**s**.

## Cas particuliers

• Après *des plus, des moins, des mieux, des moindres,* l'adjectif (ou le participe passé) qui suit se met au pluriel et s'accorde en genre avec le nom.

Cette affaire est <u>des plus</u> délicat**es**.

Ce joueur n'est pas <u>des moins</u> assidu**s** à l'entraînement.

Néanmoins, lorsque le mot auquel se rapporte l'adjectif est un infinitif, une proposition ou un pronom neutre, il reste au masculin singulier.

Trouver un taxi ici est <u>des plus</u> difficile.

C'est <u>des plus</u> regrettable que de devoir attendre.

• L'adjectif *possible* s'accorde quand il se rapporte directement au nom.

J'ai essayé toutes les solutions possible**s**.

Mais employé avec *le plus de, le moins de, le mieux, possible* est adverbe, donc invariable.

J'ai essayé <u>le plus</u> de solutions possible.  Il a fait <u>le moins</u> d'efforts possible.

• Les adjectifs *nu* et *demi*, placés devant le nom, sont invariables et s'y rattachent par un trait d'union.

Tu marches **nu**-pieds.  Ils vont partir dans une **demi**-heure.

Placés après le nom, *nu* s'accorde en genre et en nombre, *demi* s'accorde en genre.

Tu marches pieds **nus**.  Ils vont partir dans deux heures et **demie**.

**Remarques**

**1** *À nu* et *à demi* sont des adverbes, donc invariables.

avoir les épaules **à nu**
laisser une porte **à demi** fermée

*Nu* et *demi* peuvent être employés comme noms.

Cet artiste peint de beaux **nus**.
L'horloge sonne les **demies**.

**2** *Semi* et *mi*, éléments invariables, sont suivis d'un trait d'union.

Le ministre est en visite **semi**-officielle.
L'eau arrive à **mi**-hauteur du bassin.

**3** *Proche*, lorsqu'il signifie *à côté de* ou *qui est près d'arriver*, est variable.
Ces deux amies ont toujours été très **proches**.

L'expression *de proche en proche* est invariable.
Les eaux de la Saône s'étendaient **de proche en proche** au-delà des digues.

27

# 17 · LES ADJECTIFS QUALIFICATIFS DE COULEUR

Les adjectifs qualificatifs de couleur **obéissent à des règles d'accord particulières.**

## Les adjectifs de couleur variables

Généralement, **les adjectifs qualificatifs de couleur** s'accordent lorsqu'il n'y a qu'un seul adjectif pour désigner la couleur.
un drapeau blanc / des draps blan**cs** – une feuille blan**che** / des robes blan**ches**

### ⚠ Remarque

Traditionnellement, *châtain* ne s'emploie qu'au masculin.

des cheveux **châtains** – une chevelure **châtain**

Aujourd'hui, il est possible d'accorder cet adjectif en genre.

une chevelure **châtaine**

## Les adjectifs de couleur invariables

• Quand l'adjectif de couleur est accompagné d'un autre adjectif ou d'un nom, il n'y a pas d'accord.
des yeux **bleu pâle**                       des uniformes **vert olive**
des fleurs **jaune d'or**                      une décoration **rouge coquelicot**

• Lorsque chacun des deux éléments est un adjectif de couleur, il n'y a pas d'accord et on place un trait d'union.
des draperies **jaune-orangé**            des pierres **bleu-vert**

• Les noms (ou les groupes nominaux) utilisés comme adjectifs pour exprimer, par image, la couleur restent invariables.
des serviettes de bain **ivoire**         des draperies **sang-de-bœuf**
des tuyaux **vert-de-gris**                une figure **vermillon**
**Exceptions :**
*Mauve, écarlate, incarnat, fauve, rose, pourpre*, qui sont assimilés à de véritables adjectifs qualificatifs, s'accordent.
des rubans mauve**s**        des étoffes écarlate**s**        des façades rose**s**

### ⚠ Remarques

**1** Lorsque les adjectifs sont coordonnés, ils demeurent invariables si l'objet décrit est de deux couleurs.

Les voitures **rouge et bleu** ne prendront pas le départ. (→ les voitures bicolores)

En revanche, s'il y a des objets d'une couleur et d'autres d'une autre, on accorde les adjectifs.

Des voitures **rouges et bleues** s'alignent sur la ligne de départ. (→ des voitures rouges et des voitures bleues)

**2** Lorsque l'adjectif est précédé du nom *couleur*, il reste invariable.

porter des vêtements couleur **bleu**
(→ de la couleur du bleu)

**3** Lorsque la couleur est exprimée par un substantif, il n'y a pas d'accord.

des volets peints en **vert**
La veuve est habillée de **noir**.

# 18

# LES ADJECTIFS NUMÉRAUX

Les adjectifs numéraux cardinaux indiquent le nombre ; les ordinaux l'ordre.

## Les adjectifs numéraux cardinaux

• **Les adjectifs numéraux cardinaux** (ou noms de nombre) se placent devant le nom pour indiquer une quantité précise. Ils sont invariables.
– Certains adjectifs numéraux cardinaux sont simples.
**deux** centimes – **cinq** doigts – **sept** jours – **vingt** euros – **cent** mètres
– D'autres sont formés par juxtaposition ou par coordination.
**cinquante et une** marches – **mille cinq cent trente** litres

• *Vingt* et *cent* s'accordent quand ils indiquent un nombre exact de vingtaines ou de centaines.
deux cent**s** lignes                     **mais** deux cent quarante lignes
quatre-vingt**s** ans                    **mais** quatre-vingt-trois ans

### ⚠ Remarques

**1** On place un trait d'union entre les dizaines et les unités, sauf si elles sont unies par *et*.

quarante-trois kilomètres
soixante **et** un morceaux

**2** *Mille* est toujours invariable.

dix-huit **mille** spectateurs

**3** Devant *mille*, *cent* est invariable.

sept **cent** mille exemplaires

**4** Entre *mille* et *deux mille*, on dit indifféremment :

onze cents **ou** mille cent

**5** Il ne faut pas confondre les nombres avec les noms tels que *dizaine, centaine, millier, million, milliard,* qui s'accordent comme tous les noms.

deux douzaine**s** d'huîtres
trois centaine**s** de pommiers
cinq million**s** d'euros

**6** *Zéro* est un nom, il prend donc un *-s* quand il est précédé d'un déterminant pluriel.

deux zéro**s** après la virgule
faire zéro faute
→ ne faire aucune faute

## Les adjectifs numéraux ordinaux

**Les adjectifs numéraux ordinaux** s'accordent en genre et en nombre.
les première**s** places        les seconde**s** classes        les dernier**s** instants
Mais les adjectifs numéraux cardinaux employés comme des adjectifs numéraux ordinaux sont invariables.
la page **quatre cent**        le numéro **vingt**

### ⚠ Remarques

**1** Les noms désignant les parties d'un entier s'accordent avec les déterminants qui les précèdent.

deux moitié**s** – quatre quart**s** – cinq dixième**s**

**2** *Second* s'emploie pour désigner un être ou une chose qui termine une série de deux.
*Deuxième* s'emploie pour désigner un être ou une chose qui prend place dans une série de plus de deux.

# 19
# LES ADJECTIFS INDÉFINIS

Les adjectifs (ou déterminants) indéfinis sont nombreux et difficiles à classer.

## Les principaux adjectifs indéfinis

- **Chaque**, adjectif indéfini, marque le singulier, sans distinction de genre.
chaque jour          chaque nuit
- **Aucun** – souvent accompagné de la négation *ne* – s'emploie au singulier.
Il **ne** me laisse **aucun** répit.          Il **ne** laisse **aucune** trace.
Néanmoins, *aucun* s'emploie parfois au pluriel devant des noms qui n'ont pas de singulier ou qui prennent au pluriel un sens particulier.
La police **ne** constate **aucuns** agissements.
L'ennemi **n'**exerce **aucunes** représailles.
- **Pas un(e)** exprime une idée négative ; il est toujours singulier et peut être renforcé par *seul(e)*.
**Pas une voiture** de plus de quatre ans n'échappe au contrôle technique.
**Pas une seule voix** ne s'est élevée pour contredire l'orateur.
- **Nul, tel**, adjectifs indéfinis, s'accordent en genre, et parfois en nombre, avec le nom.
**Nulle** difficulté ne l'arrêtera.          **Nuls** préparatifs ne suffiront.
Pour confectionner cette robe, il faut **telle** longueur de tissu.
Que **tel** ou **tel** numéro soit tiré au sort, je ne gagnerai pas.
- **Maint**, adjectif indéfini qui exprime un grand nombre indéterminé, s'emploie au singulier mais surtout au pluriel.
Tu as vu ce film en **mainte** occasion. – Il nous a téléphoné à **maintes** reprises.
- **Différents, divers, plusieurs** devant des noms pluriels sont des adjectifs indéfinis qui indiquent un nombre relativement important. Seuls les deux premiers s'accordent en genre.
Il a parlé à **différentes/diverses** personnes. – Je resterai **plusieurs** semaines.

## ⚠ Remarques

**1** Lorsqu'il est adjectif qualificatif (au sens de *sans valeur*), *nul* s'accorde normalement avec le nom.
Les risques sont **nuls**.
Entre ces deux produits, la différence de prix est **nulle**.

**2** Lorsqu'il est adjectif qualificatif (au sens de *pareil, semblable, si grand...*), *tel* s'accorde normalement avec le nom.
Qui peut bien tenir de **tels** propos en de **telles** occasions ?

**3** *Nul, tel* sont des pronoms indéfinis lorsqu'ils sont sujets singuliers.
**Nul** n'est censé ignorer la loi.
**Tel** est pris qui croyait prendre.

**4** L'expression *tel quel* s'accorde avec le nom auquel elle se rapporte.
Je laisserai la maison **telle quelle**.

Il ne faut pas confondre l'expression *tel(les) quel(les)* avec *tel(les) qu'elle* que l'on peut remplacer par *tel qu'il*.
Elle laissera la maison telle qu'elle l'a trouvée.
→ ... l'appartement tel qu'il l'a trouvé.

# LES ACCORDS DANS LE GROUPE NOMINAL

Le groupe nominal (parfois appelé syntagme nominal) est un ensemble de mots organisé autour d'un nom principal (appelé parfois nom-noyau).

## Les déterminants du nom

Les mots qui accompagnent le plus souvent les noms sont **les déterminants** ; généralement ce sont eux qui indiquent le nombre et le genre du nom. Ce sont :

• **des articles**
le, la, l', les, un, une, des, au, du, de l', de la, aux

• **des adjectifs possessifs**
mon, ma, ton, ta, son, sa, notre, votre, leur, mes, tes, ses, nos, vos, leurs

• **des adjectifs démonstratifs**
ce, cet, cette, ces

• **des adjectifs interrogatifs et exclamatifs**
quel, quelle, quels, quelles

• **des adjectifs indéfinis**
nul, maint, tout, aucun, chaque, plusieurs, même, autre...

• **des adjectifs numéraux cardinaux**
deux, trois, cinq, quinze, trente, cent, mille...

⚠ **Remarque**

Certains déterminants sont combinables.

**les mêmes** paroles    **les trois** coups    **tous vos** projets    **cet autre** parcours

## Les autres constituants du groupe nominal

Le nom peut être accompagné d'autres mots qui en précisent le sens :
• **des adjectifs qualificatifs**
des regards **indiscrets**    un abonnement **annuel**    de **belles** maisons
(Les adjectifs qualificatifs s'accordent toujours avec le nom principal.)

• **des compléments du nom** (compléments déterminatifs) toujours placés après le nom.
mes ours **en peluche**    ce téléphone **à touches**    des étés **sans soleil**
(Les compléments de nom ne s'accordent pas avec le nom principal.)

• **des propositions subordonnées relatives**
la montagne <u>**dont** on aperçoit le sommet</u>    la chaîne <u>**qui** retransmet le tournoi</u>
(Le pronom relatif qui introduit une subordonnée relative a pour antécédent le nom principal.)

⚠ **Remarques**

1 L'apposition est une expansion du nom d'un type un peu particulier puisqu'elle est séparée du nom par des virgules (voir leçon 15).

2 Un mot peut être nominalisé s'il est précédé d'un article.

adjectifs : des absents
prépositions : des pour et des contre
verbes : les devoirs de français
adjectifs numéraux : des mille et des cents
adverbes : des petits riens
conjonctions : Il n'y a pas de « mais ».

# L'ACCORD DU VERBE

Le verbe s'accorde avec le sujet qui peut être un nom ou un pronom.

## Règle générale

**Le verbe s'accorde en personne et en nombre avec son sujet** qu'on trouve en posant la question « Qui est-ce qui ? » (ou « Qu'est-ce qui ? ») devant le verbe.
**Les élèves** quittent la salle.
Qui est-ce qui quitte ? **les élèves** → 3e personne du pluriel
Dans le groupe nominal sujet, il faut chercher **le nom** qui commande l'accord.
**Les élèves** du premier rang quittent la salle.
Qui est-ce qui quitte ? **les élèves** (du premier rang) → 3e personne du pluriel

## Les différents sujets du verbe

Le sujet est le plus souvent un nom, mais ce peut être aussi :
• **un pronom personnel**
**Ils** quittent la salle.

• **un pronom démonstratif**
Les élèves du premier rang quittent rapidement la salle ; **ceux** du dernier rang restent en place.
Les élèves du premier rang quittent la salle ; **cela** se passe dans le calme.

• **un pronom possessif**
Nos places sont attribuées ; **la mienne** se trouve au troisième rang.

• **un pronom indéfini**
Nos places sont attribuées ; **toutes** se trouvent au troisième rang.

• **un pronom interrogatif**
**Qui** quitte la salle ?
Dans ce cas, le verbe est toujours à la 3e personne du singulier.

• **une proposition subordonnée**
**Que** le **professeur ait rendu les copies** a surpris les élèves.
Dans ce cas, le verbe est toujours à la 3e personne du singulier.

• **un verbe à l'infinitif**
**Avoir** de bons résultats dans toutes les matières n'est pas facile.
Dans ce cas, le verbe est toujours à la 3e personne du singulier.

• **un pronom relatif** (voir leçon 22)
C'est toi **qui** quitteras la salle le dernier.

⚠ **Remarque**

On peut aussi trouver le sujet du verbe en l'encadrant avec « C'est ... qui » ou « Ce sont ... qui ».

Les élèves quittent la salle.
**Ce sont** les élèves **qui** quittent la salle.

# LE SUJET *TU* – LE SUJET *ON* – LE SUJET *QUI*

On observe certaines règles concernant les sujets *tu, on* et *qui* qu'il faut retenir.

## Le sujet *tu*

À tous les temps, à la 2<sup>e</sup> personne du singulier (sujet **tu**), le verbe se termine par **-s**.
**Tu** convaincs tes partenaires.        **Tu** refusas cette proposition.
Si **tu** te souvenais du couplet de cette chanson, **tu** le chanterais sans réticence.
Lorsque **tu** pénètreras dans ce local, **tu** constateras qu'il y fait très chaud.

### ⚠ Remarques

**1** Au présent de l'indicatif, *vouloir, pouvoir, valoir* prennent un **-x**.
Tu veux un délai supplémentaire.
Tu peux rapporter cet article.
Tu vaux largement ton adversaire.

**2** À l'impératif, le sujet de la 2<sup>e</sup> personne du singulier n'est pas exprimé et les verbes du 1<sup>er</sup> groupe ne prennent pas de **-s**.
Respire calmement.    Range tes affaires.

## Le sujet *on*

**On**, pronom sujet, peut être remplacé par un autre pronom de la 3<sup>e</sup> personne du singulier (*il* ou *elle*) ou par un nom sujet singulier (*l'homme*).
**On** gagne à tous les coups.    Il/Elle/L'homme gagne à tous les coups.

### ⚠ Remarque

L'adjectif qualificatif et le participe passé qui se rapportent au sujet *on* sont généralement au masculin singulier.
On est toujours plus **exigeant** avec les autres qu'avec soi-même.
On serait bien **avisé** de respecter les limitations de vitesse.

Si *on* désigne explicitement plusieurs personnes (l'équivalent de *nous*), l'adjectif qualificatif et le participe passé peuvent être accordés au pluriel.
On n'est pas sûr**s** de pouvoir entrer.
Nous ne sommes pas sûr**s** de pouvoir entrer.

## Le sujet *qui*

Lorsque le sujet du verbe est le pronom relatif **qui**, celui-ci ne marque pas la personne. Il faut donc chercher son antécédent qui donne la personne et permet l'accord du verbe.
Les cascadeurs **qui** règl**ent** la poursuite des voitures prennent des risques.
Je ne ferai pas équipe avec toi **qui** redout**es** les descentes dangereuses.
C'est moi **qui** contrôler**ai** la pression de mes pneus.

### ⚠ Remarque

Le pronom relatif *qui* peut également être complément du verbe de la subordonnée ; il est alors précédé d'une préposition (*à, de, pour...*).

La personne à **qui** vous destinez ce message ne répond pas.
Le candidat pour **qui** vous avez voté est élu facilement.

# L'ACCORD DU VERBE : CAS PARTICULIERS (1)

Le verbe s'accorde avec le sujet en personne et en nombre. Cependant, il existe certaines particularités qu'il faut connaître.

## Cas particuliers (1)

• **Inversion du sujet** : le sujet se trouve placé après le verbe.
Les convives apprécient les plats que prépare **ce célèbre chef**.
C'est aussi le cas à la forme interrogative quand le sujet est un pronom personnel.
Quand arrivez-**vous** à destination ?

• Quand le sujet du verbe est **un adverbe de quantité** (*beaucoup, peu, combien, trop, tant*), le verbe s'accorde avec le complément de cet adverbe.
Peu **de pays** autorisent la chasse à la baleine.
Beaucoup **de légumes** se consomment cuits à la vapeur.
Combien **de marins** souhaitent traverser seuls l'Atlantique ?
Trop **d'enfants** ne savent pas encore nager à l'âge de dix ans.
En Afrique, pourquoi tant **de personnes** meurent-elles encore du paludisme ?

• Quand un verbe a pour sujet **un collectif** (*un grand nombre de, un certain nombre de, une partie de, la majorité de, la minorité de, une foule de, la plupart de, une infinité de, une multitude, la totalité de...*) suivi de son complément, il s'accorde, selon le sens voulu par l'auteur, avec le collectif ou avec le complément. Il n'y a pas de règle précise.
Un banc de poissons s'approche du récif.
(le banc est considéré comme une seule entité)
Un banc de poissons s'approchent du récif.
(ce sont tous les poissons qui s'approchent)

• Lorsque le verbe dépend d'**une fraction au singulier** (*la moitié, un tiers, un quart...*) ou d'**un nom numéral au singulier** (*la douzaine, la vingtaine, la centaine...*) et s'il y a un complément au pluriel, l'accord se fait avec ce complément.
Le quart des pages de ce livre **étaient** illisibles.
Un millier de concurrents **prirent** le départ du triathlon de Sarlat.
Si l'auteur veut insister sur le terme quantitatif, le verbe reste au singulier.
Une douzaine d'huîtres **constituera** notre repas.

## ⚠ Remarques

**1** Dans une construction impersonnelle, le verbe s'accorde avec le sujet apparent (souvent *il*) mais pas avec le sujet réel qui, grammaticalement, est un COD.

| Il | existe | deux issues. |
|---|---|---|
| sujet apparent | | COD mais sujet réel |

| Il | manque | cinq euros. |
|---|---|---|
| sujet apparent | | COD mais sujet réel |

**2** Le sujet peut être séparé du verbe par un groupe de mots ou par des pronoms compléments (voir leçon 25).

**Les clientes**, dans cette parfumerie, trouvent tous les produits nécessaires à leur maquillage.
Ce produit paraît miraculeux ; **les clientes** le choisissent assez souvent.

# L'ACCORD DU VERBE : CAS PARTICULIERS (2)

Le verbe s'accorde avec le sujet en personne et en nombre. Cependant, il existe certaines particularités qu'il faut connaître.

## Cas particuliers (2)

- Lorsqu'un verbe a deux sujets singuliers, il se met au pluriel.
**La rivière** et **le torrent**, grossis par les pluies, déval**ent** la colline.

- Il arrive que deux sujets soient des personnes différentes. Dans ce cas,
– la 1re personne l'emporte sur la 3e :
**Sandra et moi** recherch**ons** un appartement à louer.
– la 2e personne l'emporte sur la 3e :
**Sandra et toi** recherch**ez** un appartement à louer.
Pour éviter les confusions, il faut reprendre les sujets par le pronom personnel équivalent.
**Sandra et moi, nous** recherch**ons** un appartement à louer.

- Lorsque deux sujets sont joints par *ainsi que, aussi bien que, autant que, comme, de même que, pas plus que...*, le verbe s'accorde avec les deux sujets, sauf si l'un d'eux est dominant.
L'Argentine, ainsi que le Brésil, appartienn**ent** au continent sud-américain.
**Mais** : La fatigue, autant que l'ennui, entraîn**e** des bâillements.

- Lorsque plusieurs sujets singuliers de la 3e personne sont joints par *ou, ni... ni*, le verbe s'accorde avec l'ensemble des sujets si l'idée de conjonction domine.
La neige **ou** le froid perturb**ent** la circulation routière.
**Ni** un train **ni** un autobus ne desserv**ent** cette bourgade.
Mais le verbe s'accorde avec le sujet rapproché si l'idée de disjonction prévaut.
Une embauche **ou** un refus **attend** le postulant au poste de magasinier.
**Ni** Mme Thomas **ni** M. Gérard n'**obtient** assez de suffrages pour être élu.
Les sujets sont toujours disjoints lorsqu'ils sont unis par des locutions telles que *ou plutôt, ou même, ou pour mieux dire.*
Un verrou, **ou même** des verrous, **sécuriseront** cette maison.

- Lorsque deux sujets sont joints par *moins que, plus que, plutôt que, et non*, le verbe s'accorde avec le premier sujet.
La patience, et non la précipitation, **permettra** d'achever ce travail.
Un marteau, plutôt qu'un tournevis, **est** nécessaire pour planter le clou.
La satisfaction du devoir accompli, plus que les honneurs, **réjouit** l'élu municipal.

- Quand le verbe a pour sujet un pronom tel que *tout, rien, ce,* qui reprend plusieurs noms, il s'accorde avec ce pronom.
La musique, le théâtre, le cinéma, l'opéra, **tout plaît** à Jordi.
Une tarte, une glace, un gâteau au chocolat, un sorbet, **rien** ne **satisfait** Rachel.

- Après *plus d'un*, le verbe se met au singulier ; après *moins de deux*, il se met au pluriel.
Plus d'un mathématicien **a** tenté de résoudre la quadrature du cercle.
Moins de deux tentatives **ont** suffi pour arrimer la montgolfière.

# LES PRONOMS PERSONNELS COMPLÉMENTS

Les pronoms personnels compléments sont placés près du verbe. Mais quels que soient les mots qui le précèdent immédiatement, le verbe conjugué à un temps simple s'accorde toujours avec son sujet.

## Le, la, l', les

Les pronoms *le, la, l', les* placés devant le verbe sont des pronoms personnels de la 3e personne, généralement compléments d'objet direct du verbe.
Ce bijou, Loana **le** porte en sautoir.    Cette montre, tu **la** mets à l'heure.
Ce rubis, le bijoutier **l'**examine.       Ces bagues, vous **les** admirez.

> ⚠ **Remarque**
>
> À l'impératif affirmatif, le pronom complément est placé immédiatement après le verbe auquel il est relié par un trait d'union.
> | Ce document, signez-**le**.
> Cette émission, regarde-**la**.
> Ces disques, écoute-**les**.

## Me, te, se, nous, vous

Devant les verbes pronominaux, on trouve aussi des pronoms personnels qui représentent la même personne que le sujet. Ils ne perturbent pas l'accord du verbe avec son sujet.
Je ne **me** dérange pas pour rien.    Tu **t'**ennuies à mourir.
Vous **vous** égarez dans la forêt.    Elles **se** maquillent.

> ⚠ **Remarque**
>
> On rencontre également des pronoms personnels compléments du verbe.
> | Je **les** rejoins au stade.
> Il **vous** retrouve au sous-sol.

## En, y

Les pronoms personnels *en* et *y* ne sont jamais sujets du verbe, mais compléments d'objet ou compléments de lieu du verbe.
De la salade, j'**en** mange souvent.    Ce pays, tu **y** vas souvent.

## Leur

*Leur*, placé près du verbe quand il est le pluriel de *lui*, est un pronom personnel complément qui demeure invariable.
Le moniteur de ski est prudent, on **lui** fait confiance.
Les moniteurs de ski sont prudents, on **leur** fait confiance.

> ⚠ **Remarque**
>
> Il ne faut pas confondre *leur* pronom personnel avec *leur(s),* adjectif possessif.
> | Ils <u>leur</u> demandent <u>leurs</u> adresses.
> pr. pers. compl.    adj. possessif

# NOM OU VERBE ?

Il ne faut pas confondre les noms avec les formes conjuguées d'un verbe. Ils peuvent être homophones, mais leur orthographe est très souvent différente.

On ne **met** pas tous ses œufs dans le même panier.
Le gastronome n'apprécie que les **mets** raffinés.

## Confusion due à la prononciation

Ces homonymes peuvent être :
- **un nom et une forme conjuguée au présent de l'indicatif**
Le maire **ceint** son écharpe tricolore.          donner le **sein** à un enfant
Ils **mentent** avec aplomb.                        du sirop de **menthe**

- **un nom et une forme conjuguée à l'imparfait de l'indicatif**
Tu **laçais** tes chaussures.                       les **lacets** de chaussures
Il **filait** à vive allure.                        le **filet** à papillons

- **un nom et une forme conjuguée au passé simple**
Il **mit** trois minutes pour me rejoindre.         Aimez-vous la **mie** de pain ?
Nous **rîmes** aux éclats.                           les **rimes** d'un poème

- **un nom et une forme conjuguée au futur simple**
Les cuisiniers **napperont** les gâteaux.           broder un **napperon**
Je **couperai** le pain.                             le **couperet** de la guillotine

- **un nom et une forme conjuguée au présent du subjonctif**
Il faut que j'**aille** me laver.                    une pointe d'**ail** dans le gigot
Je crains qu'il **faille** renoncer.                un relief de **failles**

- **un nom et le participe passé du verbe**
Je ne t'ai pas **cru**.                             les **crues** de la Loire
Farid est **né** un mardi.                          avoir le **nez** creux

### ⚠ Remarques

**1** Certains noms ont pour homonymes des verbes à l'infinitif.

On verse du **chlore** dans l'eau de la piscine.
Il faut **clore** cette aventure.

**2** Il existe quelques homographes que seul le sens permet de distinguer.

L'éleveur **trait** ses vaches deux fois par jour.
tracer un **trait** rouge

**3** Quelquefois, c'est l'agglutination du verbe conjugué et du pronom qui le précède qui est homophone d'un nom.

Ce médicament, nous ne l'**avions** pas pris.
L'**avion** atterrit.
Cette photo, tu l'**affiches** sur tous les murs.
J'admire l'**affiche** du spectacle.
Ces deux objets métalliques s'**attirent**.
le **satyre** de la mythologie grecque

## Comment éviter toute confusion ?

Pour distinguer ces homonymes, il est possible de conjuguer le verbe.

Elles se **piquent** (se piquaient) parfois les doigts.          le **pic** du Midi
Il se peut qu'il **fasse** (que nous fassions) un détour.        jouer à pile ou **face**

# 27 LE PARTICIPE PASSÉ EMPLOYÉ AVEC L'AUXILIAIRE *ÊTRE*

Le participe passé employé avec l'auxiliaire *être* s'accorde en genre et en nombre avec le nom (ou le pronom) principal du groupe sujet du verbe.

## Conjugaison avec l'auxiliaire *être*

Se conjuguent avec l'auxiliaire *être* :
- **quelques verbes intransitifs** exprimant un mouvement ou un changement d'état *(aller, arriver, partir, rester, tomber, sortir, mourir, entrer, naître, retourner, venir,* et ses dérivés, *éclore, décéder)* ;

Les grêlons sont tombés sur le verger.   La caravane est enfin partie.

- **les verbes à la voix passive** ;

La croissance est tirée par la consommation.
Les copies sont corrigées par les examinateurs.

- **les verbes pronominaux** (voir leçon 33).

Les deltaplanes se sont posés en douceur.   Mélodie s'est couchée tôt.

## Autres cas

- Quelques verbes, selon le sens (intransitif ou transitif), peuvent être conjugués avec l'auxiliaire *être* ou l'auxiliaire *avoir*.

Ils sont passés nous voir.   Ils ont passé leur permis.
Elle est rentrée.   Elle a rentré sa voiture.

- Employé à un temps composé, le verbe *être* se conjugue avec l'auxiliaire *avoir* ; son participe passé est toujours invariable.

Ils ont **été** de bonne foi.   Nous avons **été** en difficulté.

### ⚠ Remarques

**1** Le participe passé employé avec *être*, qu'il soit à un temps simple ou à un temps composé, s'accorde toujours avec le sujet.

Henri est prévenu par téléphone.
Henri a été prévenu par téléphone.

Ninon est prévenue par téléphone.
Ninon a été prévenue par téléphone.

Les pompiers sont prévenus par téléphone.
Les pompiers ont été prévenus par téléphone.

Elles sont prévenues par téléphone.
Elles ont été prévenues par téléphone.

**2** Pour les 1<sup>re</sup> et 2<sup>e</sup> personnes – singulier et pluriel –, seule la personne qui écrit sait quel est l'accord.
Je suis né en juillet.
→ C'est un homme qui parle.
Tu es née en juillet.
→ On parle à une femme.
Vous êtes nés en juillet.
→ On parle à des hommes.
Nous sommes nées en juillet.
→ Ce sont des femmes qui parlent.

**3** Quand le sujet est le pronom *on*, on peut, ou non, accorder le participe passé (voir leçon 22).

38

# IDENTIFIER LE COMPLÉMENT D'OBJET DIRECT

Le complément d'objet direct (COD) représente l'être, la chose, l'idée, l'intention sur lesquels porte l'action exprimée par le verbe.

## Règles générales

• Le COD se rattache directement au verbe, sans préposition. Un verbe qui admet un COD est un verbe transitif (voir leçons 92 et 119).
Ophélie rencontre **ses amies**.     J'oublie **que j'ai un rendez-vous**.

• Pour trouver le COD, on pose la question « qui ? » ou « quoi ? » après le verbe.
Ophélie rencontre qui ?     **ses amies**                          → COD
J'oublie quoi ?                   **que j'ai un rendez-vous**     → COD
Pour ne pas confondre le COD avec l'attribut, il faut se souvenir que :
– le COD et le sujet évoquent des éléments distincts l'un de l'autre ;
Myriam renouvelle son abonnement. (son abonnement → COD)
– l'attribut du sujet et le sujet évoquent le même élément.
Myriam restera la dernière. (la dernière → attribut)
C'est pourquoi on ne trouve jamais de COD après les verbes d'état.
**Exception** : Pour les verbes de forme pronominale, le pronom personnel COD placé devant le verbe peut désigner la même personne.
Il se trompe. (Il trompe lui-même)

### ⚠ Remarques

**1** Le COD est généralement placé après le verbe et il n'est pas déplaçable, sauf s'il est repris par un pronom.
Le chauffeur redoute **la nuit**.
La nuit, le chauffeur **la** redoute.

**2** Le COD peut être placé avant le verbe :
– dans une phrase interrogative
**Que** voulez-vous ?
– dans une phrase exclamative
**Quel beau tapis** avez-vous !

**3** En général, le COD ne peut être supprimé sans dénaturer le sens de la phrase. Mais, certains verbes peuvent être employés sans COD.
Il mange des tartines.     Il mange.

**4** Le COD peut être précédé d'un article partitif (*du, de la, de l'*) qu'il ne faut pas confondre avec une préposition.
Il mange du foie.     Il souffre du foie.
On ne dit pas : « Il souffre le foie. »
→ *du foie* n'est pas COD dans ce cas.

## Les différents COD

• **un nom ou un groupe nominal**
Il cueille **les fleurs**.     Il cueille **les fleurs du jardin**.

• **un pronom** (personnel, démonstratif, possessif, indéfini, interrogatif, relatif)
Tu **le** prends.     Je prends **ceci**.     Je prends **le mien**.
Tu prends **tout**.     **Que** prends-tu ?     Voici le livre **que** tu prends.

• **une subordonnée** ou **un infinitif** (ou un groupe verbal à l'infinitif)
Je devine **que tu aimes la lecture**.     Nous voudrions **répondre**.

# IDENTIFIER LE COMPLÉMENT D'OBJET INDIRECT

Le complément d'objet indirect (COI) représente l'être, la chose, l'idée, l'intention vers lesquels se dirige l'action exprimée par le verbe.

## Règles générales

• Le COI se rattache au verbe par une préposition (*à, aux* ou *de*), sauf s'il s'agit d'un pronom.
Ce collectionneur s'intéresse **aux timbres**.
Ce collectionneur se soucie **de ses timbres**.

• Pour trouver le COI, on pose généralement les questions « à qui ? », « de qui ? », « à quoi ? », « de quoi ? » après le verbe.

| | | |
|---|---|---|
| Ce collectionneur s'intéresse à quoi ? | **aux timbres** | → COI |
| Ce collectionneur se soucie de quoi ? | **de ses timbres** | → COI |

### ⚠ Remarques

**1** Le COI est généralement placé après le verbe. Il n'est pas déplaçable, sauf s'il est repris par un pronom.
Le chauffeur résiste **à la fatigue**.
La fatigue, le chauffeur **lui** résiste.

**2** En général, le COI ne peut être supprimé sans dénaturer le sens de la phrase ou la rendre incompréhensible. Cependant, certains verbes peuvent être employés sans COI.
Il joue **du violon**.   Il joue.

**3** Lorsque le verbe se construit avec un COD et un COI, le COI est appelé complément d'objet second (COS) ou complément d'attribution.

Le Père Noël distribue **des jouets** (COD) **aux enfants** (COS).

Lorsque le verbe se construit avec deux COI, celui introduit par *de* est appelé COI et celui introduit par *à* COS.
Le Père Noël s'occupe **de la distribution des jouets** (COI) **aux enfants** (COS).

**4** Il ne faut pas confondre le COI, précédé d'une préposition, avec le COD précédé d'un article partitif (*du, de la, de l'*).
Il mange **de la viande**. (COD)
Il souffre **de l'estomac**. (COI)

## Les différents COI

• **un nom ou un groupe nominal**
Le géologue s'attend **à une éruption**.
Le géologue se préoccupe **de l'état du volcan**.

• **un pronom** (personnel, démonstratif, possessif, indéfini, interrogatif, relatif)
Je **lui** parle.    J'**en** parle.    Je parle **de cela**.    Je parle **des miens**.
Tu parles **aux autres**.    **À qui** parles-tu ?    Voici ce **dont** tu parles.

• **un infinitif** (ou un groupe verbal à l'infinitif)
Vous nous aidez **à déplacer ce meuble**.

• **une proposition subordonnée**
Le géologue se doutait **qu'il s'agissait d'une éruption**.

# 30 | LE PARTICIPE PASSÉ EMPLOYÉ AVEC L'AUXILIAIRE *AVOIR*

Le participe passé employé avec l'auxiliaire *avoir* ne s'accorde jamais avec le sujet du verbe.

Ce pull en coton a rétréci au lavage.       Ces chaussettes rayées ont rétréci au lavage.

---

## L'accord du participe passé avec l'auxiliaire *avoir*

Le participe passé employé avec l'auxiliaire *avoir* s'accorde avec le complément d'objet direct (COD) du verbe, seulement si celui-ci est placé avant le participe passé.

Pour trouver le COD, on pose la question « qui ? » ou « quoi ? » après le verbe.

Au concert, Grégory a retrouvé ses amis.
Grégory a retrouvé qui ?       **ses amis**
Comme le COD est placé après le verbe, il n'y a pas d'accord.

Ses amis, Grégory les a retrouvé**s** au concert.
Grégory a retrouvé qui ?       **les** (mis pour **ses amis**)
COD placé avant le verbe → accord

---

### ⚠ Remarques

**1** Si, dans une question, le COD est placé avant le participe passé, il s'accorde.

Quelles contraintes avez-vous rencontr**ées** ?
COD → quelles contraintes

Combien de kilomètres as-tu parcour**us** ?
COD → combien de kilomètres

**2** Il ne faut pas confondre le complément d'objet indirect (COI), qui peut être placé avant le participe passé, avec le COD.

Les spectateurs ont applaudi ; la pièce leur a plu.
La pièce a plu à qui ? à **leur**
(mis pour **les spectateurs**) → COI

---

## Les pronoms COD

Placé devant le participe passé, le COD est le plus souvent un pronom qui ne nous renseigne pas toujours sur le genre ou le nombre.

Il faut donc chercher le nom que remplace le pronom pour bien accorder le participe passé.

• **pronom personnel**
Les chevrons, les charpentiers **les** ont pos**és**.
COD **les** (mis pour **les chevrons**) → accord au masculin pluriel
La poutre, les charpentiers **l'**ont pos**ée**.
COD **l'** (mis pour **la poutre**) → accord au féminin singulier

• **pronom relatif**
Les chevrons **que** les charpentiers ont pos**és** sont en chêne.
COD **que** (mis pour **les chevrons**) → accord au masculin pluriel
La poutre **que** les charpentiers ont pos**ée** est en chêne.
COD **que** (mis pour **la poutre**) → accord au féminin singulier

# LE PARTICIPE PASSÉ
# SUIVI D'UN INFINITIF

Le participe passé suivi d'un infinitif **obéit à certaines règles d'accord qu'il faut connaître.**

## Règles générales

Le participe passé, employé avec l'auxiliaire *avoir*, ne s'accorde que si le COD, placé avant le participe passé, fait l'action exprimée par l'infinitif.

Les acteurs **que** j'ai **vus** jouer formaient une troupe parfaitement homogène.
Recherche du COD → J'ai vu quoi ?      **que** (mis pour **les acteurs**)
Recherche de l'auteur de l'action de l'infinitif → Ce sont **les acteurs** qui jouent.
Comme le COD, placé avant le participe passé, fait l'action exprimée par l'infinitif, on accorde le participe passé avec ce COD.

La pièce **que** j'ai vu jouer a beaucoup ému le public.
Recherche du COD → J'ai vu quoi ?      **que** (mis pour **la pièce**)
Recherche de l'auteur de l'action de l'infinitif → Ce n'est pas **la pièce** qui joue.
Comme le COD, placé avant le participe passé, ne fait pas l'action exprimée par l'infinitif, on n'accorde pas le participe passé avec ce COD.

### ⚠ Remarques

**1** Si l'infinitif peut être suivi d'un complément d'agent introduit par la préposition *par*, le participe passé reste invariable.

La pièce que j'ai vu jouer **par les acteurs** a beaucoup ému le public.

**2** Si l'infinitif a un COD, on accorde le participe passé.

Ce sont ces acteurs que j'ai **vus** jouer **une pièce de Tchekhov**.

## Autres cas

• Le participe passé *fait* suivi d'un infinitif est toujours **invariable**.
Sa moto, Martin l'a fait réparer.     Ses articles, le journaliste les a fait relire.
En effet, le participe passé *fait*, suivi d'un infinitif, fait corps avec cet infinitif qui est considéré comme le COD de *fait*.
D'ailleurs, on peut toujours placer un complément d'agent :
Sa moto, Martin l'a fait réparer par le mécanicien du quartier.
Ses articles, le journaliste les a fait relire par un correcteur professionnel.

• Le participe passé *laissé* suivi d'un infinitif peut s'accorder si le COD, placé avant le participe passé, fait l'action exprimée par l'infinitif.
Voici les canaris que William a laiss**és** s'envoler.
Les canaris font bien l'action de s'envoler.
→ accord de *laissé* avec le COD
Voici les canaris que William a laissé élever par son oncle.
Ce ne sont pas les canaris qui élèvent, mais l'oncle.
→ pas d'accord de *laissé* avec le COD

### ⚠ Remarque

L'usage autorise désormais qu'on applique à *laissé* la même règle qu'à *fait*, c'est-à-dire de le considérer comme toujours invariable.

# LE PARTICIPE PASSÉ PRÉCÉDÉ DE *EN* ET PARTICULARITÉS

Les participes passés obéissent à certaines règles d'accord qu'il faut connaître.

## Le participe passé précédé de *en*

Lorsque le COD du verbe est le pronom *en*, le participe passé reste invariable.
J'ai apporté des gâteaux et nous **en** avons mangé.

### ⚠ Remarque

Le verbe précédé de *en* peut avoir un COD placé avant lui. Le participe passé s'accorde alors avec ce COD.

Olivier est allé au Mexique ; je conserve les statuettes **qu'**il m'en a rapport**ées**.
il a rapporté quoi ?
**qu'** (mis pour **les statuettes**)
→ accord au féminin pluriel

## Autres cas

• Le participe passé des verbes impersonnels, ou employés à la forme impersonnelle, reste invariable.
La somme qu'il a manqué à Jordi n'était pas très importante.
Cette protection, il l'aurait fallu plus étanche.

• Avec certains verbes (*courir, coûter, dormir, peser, régner, valoir, durer, vivre*), le participe passé s'accorde avec le pronom relatif *que* si ce pronom est bien COD.
Les compliments que son attitude courageuse lui a valu**s** étaient mérités.
Il ne s'accorde pas si *que* est complément circonstanciel de valeur, de prix, de durée, de poids... .
Les six mille euros que cette moto vous a coûté me paraissent bien exagérés.

• Les participes passés *dû, cru, pu, voulu* sont invariables quand ils ont pour COD un infinitif sous-entendu.
M. Louis n'a pas réalisé toutes les démarches qu'il aurait dû.
(COD sous-entendu : **effectuer**)
Mais on écrira :
M. Louis s'est entièrement libéré des sommes qu'il a du**es**.
Il a dû quoi ? COD → **qu'** (mis pour **des sommes**) → accord au féminin pluriel

• Lorsque le COD, placé devant le participe passé, est un collectif suivi de son complément, l'accord se fait soit avec le collectif, soit avec le complément, selon le sens voulu par l'auteur.
Si l'auteur veut insister sur le flot, véritable marée humaine, il écrira :
C'est un véritable flot de visiteurs que les gardiens du musée ont accueilli.
S'il veut insister sur les visiteurs, il écrira :
C'est un véritable flot de visiteurs que les gardiens du musée ont accueilli**s**.

• Le participe passé suivi d'un attribut d'objet direct s'accorde avec cet objet si celui-ci précède le participe passé.
La femme enfermée dans la malle, tout le public l'a cru**e** découpée en morceaux !
Ces escaliers, je les aurais voulu**s** moins raides.

# 33 — LE PARTICIPE PASSÉ DES VERBES PRONOMINAUX

Le participe passé d'un verbe pronominal **obéit à certaines règles d'accord.**

## Règles générales

Le participe passé d'un verbe employé à la forme pronominale s'accorde en genre et en nombre avec le COD quand celui-ci est placé avant le participe passé.
• Souvent, ce COD est un pronom personnel de la même personne que le sujet ; on peut alors dire que le participe passé s'accorde avec le sujet du verbe.
Ces blessés **se** sont vite rétablis.     Rose s'est brûl**ée** légèrement.

• Mais le verbe peut avoir un COD et le pronom réfléchi peut être complément d'attribution. Le participe s'accorde alors avec le COD placé avant lui.
Rose s'est brûlé **les mains**.     Ce sont les mains que Rose s'est brûl**ées**.

### ⚠ Remarques

**1** Le participe passé employé dans la conjugaison d'un verbe essentiellement pronominal s'accorde en genre et en nombre avec le sujet.

Les preuves se sont évanou**ies**.
Les perdreaux se sont envol**és**.

**2** Le participe passé du verbe *s'arroger* ne s'accorde jamais avec le sujet. Il s'accorde avec le COD lorsque celui-ci est placé avant lui.

Elles s'étaient arrogé des titres.
Ce sont les titres qu'elles s'étaient arrog**és**.

## Autres cas

• Lorsque le participe passé d'un verbe pronominal est suivi d'un infinitif, on applique les mêmes règles que pour le participe passé employé avec l'auxiliaire *avoir* suivi d'un infinitif (voir leçon 31).
Elles se sont fait faire un brushing.
Ils se sont laiss**és** retomber.     Elles se sont laissé coiffer.

• Le participe passé employé dans la conjugaison d'un verbe pronominal à sens réciproque s'accorde avec le sujet du verbe si le pronom personnel réfléchi a valeur de COD.
Les boxeurs **se** sont affront**és**.     Les bouchers **se** sont serv**is** de couteaux.

• Le participe passé employé dans la conjugaison d'un verbe pronominal à sens passif s'accorde toujours avec le sujet du verbe.
Les robes soldées se sont arrach**ées**.

### ⚠ Remarque

Si le pronom personnel réfléchi a valeur de COI, on distingue trois cas :
– Il n'y a pas de COD → le participe passé reste invariable
Les événements se sont succédé.

Principaux verbes suivant cette règle :
*se succéder, se parler, se plaire, se nuire, se ressembler, se suffire, s'en vouloir, se convenir, se mentir...*

– Il y a un COD placé après le participe → le participe passé reste invariable
Les adversaires se sont reproché leurs erreurs.

– Il y a un COD placé avant le participe → le participe passé s'accorde avec le COD
Voici les erreurs que les adversaires se sont reproch**ées**.

# FORMES VERBALES
## EN -É, -ER OU -EZ

On peut hésiter entre les formes verbales aux terminaisons homophones en [e].

## Confusion due à la prononciation

Lorsqu'on entend le son [e] à la fin d'un verbe du 1er groupe, plusieurs terminaisons sont possibles :

- **-er** si le verbe est à l'infinitif ;
Nous allons **fermer** la porte.    Pour **fermer** la porte, pousse le verrou.

- **-é** s'il s'agit du participe passé ;
Nous avons **fermé** la porte.    La porte **fermée**, tu peux être tranquille.

- **-ez** s'il s'agit de la terminaison de la 2e personne du pluriel du présent de l'indicatif ou de l'impératif.
Vous **fermez** la porte brusquement.    **Fermez** la porte.

> **⚠ Remarque**
>
> Le participe passé terminé par **-é** peut s'accorder, s'il est employé :
> – comme adjectif épithète
> garder les volets ferm**és**
> – comme adjectif attribut
> Les volets sont ferm**és**.
> – comme adjectif placé en apposition
> Ferm**ée**, la porte ne claque pas.
>
> – avec l'auxiliaire *être*
> Les fenêtres seront ferm**ées** par le vent.
> – avec l'auxiliaire *avoir* et si le COD est placé avant le participe passé
> Les fenêtres, les as-tu bien ferm**ées** ?

## Comment éviter toute confusion ?

Pour distinguer les diverses terminaisons des verbes du 1er groupe, on peut remplacer la forme pour laquelle on hésite par un verbe du 2e ou du 3e groupe ; on entend alors la différence.

- **infinitif**
Nous allons **fermer** la porte. → Nous allons **ouvrir** la porte.
Pour **fermer** la porte, pousse le verrou.
→ Pour **ouvrir** la porte, pousse le verrou.

- **participe passé**
Nous avons **fermé** la porte. → Nous avons **ouvert** la porte.
La porte **fermée**, tu peux être tranquille.
→ La porte **ouverte**, tu peux être tranquille.

- **2e personne du pluriel**
Vous **fermez** la porte brusquement. → Vous **ouvrez** la porte brusquement.

> **⚠ Remarques**
>
> **1** Même si le sens n'est pas toujours respecté, il est préférable, par souci d'efficacité, de choisir toujours le même verbe pour effectuer cette substitution.
>
> **2** Lorsque les verbes *aller, devoir, pouvoir, falloir* sont suivis d'un verbe, celui-ci est toujours à l'infinitif.
> Il va/doit/peut/faut **fermer** la porte.

# PARTICIPE PASSÉ OU
# VERBE CONJUGUÉ ?

À l'oral ou à l'écrit, il n'est pas rare d'hésiter entre le participe passé et le verbe conjugué. Il faut donc savoir distinguer ces formes.

## Confusion due à la prononciation

Lorsqu'on entend le son [i] ou le son [y] à la fin d'une forme verbale, il peut s'agir :
• du verbe conjugué qui prend alors les terminaisons de son temps ;
**présent de l'indicatif**
finir → Je fin**is** mon travail.　　sourire → Je sour**is** aux anges.
**passé simple**
courir → Je cour**us** lentement.　　partir → Je part**is** à l'aube.

• du participe passé terminé par **-i** ou **-u**.
finir → J'ai fin**i** mon travail.　　sourire → J'ai sour**i** aux anges.
courir → J'ai cour**u** lentement.　　partir → Je suis part**i** à l'aube.

> **⚠ Remarque**
>
> Le participe passé peut éventuellement s'accorder.　｜　des travaux fin**is**
> Une récompense est attendu**e**.

## Comment éviter toute confusion ?

Pour distinguer ces formes, on peut les remplacer par une autre forme verbale.
• Si c'est possible, il s'agit alors d'un verbe conjugué :
Alban **dormit** sur ses deux oreilles.　→ Alban **dormait** sur ses deux oreilles.
Jules César **connut** la gloire.　→ Jules César **connaissait** la gloire.
• Dans le cas contraire, il s'agit du participe passé en **-i** ou en **-u**.

> **⚠ Remarques**
>
> **1** Certains participes passés se terminent par **-is** ou **-it** au masculin singulier.
> un candidat adm**is**
> un château maud**it**
>
> Pour ne pas se tromper, on remplace par un nom féminin et on fait l'accord ; on entend alors la lettre finale.
> une candidate adm**ise**
> une région maud**ite**
>
> **2** Les participes passés *dû, mû, crû* (verbe *croître*), *recrû* (verbe *recroître*) ne prennent un accent circonflexe qu'au masculin singulier.
>
> Ayant perdu sa boussole, l'explorateur a **dû** rebrousser chemin.
> Ce moulin fonctionne **mû** par la force du vent.
> Les arbres ont **crû** rapidement.
>
> **3** Les participes passés *cru* (verbe *croire*), *recru* (*harassé*), *accru* (verbe *accroître*), *décru* (verbe *décroître*) ne prennent jamais d'accent circonflexe.
> Il a **cru** voir la terre.
> Il est **recru** de fatigue.
> Ce commerçant a **accru** son bénéfice.
> Le niveau des eaux a **décru** rapidement.

# EST – ES – ET – AI – AIE – AIES – AIT – AIENT / A – AS – À

Plusieurs formes des verbes *avoir* et *être* sont homophones. Il faut savoir les distinguer.

## est – es – et – ai – aie – aies – ait – aient

**Il ne faut pas confondre :**

• *est, es* : formes des 3ᵉ et 2ᵉ personnes du singulier de l'auxiliaire *être* au présent de l'indicatif.
On écrit *est, es* quand on peut les remplacer par les formes d'un autre temps simple de l'indicatif.

José **est** courageux. → José **était** courageux.
Tu **es** courageux. → Tu **étais** courageux.

La présence du pronom personnel de la 2ᵉ personne du singulier indique la terminaison.

• *et* : conjonction de coordination reliant deux groupes de mots ou deux parties d'une phrase.
On peut remplacer la conjonction *et* par *et puis*.

José est courageux **et** intrépide. → José est courageux **et puis** intrépide.

• *ai* : 1ʳᵉ personne du singulier au présent de l'indicatif de l'auxiliaire *avoir*.
On écrit *ai* quand on peut remplacer par une autre personne du présent de l'indicatif.

J'**ai** du courage. → Nous **avons** du courage.

• *aie, aies, ait, aient* : formes du verbe *avoir* au présent du subjonctif.
Pour éviter toute confusion, il faut d'abord identifier le mode subjonctif.
Pour cela, il suffit de changer de personne.

Il faut que j'**aie** du courage. → Il faut que nous **ayons** du courage.
Il faut que tu **aies** du courage. → Il faut que nous **ayons** du courage.
Il faut que le pompier **ait** du courage. → Il faut que vous **ayez** du courage.
Il faut que les pompiers **aient** du courage. → Il faut que vous **ayez** du courage.
Il faut ensuite bien distinguer les différentes personnes en repérant les pronoms ou les noms sujets.

## a – as – à

**Il ne faut pas confondre :**

• *a, as* : formes des 3ᵉ et 2ᵉ personnes du singulier de l'auxiliaire *avoir* au présent de l'indicatif.
On écrit *a, as* quand on peut les remplacer par les formes d'un autre temps simple de l'indicatif.

Élodie **a** froid. → Élodie **avait** froid.
Tu **as** froid. → Tu **avais** froid.

La présence du pronom personnel de la 2ᵉ personne du singulier indique la terminaison.

• *à* : préposition.
Élodie va **à** la piscine.
Élodie utilise une machine **à** calculer.
Élodie est **à** l'heure.
Élodie parle **à** Naïma.

# 37

# TOUT – TOUS – TOUTE – TOUTES

*Tout* peut prendre différentes formes qu'il faut reconnaître pour effectuer correctement les accords.

## Confusion due à la prononciation

**Il ne faut pas confondre :**

• *tout* : déterminant indéfini quand il se rapporte à un nom auquel il s'accorde en genre et en nombre. Il est généralement suivi d'un second déterminant.

**tout** le jour   **toute** cette journée   **tous** les mois   **toutes** les semaines

• *tout* : pronom indéfini quand il remplace un nom. Il est alors sujet ou complément du verbe.
Au singulier, *tout*, pronom, est employé seulement au masculin.
Au pluriel, *tout* devient *tous* ou *toutes* (on entend la différence entre ces deux formes).

**Tout** devrait être terminé à vingt heures. → **Tous** veulent assister au concert.
→ Ces chansons, on les connaît **toutes**.

• *tout* : adverbe, le plus souvent invariable, quand il est placé devant un adjectif qualificatif ou un autre adverbe. On peut alors le remplacer par *tout à fait*.
Les spectateurs sont **tout** étonnés.  → Les spectateurs sont **tout à fait** étonnés.
La salle est **tout** étonnée.  → La salle est **tout à fait** étonnée.
L'orchestre joue **tout** doucement.  → L'orchestre joue **tout à fait** doucement.

• *tout* : peut être un nom précédé d'un déterminant.
Le jeu de ces musiciens forme un **tout** agréable.

## ⚠ Remarques

**1** Quand on hésite entre le singulier et le pluriel pour certaines expressions, on place un déterminant entre *tout* et le nom.

rouler **tous** feux éteints
rouler **tous** les feux éteints
aimer de **tout** cœur
de **tout** son cœur

**2** Quand *tout* adverbe est placé devant un adjectif qualificatif féminin commençant par une consonne (en particulier un *h* aspiré), il s'accorde par euphonie, c'est-à-dire pour que la prononciation soit plus facile.

La brioche est **toute** froide.
Les spectatrices sont **toutes** surprises.

Les adjectifs commençant par un *h* aspiré sont peu nombreux : *hardie, honteuse, hagarde, hérissée, hachée...*

**3** Pour certaines phrases, il faut bien étudier le sens pour reconnaître la nature de *tout*.
En remplaçant *tout* par *tout à fait*, on peut souvent faire la distinction :

– **entre le pronom et l'adverbe ;**
Ces étudiants sont **tout** attentifs.
(*tout à fait* attentifs → adverbe)
Ces étudiants sont **tous** attentifs.
(*tous* sont attentifs → pronom)

– **entre l'adverbe et le déterminant.**
Nous avons fait un **tout** autre choix.
(*tout à fait* autre → adverbe)
À **toute** autre ville, je préfère Paris.
(*à n'importe quelle* ville → déterminant)

# MÊME – MÊMES

*Même* peut prendre différentes formes qu'il faut savoir reconnaître.

## Confusion due à la prononciation

**Il ne faut pas confondre :**
• *même* : adjectif ou déterminant indéfini quand il se rapporte à un nom (ou un pronom) avec lequel il s'accorde en nombre. Il a alors le sens de *pareil, semblable*.
Ces deux tables ont les **mêmes** pieds ; elles sont de la **même** époque.
Ces deux mélodies commencent par les **mêmes** notes.
Lorsque *même* se rapporte à un pronom, il lui est relié par un trait d'union.
M. Chevrier prépare lui-**même** ses confitures.
Nous tapisserons nous-**mêmes** les murs de notre appartement.
Les informaticiens eux-**mêmes** ne purent détruire ce virus.

• *même* : adverbe invariable, quand il modifie le sens :
– d'un verbe ;
Les vrais collectionneurs achètent **même** les tableaux de peintres inconnus.
– d'un adjectif ;
Ce produit fait disparaître les taches, **même** les plus importantes.
– ou quand il est placé devant le nom précédé de l'article.
**Même** les navires de fort tonnage ne se risquent pas en mer aujourd'hui.
Dans ces cas, on peut remplacer *même* par un autre adverbe : *également, aussi, y compris, exactement...*

• *même* : pronom quand il est précédé d'un article et qu'il remplace un nom.
Ton pull me plaît, je veux le **même**. Ta veste me plaît, je veux la **même**.
Tes pulls me plaisent, je veux les **mêmes**. Tes bottes me plaisent, je veux les **mêmes**.

### ⚠ Remarques

**1** *Vous-même* s'écrit avec ou sans **-s** selon que cette expression désigne plusieurs personnes ou une seule personne (singulier de politesse).
Marie et toi avez fait vous-**mêmes** toutes les démarches.
Avez-vous vous-**même** vérifié ce travail ?

**2** *Même* est également adverbe dans certaines expressions : *à même, tout de même, de même, même si, quand même...*
Personne n'est **à même** de donner la bonne réponse.
Malgré les incertitudes, nous partirons **tout de même**.
**Même si** vous rencontrez des obstacles, vous franchirez cette barre rocheuse.

**3** **Il ne faut pas confondre :**
– *même*, adverbe invariable, placé après un nom ;
Les maîtres nageurs **même** ne se baignent pas dans cette mer démontée.
(On peut dire : **Même** les maîtres nageurs ne se baignent pas.)

– *même*, adjectif placé également après le nom avec lequel il s'accorde.
Les maîtres nageurs **mêmes** sont à leur poste.
(*Même* a alors le sens de *identique à*)

Cet emploi est très rare.

# QUEL(S) – QUELLE(S) – QU'ELLE(S)

*Quel* peut prendre différentes formes qu'il faut reconnaître pour effectuer correctement les accords.

## Confusion due à la prononciation

**Il ne faut pas confondre :**

• *quel* : adjectif interrogatif, qui s'accorde avec le nom qu'il accompagne.
Il peut être épithète :
De **quel** quartier êtes-vous originaire ?
De **quelle** ville êtes-vous originaire ?
**Quels** livres avez-vous lus récemment ?
**Quelles** revues avez-vous lues récemment ?
ou attribut :

**Quel** est ce bruit ?               **Quelle** est cette mélodie ?
**Quels** sont ces bruits ?           **Quelles** sont ces mélodies ?

• *quel* : adjectif exclamatif, qui s'accorde avec le nom qu'il accompagne.
Il peut être épithète :
**Quel** bel immeuble !               **Quelle** belle maison !
**Quels** beaux immeubles !           **Quelles** belles maisons !
ou attribut :
**Quel** fut ton étonnement !         **Quelle** fut ta surprise !
**Quels** furent vos applaudissements !  **Quelles** furent vos émotions !

• *qu'elle(s)* : contraction de *que elle(s)*, pronom relatif ou conjonction de subordination suivi d'un pronom personnel féminin.

– pronom relatif
La cliente est décidée, voici le modèle **qu'elle** a choisi.
Les clientes sont décidées, voici le modèle **qu'elles** ont choisi.

– conjonction de subordination
La limite, il est probable **qu'elle** a été franchie.
Les limites, il est probable **qu'elles** ont été franchies.
En remplaçant le pronom personnel féminin *elle* par le pronom personnel masculin *il*, on entend alors la différence.
Le client est décidé, voici le modèle **qu'il** a choisi.
Les clients sont décidés, voici le modèle **qu'ils** ont choisi.
Le repère, il est probable **qu'il a** été franchi.
Les repères, il est probable **qu'ils** ont été franchis.

### ⚠ Remarque

Le pronom relatif *lequel* s'accorde lui aussi en genre et en nombre avec son antécédent.

Voici le plat dans **lequel** le cuisinier servira les hors-d'œuvre.

Voici l'assiette dans **laquelle** le cuisinier servira les hors-d'œuvre.
Voici les ramequins dans **lesquels** le cuisinier servira les hors-d'œuvre.
Voici les coupelles dans **lesquelles** le cuisinier servira les hors-d'œuvre.

# SE (S') – CE (C') – CEUX / SONT – SON

Il existe des formes homophones *(se – ce – ceux* ou *sont – son)* qu'il faut distinguer.

## se (s') – ce (c') – ceux

**Il ne faut pas confondre :**

• *se (s')* : pronom personnel réfléchi de la 3e personne qui fait partie d'un verbe pronominal.
On peut le remplacer par un autre pronom personnel réfléchi : *me* ou *te* en conjuguant le verbe.
Paquita **se** couche tôt.   → Je **me** couche tôt.

• *ce* : déterminant démonstratif placé devant un nom ou un adjectif.
On peut le remplacer par un autre déterminant démonstratif si on change le genre ou le nombre du nom.
**ce** mouvement     → **cette** impulsion     → **ces** mouvements
Un adjectif qualificatif peut parfois s'intercaler entre le déterminant et le nom.
**ce** brusque mouvement → **cette** brusque impulsion

• *ce (c')* : pronom démonstratif, souvent placé devant le verbe *être* (ou *devoir, pouvoir)* ou un pronom relatif.
**C'**est à Tours que Balzac est né.     **Ce** sont des tapis persans.
**Ce** devait être une grande aventure.     **Ce** peut être un nouvel épisode.
J'ai dormi un peu, **ce** qui m'a reposé.   Dormir, voici **ce** dont j'ai le plus besoin.

• *ceux* : pronom démonstratif, représente un nom masculin pluriel.
On peut le remplacer par *celui* en mettant le nom au singulier.
Les kiwis sont **ceux** que je préfère. → Le kiwi est **celui** que je préfère.

**⚠ Remarque**
Devant une voyelle ou un *h* muet, *ce* et *se* s'écrivent *c'* et *s'*.

## sont – son

**Il ne faut pas confondre :**

• *sont* : forme conjuguée de l'auxiliaire *être* à la 3e personne du pluriel du présent de l'indicatif.
On écrit *sont* quand on peut le remplacer par une autre forme conjuguée de l'auxiliaire *être* à la 3e personne du pluriel : *étaient, seront, furent...*
Tous les espoirs **sont** permis.     → Tous les espoirs **étaient** permis.

• *son* : déterminant possessif singulier.
Il peut être remplacé par un autre déterminant possessif. Il est placé devant un nom ou un adjectif et indique l'appartenance.
**Son** espoir est déçu.     → **Ton** espoir est déçu.     → **Le sien** est déçu.

**⚠ Remarque**
*Son*, déterminant possessif masculin, peut être placé devant des noms (ou des adjectifs) féminins commençant par une voyelle ou un *h* muet.

**son** arrivée
**son** habitude
**son** abondante chevelure
**son** heureuse décision

# CES – SES /
# C'EST – S'EST – SAIT – SAIS

Il existe des formes homophones comme *ces – ses* ou *c'est – s'est – sait – sais* qu'il faut savoir distinguer.

## ces – ses

**Il ne faut pas confondre :**

• **ces** : déterminant démonstratif, placé devant un nom ou un adjectif.
Il peut être remplacé par un autre déterminant démonstratif si on met le nom au singulier.

On admire **ces** vitrines.      → On admire **cette** vitrine.
On admire **ces** modèles.      → On admire **ce** modèle.

• **ses** : déterminant possessif, placé devant un nom ou un adjectif.
Il peut être remplacé par un autre déterminant possessif si on met le nom au singulier.

Benoît range **ses** vêtements.      → Benoît range **son** vêtement.
Benoît range **ses** chemises.      → Benoît range **sa** chemise.

⚠ **Remarque**

Pour choisir entre le déterminant possessif *ses* ou le déterminant démonstratif *ces*, il faut bien examiner le sens de la phrase.
Martin feuillette **ses** (**ces**) livres.

S'il s'agit de livres qui lui appartiennent, on écrit :
Martin feuillette **ses** livres.

S'il s'agit de livres qui sont disposés sur les rayons de la librairie, on écrit :
Martin feuillette **ces** livres.

## c'est – s'est – sait – sais

**Il ne faut pas confondre :**

• **c'est** : auxiliaire *être* précédé du pronom démonstratif élidé *c'* (*ce*).
Il peut souvent être remplacé par l'expression *cela est*.
Marcher sans chaussures sur le corail, **c'est** (**cela est**) dangereux.

• **s'est** : auxiliaire *être* précédé du pronom personnel réfléchi élidé *s'* (*se*).
Il peut être remplacé par *me suis* ou *se sont* en conjuguant l'auxiliaire *être*.
Tristan **s'est** baigné dans un lagon bleu. → Je **me suis** baigné dans un lagon bleu.

• **sait** (**sais**) : formes conjuguées du verbe *savoir* aux personnes du singulier du présent de l'indicatif.
Elles peuvent être remplacées par d'autres formes conjuguées de ce verbe.
Mélodie **sait** nager. → Mélodie **saura** nager.
Je **sais** nager. → Je **savais** nager.      Tu **sais** nager. → Tu **as su** nager.

⚠ **Remarque**

Pour ne pas confondre *ses* ou *ces* avec *c'est* ou *s'est*, on peut remplacer par *c'était* ou *s'était*.

C'est (C'était) un film à succès.
Benoît s'est (s'était) perdu.

# ONT – ON – ON N'

Il existe des formes homophones comme *ont – on – on n'* qu'il faut savoir distinguer.

## Confusion due à la prononciation

**Il ne faut pas confondre :**

• *ont* : forme conjuguée de l'auxiliaire *avoir* à la 3e personne du pluriel au présent de l'indicatif.
On écrit *ont* quand on peut le remplacer par une autre forme de l'auxiliaire *avoir* à la 3e personne du pluriel : *avaient, auront, eurent...*
Les canards **ont** les pattes palmées. → Les canards **avaient** les pattes palmées.

• *on* : pronom personnel indéfini de la 3e personne du singulier, toujours sujet d'un verbe.
On écrit *on* quand on peut le remplacer par un autre pronom personnel de la 3e personne du singulier ou un nom sujet singulier.
**On** voit un vol de canards. → **Il/Elle/Le naturaliste** voit un vol de canards.

• *on n'* : quand *on* est placé devant un verbe commençant par une voyelle ou un *h* muet, on n'entend pas la différence entre la forme affirmative et la forme négative.
À la forme affirmative, on fait la liaison à l'oral :
**On** (n)aperçoit des canards.      **On** (n)héberge des canards.
À la forme négative, la première partie de la négation est élidée.
**On n'**aperçoit pas de canards.      **On n'**héberge pas de canards.
Si on remplace *on* par un autre pronom personnel, on entend alors la différence (*ne* → *n'*).
**Il** aperçoit des canards.      **Il** héberge des canards.
**Il n'**aperçoit pas de canards.      **Il n'**héberge pas de canards.

### ⚠ Remarques

**1** *Ont* est aussi la forme de l'auxiliaire *avoir* lorsqu'un verbe est conjugué à la 3e personne du pluriel au passé composé.

Les canards **ont** pris leur envol.
Les canards **avaient** pris leur envol.

**2** Le pronom personnel indéfini *on* est souvent employé à la place du pronom personnel *nous*, surtout à l'oral.

**On** sort vite. **Nous** sortons vite.
Dans ce cas, si *on* désigne plusieurs personnes, il entraîne néanmoins un accord du verbe au singulier.

Dans un souci de cohérence grammaticale, il est préférable de ne pas accorder le participe passé lorsque le sujet est *on*, même si l'accord est parfois toléré.

**On** est sorti vite. **Nous** sommes sorti(e)s vite.

Dans un même texte, on n'emploiera pas à la fois *on* et *nous*.

**3** On écrit :

des on-dit et le qu'en dira-t-on.

# C'EST – CE SONT / C'ÉTAIT – C'ÉTAIENT / SOI – SOIT – SOIS

Il existe plusieurs formes du verbe *être* qu'il faut savoir distinguer.

## c'est – ce sont / c'était – c'étaient / ce fut – ce furent

• Les verbes *être*, *devoir être*, *pouvoir être*, précédés de *ce* (*c'*), se mettent au pluriel s'ils sont suivis d'un sujet réel à la 3e personne du pluriel ou d'une énumération ; sinon ils sont au singulier.

Max, **c'est** un bon joueur.  Max et Luc, **ce sont** de bons joueurs.
**C'était** encore un chanteur inconnu.  **C'étaient** encore des chanteurs inconnus.
**Ce fut** une victoire facile.  **Ce furent** des victoires faciles.
Erwan joue de trois instruments : **ce sont** la guitare, le banjo et la contrebasse.
Max, **ce doit être** un bon joueur. Max et Luc, **ce doivent être** de bons joueurs.
Max, **ce peut être** un bon joueur. Max et Luc, **ce peuvent être** de bons joueurs.
Dans une langue moins soutenue, on admet l'accord au pluriel ou au singulier.

• Lorsque le pronom qui suit *c'est* est *nous* ou *vous*, le verbe *être* reste au singulier.
**C'est nous** qui allons repeindre les portes et les fenêtres.
**C'est vous** que le directeur a retenu pour aller travailler en Italie.

• Si le nom qui suit *c'est* est précédé d'une préposition, le verbe *être* reste au singulier.
**C'est de** ces projets que je veux vous entretenir.

## soi – soit – sois

**Il ne faut pas confondre :**
• *soi* : pronom personnel réfléchi de la 3e personne du singulier qui ne marque ni le genre ni le nombre. Il se rapporte à un sujet singulier indéterminé.
Pour réussir, il faut faire preuve de confiance en **soi**.
Lorsque le sujet est précis, on emploie *lui*.
M. Walter fait preuve de confiance en **lui**.

• *soit* : conjonction de coordination marquant l'alternative.
Ce soir, il prendra **soit** le métro, **soit** l'autobus pour rentrer chez lui.
On peut toujours remplacer *soit* par *ou bien*.
Ce soir, il prendra **ou bien** le métro, **ou bien** l'autobus pour rentrer chez lui.

• *soit, sois* : formes du singulier du présent du subjonctif du verbe *être*.
Il faut que je **sois** à l'abri. Il faut que tu **sois** à l'abri. Il faut que Léa **soit** à l'abri.

### ⚠ Remarques

**1** *Soi* est souvent renforcé par *même*.
Il faut respecter les autres comme **soi-même**.

On peut le remplacer par un autre pronom personnel réfléchi en modifiant la phrase.
Nous respectons les autres comme nous-mêmes.

**2** *Soi-disant* est toujours invariable, même employé comme adjectif.
Ils sont venus **soi-disant** pour nous parler.
Les **soi-disant** déménageurs ont abîmé les meubles.

# SI – S'Y / NI – N'Y

Il existe des formes homophones comme *si – s'y / ni – n'y* qu'il faut savoir distinguer.

---

## *si – s'y*

**Il ne faut pas confondre :**

• *si* : adverbe ou conjonction de subordination, qui peut être remplacé par un autre adverbe ou une autre conjonction.
La température est **si** basse que l'eau gèle.
→ La température est **tellement** basse que l'eau gèle.
Nous sortirons **si** la sirène retentit.
→ Nous sortirons **parce que** la sirène retentit.

• *s'y* : qui peut se décomposer en *se y* (on place l'apostrophe par euphonie). Il est toujours placé devant un verbe, car le *s'* fait partie d'un verbe pronominal. Le *y* est pronom adverbial ou personnel.
Dans ce lac, on **s'y** baigne volontiers.
Au bureau, Martial **s'y** rend à pied.
On peut remplacer *s'y* par *m'y* ou *t'y* en conjuguant le verbe.
Dans ce lac, tu **t'y** baignes volontiers.
Au bureau, je **m'y** rends à pied.

---

## *ni – n'y*

**Il ne faut pas confondre :**

• *ni* : conjonction négative qui relie deux éléments (noms ou propositions).
M. Bourdon ne sait **ni** ce qui s'est passé **ni** qui a appelé les pompiers.
La poule n'a **ni** dents **ni** oreilles.
On peut parfois remplacer *ni* par *et* :
M. Bourdon ne sait **ni** ce qui s'est passé **et** qui a appelé les pompiers.
ou par *pas* :
La poule n'a **pas** de dents et **pas** d'oreilles.

• *n'y* : qui peut se décomposer en *ne y* (on place l'apostrophe par euphonie). Le *n'* est la première partie d'une négation dont on peut trouver la deuxième partie dans la suite de la phrase. Le *y* est pronom adverbial ou personnel.
Sur les routes verglacées, les conducteurs **n'y** roulent que très lentement.
Sans ses lunettes, grand-père **n'y** voit rien.

---

⚠ **Remarque**

Parfois, la première conjonction *ni* est remplacée par une autre conjonction négative.
Cette chanson n'est **ni** originale **ni** mélodieuse.

Cette chanson n'a **rien** d'original **ni** de mélodieux.

Je n'irai **ni** sur la Lune **ni** sur Mars.
Je n'irai **jamais** sur la Lune **ni** sur Mars.

# SANS – SENT – S'EN – C'EN / DANS – D'EN

Il existe des formes homophones qu'il faut savoir distinguer.

## sans – sent – sens – s'en – c'en

**Il ne faut pas confondre :**
• **sans** : préposition qui marque l'absence, le manque. Elle est souvent le contraire de la préposition *avec*.
C'est un immeuble **sans** ascenseur.    Gérald sort de l'eau **sans** trembler.
On écrit *sans* quand on peut remplacer par *avec*, ou par *sinon*, *pour*, *en* dans certaines expressions.
C'est un immeuble **avec** ascenseur.    Gérald sort de l'eau **en** tremblant.

• **sent**, **sens** : formes du verbe *sentir* aux trois personnes du singulier du présent de l'indicatif.
Ce lutteur ne **sent** plus sa force.        Je ne **sens** plus ma force.
On écrit *sent* ou *sens* quand on peut remplacer par une autre forme du verbe *sentir* : *sentait, sentais, sentira, sentirai, sentiras, sentent...*
Ce lutteur ne **sent** plus sa force. → Ce lutteur ne **sentait** plus sa force.
Je ne **sens** plus ma force. → Je ne **sentirai** plus ma force.

• **s'en** : contraction de *se en*. **S'** est la forme élidée du pronom personnel réfléchi *se*, et **en** un pronom adverbial.
Ce lutteur est très fort et il ne **s'en** aperçoit pas.
On écrit *s'en* quand on peut remplacer par *m'en*, *t'en* en conjuguant le verbe.
Je suis fort et je ne **m'en** aperçois pas. Tu es fort et tu ne **t'en** aperçois pas.

• **c'en** : contraction de *ce en*.
**C'** est la forme élidée du pronom démonstratif *ce*, et **en** un pronom adverbial.
Vous faites du bruit, **c'en** est trop.        Du foie gras ? **c'en** est, bien sûr.

⚠ **Remarque**

Après *sans*, le nom est généralement au pluriel.

Admirez ce ciel **sans** nuages. → S'il y en avait, il n'y aurait pas qu'un seul nuage.

Sinon, on écrit le nom au singulier.

Voilà une bien triste journée **sans** soleil. → Il ne peut y avoir qu'un soleil.

## dans – d'en

**Il ne faut pas confondre :**
• **dans** : préposition qui peut être remplacée par une autre préposition : *à l'intérieur de*, *parmi*, *chez*...
Je m'entraîne **dans** un gymnase. → Je m'entraîne **à l'intérieur** d'un gymnase.
• **d'en** : contraction de *de en*. **D'** est la forme élidée de la préposition *de*, et **en** un pronom personnel (ou premier terme d'une locution prépositive : *en face*, *en haut*, *en bas*...). Elle est généralement placée devant un verbe à l'infinitif.
Du pain, je viens **d'en** couper deux tranches.
Le code de la route, il convient **d'en** respecter les règles.

# QUELQUE(S) – QUEL(S) QUE – QUELLE(S) QUE

Il existe des formes homophones comme *quelque(s) – quel(s) que – quelle(s) que* qu'il faut savoir distinguer.

## Confusion due à la prononciation

**Il ne faut pas confondre :**

• ***quelque(s)*** : déterminant indéfini qui s'écrit en un seul mot et qui s'accorde en nombre.

Il arrivera dans **quelque** temps.     Il arrivera dans **quelques** heures.

**Quelques** exemplaires de cet album sont encore disponibles.

Il faut retenir l'orthographe de quelques expressions :

en quelque sorte – quelque part – quelque chose – quelque peine à – quelque peu

• ***quel(les) que*** : regroupement de deux mots, un adjectif indéfini attribut et une conjonction de subordination.

**Quel que** soit le parcours, tu l'accompliras.

Dans ce cas, *quel* s'accorde avec le sujet qui se trouve après le verbe *être* (ou *devoir être, pouvoir être*) au présent du subjonctif.

**Quel que** soit <u>ton projet</u>, nous le respecterons.

**Quelle que** soit <u>ta décision</u>, nous la respecterons.

**Quels que** doivent être <u>tes projets</u>, nous les respecterons.

**Quelles que** puissent être <u>tes intentions</u>, nous les respecterons.

• ***quelque*** : adverbe lorsqu'il se trouve placé devant un adjectif ; il est alors invariable.

**Quelque** mouillés que soient ces vêtements, il faudra les enfiler.

**Quelque** appétissants que soient ces gâteaux, je n'en reprendrai pas.

On peut le remplacer par un autre adverbe.

**Aussi** mouillés que soient ces vêtements, il faudra les enfiler.

**Aussi** appétissants que soient ces gâteaux, je n'en reprendrai pas.

### ⚠ Remarque

**1** On peut parfois confondre l'adverbe et le déterminant placé devant un adjectif suivi d'un nom.

**Quelques** bons élèves devront passer cet examen.

**Quelque** bons élèves que soient ces étudiants, ils devront passer cet examen.

On supprime l'adjectif. Si cette suppression est possible, *quelque* est en rapport avec le nom, donc il s'accorde.

**Quelques** élèves devront passer l'examen terminal.

Si c'est impossible, *quelque* est adverbe et reste invariable.

On n'écrit pas : « Quelque élèves que soient ces étudiants, ils devront passer l'examen terminal. »

**2** *Quelques-uns* et *quelques-unes* sont des pronoms indéfinis pluriels ; les pronoms singuliers étant *quelqu'un* et *quelqu'une* (plus rare).

**3** Lorsqu'il a le sens de *parfois*, *quelquefois* s'écrit en un seul mot.

M. Marrou va **quelquefois** à la pêche.

# LA – L'A – L'AS – LÀ / SA – ÇA – ÇÀ

Il existe des formes homophones comme *la – l'a – l'as – là* ou *sa – ça – çà* qu'il faut savoir distinguer.

## la – l'a – l'as – là

**Il ne faut pas confondre :**

• *la* : article ou pronom personnel complément, qui peut être remplacé par *une, le* ou *les*.
La piscine, Alice **la** fréquente chaque semaine.
→ **Le** stade, Alice **le** fréquente chaque semaine.

• *l'a* : contraction de *la a* ou de *le a*, qui peut être remplacée par *l'avait, l'aura*.
La piscine, Alice **l'a** fréquentée pendant un an.
→ La piscine, Alice **l'avait** fréquentée pendant un an.

• *l'as* : contraction de *la as* ou de *le as*, qui peut être remplacée par *l'avais, l'auras*.
La piscine, tu **l'as** fréquentée pendant un an.
→ La piscine, tu **l'avais** fréquentée pendant un an.

• *là* : adverbe de lieu, qui peut souvent être remplacé par *ici* ou *-ci*.
C'est **là** que j'ai appris à nager.
→ C'est **ici** que j'ai appris à nager.
*Là* est parfois accolé à un pronom démonstratif ou à un nom.
Ce bassin est profond ; dans celui-**là** on a pied.
→ Ce bassin est profond ; dans celui-**ci** on a pied.
Cet objet-**là** possède une valeur inestimable.
→ Cet objet-**ci** possède une valeur inestimable.

## sa – ça – çà

**Il ne faut pas confondre :**

• *sa* : déterminant possessif de la 3e personne du singulier, qui peut être remplacé par un autre déterminant *son, ses...*
Un bon chasseur ne sort pas sans **sa** chienne.
→ Un bon chasseur ne sort pas sans **son** chien.

• *ça* : pronom démonstratif, qui peut souvent être remplacé par *cela* ou *ceci*.
J'ai regardé le feuilleton, mais je n'ai pas trouvé **ça** passionnant.
→ J'ai regardé le feuilleton, mais je n'ai pas trouvé **cela** passionnant.

• *çà* : adverbe de lieu, qui ne se rencontre que dans l'expression *çà et là* où il signifie *ici*.
On observe, **çà** et là, quelques affiches.
→ On observe, **ici** et là, quelques affiches.

Il existe des formes homophones comme *prêt(s) – près* ou *plus tôt – plutôt* qu'il faut savoir distinguer.

## prêt(s) – près

**Il ne faut pas confondre :**

• **prêt** (**prêts**) : adjectif qualificatif, qui s'accorde avec le nom qu'il accompagne. Si on substitue au nom masculin un nom féminin, il peut être remplacé par la forme du féminin, *prête* (*prêtes*).
Le chat est **prêt** à bondir sur la petite balle rouge.
Les chats sont **prêts** à bondir sur la petite balle rouge.
→ La chatte est **prête** à bondir sur la petite balle rouge.
→ Les chattes sont **prêtes** à bondir sur la petite balle rouge.
**Prêt(s)** est généralement suivi par la préposition *à* (parfois *au, pour*).
Tu es **prêt** à nous suivre.
Le parachutiste est **prêt** au grand saut.
Les parachutistes sont **prêts** pour le grand saut.

• **près** : préposition ou adverbe de lieu, qui peut souvent être remplacé par une autre préposition ou un autre adverbe de lieu, *à côté* ou *loin*.
Les alpinistes sont **près** du sommet ; encore un petit effort !
→ Les alpinistes sont **à côté** du sommet ; encore un petit effort !
→ Les alpinistes sont **loin** du sommet ; encore un petit effort !
**Près** est souvent suivi par la préposition *de* (*du, d'*).
La mairie est située **près de** la poste.
La mairie est située **près du** bureau de poste.

Il existe un autre homonyme, le nom *prêt* (action de *prêter*). Il est généralement précédé d'un déterminant. | Pour acheter une nouvelle voiture, M. Sarda sollicite un **prêt**.

## plus tôt – plutôt

**Il ne faut pas confondre :**

• **plus tôt** : locution adverbiale qui exprime une idée de temps et qui est le contraire de *plus tard*.
Le dimanche, la boulangerie ouvre **plus tôt** que d'habitude.
Le dimanche, la boulangerie ouvre **plus tard** que d'habitude.

• **plutôt** : adverbe qui signifie *de préférence, encore, très*. Il peut être remplacé par un autre adverbe.
Ces vignes seront vendangées à la main **plutôt** qu'à la machine.
→ Ces vignes seront vendangées à la main **de préférence** à la machine.
Dans ce quartier la vie est **plutôt** agréable.
→ Dans ce quartier la vie est **assez** agréable.

# PEUT – PEUX – PEU

Il existe des formes homophones comme *peut – peux – peu* qu'il faut savoir distinguer

## Confusion due à la prononciation

**Il ne faut pas confondre :**

• **peut** : forme conjuguée du verbe *pouvoir* à la 3$^e$ personne du singulier du présent de l'indicatif.
On écrit *peut* quand on peut le remplacer par une autre forme conjuguée du verbe *pouvoir* à la même personne (*pouvait, pourra, a pu...*).
Coline **peut** graver des CD.          → Coline **pouvait** graver des CD.

• **peux** : forme conjuguée du verbe *pouvoir* à la 1$^{re}$ ou 2$^e$ personne du singulier du présent de l'indicatif.
On écrit *peux* quand on peut le remplacer par une autre forme conjuguée du verbe *pouvoir* à la même personne (*pouvais, pourrai, ai pu...*).
Je **peux** graver des CD.          → Je **pouvais** graver des CD.
Seul le sujet permet de distinguer *peut* et *peux*.

• **peu** : adverbe de quantité, donc invariable.
On écrit *peu* quand on peut le remplacer par *beaucoup* (ou quelquefois par *très* devant un adjectif).
Coline a gravé **peu** de CD.          → Coline a gravé **beaucoup** de CD.
Coline est **peu** expérimentée.          → Coline est **très** expérimentée.
Lorsque *peu* est précédé de *un*, c'est l'ensemble *un peu* qui se remplace par *beaucoup* ou *très*.
Coline est **un peu** expérimentée.          → Coline est **très** expérimentée.

### ⚠ Remarques

**1** *Peu* est parfois employé comme nom (il signifie alors *une petite quantité*).
Coline grave le **peu** de CD qu'elle possède.

**2** Il ne faut pas confondre l'adverbe *peut-être* (qui s'écrit avec un trait d'union) et le groupe formé du verbe *pouvoir* conjugué et de l'infinitif *être* (qui ne prend pas de trait d'union). Pour éviter toute confusion, on essaie de remplacer par *pouvait être*.
Coline gravera **peut-être** des CD.
Ce CD **peut être** gravé en quelques minutes.
→ Ce CD **pouvait être** gravé en quelques minutes.

**3** Il faut retenir l'orthographe de quelques expressions.
**Peu s'en faut** que l'orage n'éclate.
Ce banc est **un tant soit peu** bancal.
Il faut **faire peu de cas** des calomnies.
Cet immeuble compte **à peu près** dix étages.
Il faut aider les malheureux, **si peu que ce soit**.
Cette moquette est **quelque peu** usée.
Tous ces enfants se ressemblent **peu ou prou**.
Jouer aux cartes ou aux dominos, **peu importe**.
La côte est rude, **ce n'est pas peu dire** !

# QUAND – QUANT – QU'EN / OU – OÙ

Il existe des formes homophones qu'il faut savoir distinguer.

## quand – quant – qu'en

**Il ne faut pas confondre :**

• *quand* : conjonction de subordination, qui peut être remplacée par *lorsque*.
**Quand** nous aurons un moment de libre, nous classerons nos photographies.
→ **Lorsque** nous aurons un moment de libre, nous classerons nos photographies.

• *quand* : adverbe, qui peut être remplacé par *à quel moment*.
**Quand** serez-vous en vacances ? → **À quel moment** serez-vous en vacances ?

• *quant* : préposition, qui peut être remplacée par *en ce qui concerne, pour (ma) part*.
L'autobus arrivera à dix heures ; **quant au** train, je l'ignore.
→ L'autobus arrivera à dix heures ; **en ce qui concerne** le train, je l'ignore.
Philippe parle l'espagnol, **quant à** moi, j'essaie d'apprendre l'allemand.
→ Philippe parle l'espagnol, **pour ma part**, j'essaie d'apprendre l'allemand.

• *qu'en* : peut se décomposer en *que en* (on place l'apostrophe par euphonie).
Le plombier pensait **qu'en** une heure il aurait terminé.
Les historiens consultent des documents ; **qu'en** dégagent-ils comme conclusion ?
Ce problème n'est simple **qu'en** apparence.
Ce n'est **qu'en** travaillant qu'on devient un virtuose du piano.

### ⚠ Remarques

**1** Pour choisir entre *quand* et *quant*, la liaison induit en erreur.
En effet, avec *quand* suivi d'une voyelle, la liaison est également en *t*.
Quand (t)il court, Richard penche la tête.
Quant (t)à Richard, il penche la tête.

Il faut se souvenir que *quant* est toujours suivi d'une autre préposition : *à, au, aux*.

**2** Le nom *camp* est aussi un homonyme qui se distingue assez facilement car il est souvent précédé d'un déterminant.
Les joueurs se replient dans leur **camp**.

**3** Il faut retenir l'orthographe de ces noms composés.
Hautain, il est resté sur son **quant-à-soi**.
Elle ne se soucie pas des **qu'en-dira-t-on**.

## ou – où

**Il ne faut pas confondre :**

• *ou* : conjonction de coordination, qui peut être remplacée par *ou bien*.
Pour trouver ce mot, utilise un dictionnaire **ou** (**ou bien**) un lexique.

• *où* : pronom ou adverbe, qui indique le lieu, le temps, la situation.
On peut parfois le remplacer par *dans lequel, à quel endroit, à laquelle*.
Voici un étui **où** il y a deux stylos. → Voici un étui **dans lequel** il y a deux stylos.
**Où** habitez-vous ? → **Dans quel endroit** habitez-vous ?

Il existe des formes homophones qu'il faut savoir distinguer.

## quoique – quoi que

**Il ne faut pas confondre :**

• *quoique* : conjonction de subordination, qui peut toujours être remplacée par *bien que*.
**Quoique** les fenêtres restent fermées, il fait froid dans ce bureau.
→ **Bien que** les fenêtres restent fermées, il fait froid dans ce bureau.

• *quoi que* : pronom relatif composé qui a le sens de *quelle que soit la chose que* ou de *quelque chose que*.
**Quoi que** vous décidiez, prévenez-nous.

### ⚠ Remarques

**1** Le verbe qui suit *quoique* ou *quoi que* est toujours au mode subjonctif.
Quoi qu'il dise, personne n'écoute.
Quoiqu'il réponde, personne ne l'écoute.

**2** Dans l'expression *quoi qu'il en soit*, *quoi qu'* s'écrit en deux mots.
Je maintiens ma position, quoi qu'il en soit.

## parce que – par ce que

**Il ne faut pas confondre :**

• *parce que* : locution conjonctive de subordination qui introduit un complément circonstanciel de cause et qui peut être remplacée par *car*.
Mme Thierry achète ses fromages à la ferme **parce qu'**ils y sont plus frais.
→ Mme Thierry achète ses fromages à la ferme **car** ils y sont plus frais.

• *par ce que* : expression formée d'une préposition, d'un pronom démonstratif neutre et d'un pronom relatif et qui a le sens de *par la chose que*.
**Par ce que** vous avancez comme motif, vous ne serez pas cru.
C'est une expression peu employée.

## pourquoi – pour quoi

**Il ne faut pas confondre :**

• *pourquoi* : adverbe ou conjonction, qui peut être remplacé par *pour quelle raison* ou *dans quelle intention*.
Le menuisier ne comprend pas **pourquoi** ce bois est aussi tendre.
→ Le menuisier ne comprend pas **pour quelle raison** ce bois est aussi tendre.

• *pour quoi* : pronom relatif ou interrogatif précédé de la préposition *pour* a le sens de *pour cela*.
Cet homme, on le condamne **pour quoi** (pour cela).

### ⚠ Remarque

*Pourquoi* peut aussi être un nom invariable, synonyme de *motif*.

Je ne m'explique pas le **pourquoi** (le motif) de cette affaire.

# LE PARTICIPE PRÉSENT ET L'ADJECTIF VERBAL

Il faut savoir distinguer les formes en **-ant** comme le participe présent et l'adjectif verbal.

## Le participe présent

Le participe présent, **invariable**, est une forme verbale terminée par **-ant**.
Goûtez-moi ce biscuit craqu**ant** sous la dent.
Goûtez-moi cette biscotte craqu**ant** sous la dent.

## L'adjectif verbal

• L'adjectif verbal, terminé lui aussi par **-ant**, s'accorde avec le nom (ou le pronom) auquel il se rapporte.
goûter un biscuit craquant           goûter une biscotte craquant**e**
• L'adjectif verbal, comme l'adjectif qualificatif, peut être épithète ou attribut.
Vous tenez des propos **amusants**.        Vos propos sont **amusants**.

### ⚠ Remarques

**1** Il ne faut pas confondre les adjectifs verbaux terminés par **-ant** avec les adverbes terminés par **-ent** ou **-ant**.
Cette actrice est souv**ent** éblouissante.
Auparav**ant** ces locaux étaient bruyants.

**2** Certains adjectifs verbaux sont employés comme des noms.
Les gagn**ants** se partageront le gros lot ; les perd**ants** espèrent que le sort leur sera favorable la prochaine fois.

## Comment éviter toute confusion ?

Il est parfois difficile de distinguer le participe présent de l'adjectif verbal.
On peut remplacer le nom masculin par un nom féminin ; oralement, on entend la différence.
Voici l'entrée des joueurs remplaçants.
Voici l'entrée des joueuses remplaçant**es**.        → adjectif verbal
Les joueurs remplaçant leurs partenaires sont là.
Les joueuses remplaçant leurs partenaires sont là.        → participe présent

### ⚠ Remarques

**1** Des participes présents et des adjectifs verbaux peuvent avoir des orthographes différentes.

en communi**qu**ant par signes
les vases communi**c**ants
en provo**qu**ant une émeute
une tenue provo**c**ante
en diffé**r**ant la réponse
une réponse diffé**r**ente
en navi**gu**ant dans le golfe
le personnel navi**g**ant

en conver**ge**ant vers la sortie
des réponses conver**g**entes
en précéd**ant** le cortège
le numéro précéd**ent**
en fati**gu**ant son entourage
une marche fati**g**ante

**2** Même quand il est adjectif, *soi-disant* est toujours invariable.
Cette **soi-disant** solution échoua.

# 53

# LES ACCENTS

Les accents sont des signes placés sur les voyelles pour, le plus souvent, en modifier la prononciation. Un texte où les accents sont absents est beaucoup plus difficile à lire.

## Les différents accents

• L'accent aigu ( ´ ) se place uniquement sur la lettre *e* qui se prononce alors [e].
Jérémie est désespéré car il a perdu sa précieuse clé.

• L'accent grave ( ` ) se place souvent sur la lettre *e* qui se prononce alors [ɛ].
Cet athlète possède une bonne hygiène de vie.
On trouve parfois un accent grave sur les lettres *a* et *u*.
Où se trouve l'Espagne ? Au-delà des Pyrénées, à deux heures de Paris en avion.

• L'accent circonflexe ( ^ ) se place sur la lettre *e* qui se prononce alors [ɛ].
Le joueur se jette tête baissée dans la mêlée.

### ⚠ Remarques

**1** On trouve aussi un accent circonflexe sur les autres voyelles (sauf *y*).
un gâteau – une traîne – un cône – la flûte

Les accents circonflexes sur les lettres *i* et *u* ne modifient pas leur prononciation.

**2** L'accent circonflexe peut être le témoin d'une lettre disparue que l'on retrouve dans des mots de la même famille.
l'hôpital – hospitalisé – l'hospice
la croûte – croustillant

**3** L'accent circonflexe permet aussi de distinguer des mots homonymes.

L'abricot est mûr.
un mur de brique

une tache de graisse
une rude tâche

respecter le jeûne du ramadan
parler à un jeune enfant

gravir la côte
surveiller la cote d'alerte

## Cas particuliers

• Lorsque le *e* se trouve entre deux consonnes au milieu d'une syllabe, il ne prend pas d'accent, même s'il est prononcé [ɛ].
ne jamais perdre la technique de la lecture
**Exceptions :**
en fin de mot : le progrès – le succès – près – l'arrêt – la forêt

• On ne double pas la consonne qui suit une voyelle accentuée.
l'intérieur mais un terrain          bâtir mais battre
**Exceptions :** un châssis – une châsse – enchâsser – l'enchâssement

• Devant la lettre *-x*, le *e* n'a jamais d'accent.
Il nous explique la solution d'un exercice complexe.

### ⚠ Remarque

Selon les régions, la prononciation des lettres accentuées peut varier, mais l'orthographe demeure la même.

# LA CÉDILLE – LE TRÉMA – LE TRAIT D'UNION – L'APOSTROPHE

Il existe d'autres signes écrits qu'il faut connaître.

## La cédille

Pour conserver le son [s], on place **une cédille** sous la lettre **c** devant les voyelles **a, o, u**.
la leçon – menaçant – un reçu

## Le tréma

**Le tréma**, généralement placé sur la lettre **i**, indique que l'on doit prononcer séparément la voyelle qui le précède immédiatement.
être naïf – faire preuve d'héroïsme – un plat en faïence

### ⚠ Remarque

Placé sur le **e** qui suit un **u**, le tréma indique que le **u** doit être prononcé.
aiguë – aiguë – ambiguë – contiguë

Le tréma peut aussi avoir la valeur d'un **é**.
un canoë

## Le trait d'union

**Le trait d'union sert à lier plusieurs mots. On le place :**
• entre les différents éléments de beaucoup de mots composés ;
sur-le-champ – un sapeur-pompier – un non-lieu – un arc-en-ciel

• entre le verbe et le pronom personnel sujet antéposé (ainsi que *ce*) ;
Pourquoi ne dis-tu pas la vérité ?   Est-ce la vérité ?   Sait-on la vérité ?

• entre le verbe à l'impératif et le(s) pronom(s) personnel(s) complément(s) ;
Lève-toi !    Parlons-en.    Faites-le-moi savoir.

• dans certaines locutions adverbiales ;
pêle-mêle    avant-hier    au-dessus    par-delà

• dans les déterminants numéraux inférieurs à *cent* ;
trente-quatre   quatre-vingt-dix-huit

• devant les particules -*ci* et -*là* ;
celui-ci    cette maison-là    ces immeubles-là

• entre le pronom personnel et l'adjectif *même* ;
lui-même    elle-même    eux-mêmes

• dans certaines expressions.
là-haut    jusque-là    ci-joint    de-ci    de-là

## L'apostrophe

L'apostrophe (') se place en haut et à droite d'une lettre pour marquer l'élision de **a, e, i** ou devant un mot commençant par une voyelle ou un **h** muet.
l'arrivée   s'asseoir   lorsqu'il   quelqu'un   parce qu'on   s'il pleut

# LES ABRÉVIATIONS –
# LES SIGLES – LES SYMBOLES

Le langage courant fonctionne de plus en plus avec des abréviations, des sigles et des symboles ; il faut savoir les déchiffrer.

## Les abréviations

• Parfois, c'est une ou plusieurs syllabes qui sont retranchées du mot par apocope (la fin du mot) :
la photographie → la photo  sympathique → sympa  un professeur → un prof
ou plus rarement par aphérèse (le début du mot).
l'autobus → le bus                           un blue-jean → un jean

• Quelquefois, le mot d'origine est légèrement modifié.
être régulier → être réglo                un réfrigérateur → un frigo

• Dans d'autres cas, on forme une abréviation en ne conservant que la première lettre (minuscule ou majuscule) suivie d'un point. Pour éviter les ambiguïtés, on conserve parfois plusieurs lettres, suivies ou non d'un point.
nom → n.            page → p.                    adjectif → adj.
monsieur → M.       mademoiselle → Mlle

> ⚠ Remarque
> Ces mots ainsi abrégés prennent normalement la marque du pluriel.
> les mathématiques → les maths
> les informations → les infos

## Les sigles

• De très nombreux groupes de mots sont réduits à leur sigle. On ne retient que les initiales (en majuscules) de chacun des mots essentiels qui composent l'expression. La présence de points entre les lettres tend à disparaître.
CNRS → centre national de la recherche scientifique
un P.V. → un procès-verbal

• Lorsqu'on les lit, on énonce chaque lettre, mais si des voyelles sont incluses dans le sigle, on peut le prononcer comme un mot ordinaire.
un OVNI → un objet volant non identifié

> ⚠ Remarque
> Certains sigles, très courants, sont devenus des noms communs.
> le sida → le syndrome d'immunodéficience acquise
> un radar → un Radio Detecting And Ranging

## Les symboles

Dans les domaines mathématique, scientifique et technique, on utilise des symboles qui ont l'avantage d'être communs à presque toutes les langues.
Les plus courants symbolisent principalement les unités de mesures.
seconde → s    kilogramme → kg    centimètre → cm    hectolitre → hL
ampère → A     mètre cube → m³    paragraphe → §     arobase → @

# LES ÉCRITURES DES SONS [s] ET [z]

Les sons [s] et [z] peuvent s'écrire de plusieurs manières.

## Les différentes graphies du son [s]

- **s**
la salade – sauter – solide – la réponse – le sucre

- **ss**
la crevasse – la graisse – une assiette – pousser

- **c** seulement devant les voyelles **e**, **i** et **y**
un cerceau – l'urgence – un citron – un cygne

- **ç** devant les voyelles **a**, **o** et **u**
une façade – un glaçon – un reçu

- **t** seulement devant la lettre **i**, à l'intérieur ou en fin de mot
la condition – la sélection – un quotient – la gentiane
Beaucoup de ces noms se terminent par **-tion**, mais tous les noms terminés par ce son ne s'écrivent pas **-tion** ; il y a d'autres graphies.
la passion – la pension – la suspicion

- **sc** dans quelques mots
la science – la discipline – la scierie

### ⚠ Remarques

**1** Il ne faut pas oublier que la lettre **s** marque le pluriel de beaucoup de noms et d'adjectifs ; dans ce cas, elle est muette.

**2** Dans les nombres *dix* et *six* (et leurs dérivés), le **x** se prononce [s].

## Les différentes graphies du son [z]

- **z**
un zéro – le gazon – bizarre – la luzerne

- **s** lorsque celui-ci est placé entre deux voyelles
le musée – le visage – le poison

### ⚠ Remarque

Comme entre deux voyelles, la lettre **s** se prononce [z], pour obtenir le son [s], il faut donc doubler le **s**.

déjouer une ruse
parler le russe
téléphoner à son cousin
s'asseoir sur un coussin

Néanmoins, dans les noms composés de deux mots qui sont soudés et dans ceux dont le préfixe précède la lettre **s**, le son [s] peut s'écrire avec un seul **s**.

un parasol – un tournesol – un contresens – vraisemblable – la préséance – un ultrason – le cosinus – extrasensible – la photosynthèse

# 57

# LES ÉCRITURES DU SON [k]

Le son [k] peut s'écrire de plusieurs manières.

## Les différentes graphies du son [k]

- **c** devant les voyelles **a**, **o** ou **u** et devant les consonnes
un cachet – une colline – récupérer – un tracteur – l'acné
Un certain nombre de mots s'écrivent avec deux **c**.
une occasion – accompagner – une accusation – acclamer

- **qu**
quatre – une quille – un quotient – un masque

- **k**
un kangourou – ankylosé – le parking
Dans deux mots, le **k** est doublé :
le drakkar – le trekking

- **ch**
la chorale – la chlorophylle – la psychologie
Dans quelques mots, le son [k] final s'écrit **ch**.
un almanach – des aurochs – le varech – un mach (unité de mesure de vitesse supersonique)

- **ck**
un jockey – le racket – un teckel
Ces mots sont très souvent d'origine étrangère.

- **cqu** dans quelques mots
acquitter – Jacques – Jacqueline – le jeu de jacquet

Comme le choix entre ces écritures est difficile, il faut apprendre par cœur l'orthographe des mots les plus courants et consulter un dictionnaire en cas de doute.

# LES ÉCRITURES DU SON [ã]

Le son [ã] peut s'écrire de plusieurs manières.

## Les différentes graphies du son [ã]

• **an**

l'**an**goisse – la b**an**que – tr**an**quille – un volc**an**
On rencontre cette graphie dans la terminaison des participes présents et de nombreux adjectifs verbaux (voir leçon 52).
en march**ant** – être viv**ant** – les toits ouvr**ants**

• **en**

la c**en**dre – la dép**en**se – le cal**en**drier – **en**nuyer – la lég**en**de

– Sans lettre muette, cette graphie n'apparaît jamais en position finale.

– On rencontre cette graphie dans le suffixe **-ent** qui permet de former de nombreux noms et adverbes (voir leçon 90).
un alim**ent** – un serm**ent** – un torr**ent** – rapidem**ent** – couramm**ent**

– De nombreux verbes du 3e groupe se terminent par **-endre**.
desc**endre** – appr**endre** – v**endre** – att**endre**
**Exceptions** qui se terminent par **-andre** :
rép**andre** – ép**andre**

– Devant les lettres **b**, **m** et **p**, on écrit **am-** au lieu de **an-** et **em-** au lieu de **en-**.
une **am**bulance – un cr**am**pon – la j**am**be – t**am**ponner
le t**em**ps – **em**barrasser – **em**mener – **em**porter
**Exceptions :**
né**an**moins et quelques noms propres : Gut**en**berg, Ist**an**bul...

Comme le choix entre ces écritures est difficile, il faut apprendre par cœur l'orthographe des mots les plus courants et consulter un dictionnaire en cas de doute.

### ⚠ Remarques

**1** Le préfixe **en-** (**em-**) qui signifie souvent « à l'intérieur » permet de former de nombreux verbes :
embarquer – encaisser – enfermer – enfoncer – emprisonner – empaqueter

**2** Il faut retenir la graphie de quelques préfixes :
**anti-** : de l'antigel – un antibiotique – des antibrouillards
**entre-** : une entrevue – entreposer – une entreprise

**amph-** : un amphithéâtre – amphibie – les amphibiens
**anthropo-** : un anthropophage – l'anthropologie – l'anthropomorphisme

**3** Il faut retenir quelques graphies plus rares du son [ã].
**-aen** : la ville de Caen
**-aon** : un faon, un paon, un taon, la ville de Laon
**-am** : la pomme d'Adam
**-ean** : Jean

69

# LES ÉCRITURES DU SON [ɛ̃]

Le son [ɛ̃] peut s'écrire de plusieurs manières.

## Les différentes graphies du son [ɛ̃]

- **in**

un lap**in** – le d**in**don – m**in**ce
**Variante : im** devant **b, m, p.**
un t**im**bre – **im**pair – **im**mangeable
En début de mot, on écrit généralement **in-** ou **im-**.
**in**terdire – **in**filtrer – **im**portant – **im**buvable
**Exception :** a**in**si

- **yn**

le s**yn**dicat – une s**yn**thèse – une s**yn**cope
**Variante : ym** devant **b, p** ;
une c**ym**bale – une s**ym**phonie
et dans le nom de la plante aromatique : le th**ym**.

- **ain**

un cop**ain** – la pl**ain**te – le proch**ain**
Retenons l'orthographe des noms :
le d**aim** – la f**aim** (affamer) – un ess**aim** (essaimer)

- **ein**

un r**ein** – un fr**ein** – la c**ein**ture
Retenons l'orthographe de la ville de R**eim**s.

- **en** notamment en fin de mot après **i, é, y**

un gard**ien** – un lycé**en** – moy**en** – il revi**en**t
**Exception :** un exam**en**
Mais on trouve également la graphie **-en-** à l'intérieur de quelques mots.
un ag**en**da – un référ**en**dum – un p**en**tagone

### ⚠ Remarques

**1** Les verbes du 3e groupe terminés par
[ɛdʀ] à l'infinitif s'écrivent **-eindre** :

att**eindre** – ét**eindre** – p**eindre**
**Exceptions :** cr**aindre** – pl**aindre** –
contr**aindre** (et leurs dérivés)

**2** On peut parfois s'appuyer sur un mot
de la même famille pour trouver
la bonne graphie.

pl**ein** → la pl**én**itude
urb**ain** → l'urb**an**isme
un bur**in** → bur**in**er

**3** L'opposition orale entre le son [ɛ̃] de
« un **brin** de muguet » et le son [œ̃]
de « un manteau **brun** » est
loin d'être réalisée par tous les
francophones. De par leur diffusion
nationale, les différents médias
accentuent l'alignement du [ɛ̃] sur
le [œ̃]. Heureusement, les mots dans
lesquels le son [œ̃] s'écrit **un** ou **um**
sont peu nombreux et d'usage courant.

auc**un** – chac**un** – br**un** – h**um**ble –
le parf**um** – comm**un** – l**un**di – empr**un**ter –
déf**un**t – un import**un**...

# LES ÉCRITURES DU SON [f]

Le son [f] peut s'écrire de plusieurs manières.

## Les différentes graphies du son [f]

• **f**
une fraise – enfin – la définition – sacrifier

• **ff**
suffire – souffler – le coffre – siffler

• **ph**
la phrase – la physique – la catastrophe – un éléphant

– La graphie **ph** ne se trouve en finale que dans le prénom Joseph.

– Quelques préfixes et suffixes, d'origine grecque, s'écrivent avec **ph**.
**-graphe** (qui écrit) → l'orthographe – le paragraphe – le télégraphe
**-phone** (son) → le magnétophone – un interphone – aphone
**-phage** (qui mange) → un sarcophage – un œsophage – un anthropophage
**photo-** (lumière) → la photographie – la photocopie – photogénique
**morpho-** (autour) → la morphologie – une métamorphose
Les mots ainsi formés sont souvent difficiles à orthographier.

## Les mots terminés par le son [f]

• On peut trouver la lettre **f** en fin de mot.
le chef – vif – actif – un canif – un tarif
Mais pour les mots se terminant par le son [f], il existe d'autres terminaisons :
la coiffe – la greffe – la girafe – un biographe

• La lettre **f**, en finale, n'est pas toujours prononcée.
la clef – le nerf – le cerf
Ainsi que dans le pluriel de deux noms :
les œufs – les bœufs
Alors que le **f** se prononce dans le singulier :
l'œuf – le bœuf

Comme le choix entre ces écritures est difficile, il faut apprendre par cœur l'orthographe des mots les plus courants et consulter un dictionnaire en cas de doute.

### ⚠ Remarques

**1** Les mots commençant par **aff-**, **eff-**, **off-** s'écrivent tous avec deux **f**.
**Exceptions :** afin – l'Afrique – africain

**2** En liaison, **f** s'assimile parfois au **v** devant une voyelle.
neuf (v)ans – neuf (v)heures

Mais il reste également en [f] dans d'autres liaisons.
neuf (f)enfants – un vif (f)attrait

**3** En fin de mots d'origine russe, on trouve un **v** prononcé [f].
un cocktail Molotov
le théâtre de Tchékhov

# LES ÉCRITURES DU SON [j]

Le son [j] peut s'écrire de plusieurs manières.

## Les différentes graphies du son [j]

• *y*

la bruyère – essuyer – une rayure – prévoyant

Mais la lettre *y* peut aussi se prononcer [i].

un paysan – une abbaye – le lycée – le gymnase

Dans les noms, la lettre *y* n'est jamais suivie d'un *i* (sauf dans un essayiste).

• *ill*

une douille – le réveillon – le poulailler – la cuillère

Dans ce cas, la lettre *i* est inséparable des deux *l* et ne se prononce pas avec la voyelle qui la précède.

• *ll*, seulement après la voyelle *i* qui termine une syllabe

griller – la chenille – une bille – croustiller

Mais les deux *l* se prononcent [l] dans :

la ville – un bacille – tranquille – un village – un million (et ses dérivés)

### ⚠ Remarques

**1** Lorsque le son [j] suit une consonne, il s'écrit généralement *i* ; dans ce cas, il se confond avec le son [i].

un panier – curieux – le diable – rien

**2** Il existe quelques graphies plus rares :

les yeux – le yaourt – le yoga – une hyène
la faïence – la pagaïe (le désordre) – un aïeul
un quincaillier – un médaillier – un groseillier
cueillir – l'orgueil – le recueil

## Les noms terminés par le son [j]

• Les noms féminins terminés par le son [j] s'écrivent tous en *-ille*.

la muraille – la bouteille – la feuille – la rouille – la famille

• Les noms masculins terminés par le son [j] s'écrivent en *-il*.

du corail – le recueil – le fauteuil – le fenouil

**Exceptions :**

– les noms composés masculins formés avec le nom féminin *feuille*.

un portefeuille – un millefeuille – le chèvrefeuille

Mais il faut écrire le cerfeuil.

– les noms masculins terminés par le son [ij]

le gorille – un quadrille – un joyeux drille – un pupille

### ⚠ Remarque

Il ne faut pas confondre les noms masculins terminés par *-il* avec les verbes conjugués de la même famille.

le travail / il travaille
le réveil / elle se réveille
le détail / il détaille
l'émail / il émaille

# LES ÉCRITURES DES SONS [g] ET [ʒ]

Les sons [g] et [ʒ] peuvent s'écrire de plusieurs manières.

## Les différentes graphies du son [g]

- *g* devant les voyelles *a*, *o* et *u*
le garage – un ragoût – la figure
- *gu* devant les voyelles *e*, *i* et *y*
la vague – une guirlande – Guy

### ⚠ Remarques

**1** Les verbes terminés par *-guer* à l'infinitif conservent le *u* dans toute leur conjugaison.

nous naviguons – en naviguant – il naviguait

**2** En lettre finale, le *g* est parfois prononcé.

un gag – un grog – un gang – un gong – un zigzag – un iceberg – le camping

**3** Il existe quelques graphies plus rares.

la seconde – le zinc – l'eczéma
le toboggan – aggraver – agglomérer
des spaghettis – le ghetto
une geisha

## Les différentes graphies du son [ʒ]

- *g* devant les voyelles *i* et *y*
un gitan – agiter – la gymnastique – digitale
- *j* ou *g* devant la voyelle *e*
jeune – un jeton – rejeter – le sujet – majeur
le genou – la sagesse – génial – général – légère
- *j* devant la voyelle *u*
une jupe – juteux – une injure
Devant les voyelles *a* et *o*, le son [ʒ] s'écrit assez souvent *j*.
jaune – joli – ajouter – japper – la jambe – jongler
- *ge* à la fin d'un mot
le linge – rouge – un ange – une orange – un mariage
- *ge* devant les voyelles *a* et *o*
la vengeance – en voyageant – un plongeon – la rougeole – un cageot

### ⚠ Remarque

On trouve la lettre *j* dans un certain nombre de noms d'origine étrangère ; la prononciation étrangère est souvent conservée.

le jazz – un jean – le djebel – un fjord – un job – une jeep...

# LES ÉCRITURES
# DES SONS [ə], [œ], [ø]

Les sons [ə], [œ] et [ø] peuvent s'écrire de plusieurs manières.

## Les différentes graphies du son [ə]

• **e**
demain – cela – une mesure

• **on**
monsieur

• **ai**
un faisan – faisander
nous faisons – je/tu faisais – il/elle faisait – nous faisions –
vous faisiez – ils/elles faisaient – en faisant
Mais, au futur simple et au présent du conditionnel, les formes du verbe
*faire* s'écrivent avec un *e* :
il fera – vous feriez – je ferais – nous ferions

 Remarque

Le son [ə], contrairement aux sons [œ] et [ø], n'est pas toujours prononcé.
bouleverser – envelopper – le boulevard

## Les différentes graphies du son [œ]

• **eu**
un adieu – jeudi – le beurre

• **œu**
le cœur – un vœu – le bœuf

• **œ**
un œil – une œillade – le fœhn

• **ue**
un recueil – l'orgueil – accueillir

• **e, u, i**
Dans des mots empruntés à l'anglais : un skipper – le club – un tee-shirt

## Les différentes graphies du son [ø]

• **eu**
le feu – un bleuet – ceux

• **eû**
le jeûne – jeûner
Mais on écrit : déjeuner – le petit-déjeuner
à jeun se prononce [aʒœ̃]
gageure se prononce [gaʒyʀ]

Le son [ɔ̃] et les finales sonores [ɔm], [om], [ɛn] et [am] **peuvent s'écrire de plusieurs manières.**

## Les différentes graphies du son [ɔ̃]

• Le son [ɔ̃] s'écrit toujours **on**.
un p**on**ton – ils v**on**t – une br**on**chite – une mais**on**

• Devant **b** et **p**, on écrit **om**.
p**om**per – t**om**ber – un vr**om**bissement
**Exceptions** :
de l'emb**on**point – un b**on**bon – une b**on**bonne – une b**on**bonnière

### Remarque

Il faut retenir l'orthographe de quelques noms où l'on entend le son [ɔ̃].

le c**om**te (titre de noblesse) – un n**om** – un prén**om** – un pron**om** – le ren**om** l'acup**on**cture – un lumbago – du punch (prononcé [ɔ̃] lorsqu'il s'agit de la boisson)

## Les finales sonores [ɔm], [om], [ɛn] et [am]

• Les mots terminés par le son [ɔm] s'écrivent :
**-um** : un référend**um** – un musé**um** – un pens**um**
**-omme** : une p**omme** – il se surn**omme** – un h**omme**
**-om** : le slal**om**
**-ome** : un gastron**ome** – auton**ome** – un agron**ome**

• Les mots terminés par le son [om] s'écrivent :
**-ôme** : un ar**ôme** – un dipl**ôme** – un fant**ôme**
**-aume** : un b**aume** – la p**aume** – il emb**aume**
**-ome** : un at**ome** – le chr**ome** – un aérodr**ome**
**-om** : un pogr**om** – un **ohm**

• Les mots terminés par le son [ɛn] s'écrivent :
**-en** : le lich**en** – le poll**en** – l'abdom**en**
**-ène** : il ram**ène** – la sc**ène**
**-eine** : la p**eine** – une bal**eine** – ser**eine**
**-aine** : la g**aine** – la porcel**aine** – une aub**aine**
**-aîne** : une tr**aîne** – il entr**aîne** – la ch**aîne**
**-enne** : une chi**enne** – europé**enne** – une ant**enne**
**-êne** : la g**êne** – une al**êne** (de cordonnier) – un ch**êne**

• Les mots terminés par le son [am] s'écrivent :
**-am** : un tr**am** – l'isl**am** – le macad**am**
**-ame** : un dr**ame** – une r**ame** – il décl**ame**
**-amme** : la fl**amme** – un gr**amme** – la g**amme**
**-âme** : un bl**âme** – il se p**âme** – inf**âme**
**-emme** : une f**emme**

# 65 LES CONSONNES DOUBLES

On trouve généralement les consonnes doubles à l'intérieur des mots.

## Règles générales

• **Une consonne peut être doublée :**
– entre deux voyelles ;
un ba**ll**on – di**ff**érent – la po**mm**e – une servie**tt**e – la pie**rr**e – une pa**nn**e

– entre une voyelle et la consonne *l* ;
si**ff**ler – le su**pp**lice – a**cc**lamer

– entre une voyelle et la consonne *r*.
adme**tt**re – a**pp**rocher – la sou**ff**rance

• Précédée d'une autre consonne, une consonne n'est **jamais doublée.**
parler – un pompier – un verger – une armée – la pente

### ⚠ Remarques

**1** Neuf consonnes sont assez souvent doublées :
c – f – l – m – n – p – r – s – t

Cinq ne sont que rarement doublées :
k – b – d – g – z

Six consonnes ne sont jamais doublées :
h – j – q – v – w – x

**2** On peut trouver une double consonne à la fin de certains noms d'origine étrangère :
le blu**ff** – un pu**ll** – un dji**nn** (un génie ou démon) – une mi**ss** – un wa**tt** – le ja**zz**

**3** Certains homonymes se distinguent par la présence ou non d'une consonne double.

une serviette sale       une salle à manger
une date historique      manger une datte

## Accentuation et prononciation

• La consonne qui suit une voyelle accentuée n'est jamais doublée.
une étre**nn**e, mais une sirène          un parte**rr**e, mais un caractère
**Exception :** le châssis (et les mots de la même famille).
Inversement, lorsqu'une consonne est doublée, il n'y a jamais d'accent sur la voyelle qui précède.
une vigne**tt**e, mais la planète          une ronde**ll**e, mais un modèle

• Entre deux voyelles, si la lettre *s* est doublée, elle se prononce [s].
le poi**ss**on – ba**ss**e – la ca**ss**e – un ru**ss**e
Entre deux voyelles, si la lettre *s* est simple, elle se prononce [z].
le poison – la base – la case – une ruse

• Dans la conjugaison de beaucoup de verbes en **-eler** et **-eter**, le *l* et le *t* sont doublés devant un *e* muet. La prononciation est alors modifiée.
*appeler* : il appe**ll**e – nous appe**ll**erons      *jeter* : je je**tt**e – ils je**tt**eront
Mais, pour quelques verbes, la consonne n'est pas doublée et on place un accent grave pour obtenir le son [ɛ].
*geler* : il gèle – il gèlera          *acheter* : j'achète – vous achèterez

# LES CONSONNES DOUBLES APRÈS UNE VOYELLE INITIALE

Les consonnes doubles peuvent suivre une voyelle initiale.

## Les différents cas

- Les mots commençant par **ab-**, **ad-** et **am-** ne doublent jamais le **b**, le **d** et le **m**.

l'abandon – aboyer – un abus – d'abord
adieu – adapter – adroit – un adulte
l'amitié – amer – amortir – amusant

**Exceptions :**
un abbé – une abbaye – une abbesse – abbatial
une addition – additionner – l'adduction
l'ammoniaque – une ammonite

- Les mots commençant par **app-** prennent souvent deux **p**.

appeler – approcher – l'apparence – applaudir – appuyer – l'appétit

**Exceptions :**
l'apéritif – apercevoir – apaiser – après – s'apitoyer – aplatir – l'apostrophe –
un apôtre – l'apothéose

- Les mots commençant par **acc-**, dans lesquels on entend le son [k], prennent le plus souvent deux **c**.

accompagner – l'accident – accrocher – acclamer

**Exceptions :**
l'acrobate – l'académie – l'acacia – l'acompte – l'acajou – acoustique –
acquitter – âcre

- Les mots commençant par **aff-**, **eff-** et **off-** prennent deux **f**.
l'affaire – un effort – l'officier

**Exceptions :**
afin – l'Afrique – africain

- Les mots commençant par **ag-** ne prennent qu'un seul **g**.
agressif – agréable – agrandir – un agriculteur

**Exceptions :**
aggloméré – agglutiner – aggraver

- Les mots commençant par **att-** prennent le plus souvent deux **t**.
attacher – l'attaque – attraper – attendre

**Exceptions :**
l'atelier – l'athlète – l'atlas – l'atmosphère – l'atome – l'atout – atroce –
atrophié – l'athéisme – un atoll

- Les mots commençant par **am-** et **an-** ne prennent qu'un seul **m** et qu'un seul **n**.
un amiral – une amazone – une amorce – analphabète – l'anatomie – anonyme

**Exceptions :**
l'ammoniac – une année – annexer – annoncer – annuler – annoter

- Les mots commençant par **il-**, **ir-** et **im-** doublent la consonne après le **i**.
une illusion – illustre – irrégulier – l'irruption – immédiat – immense

**Exceptions :**
une île – un os iliaque – irascible – un iris – l'ironie – une image – imiter

# LES NOMS EN [œʀ] : -eur, -eure, -eurt, -eurre – LES NOMS EN [waʀ] : -oir, -oire

Les noms en [œʀ] et en [waʀ] ont différentes finales sonores homophones qu'il faut savoir distinguer.

## Les noms terminés par [œʀ]

• La grande majorité des noms, masculins et féminins, terminés par [œʀ] s'écrivent **-eur**.
le chauff**eur** – un balad**eur** – un ascens**eur** – la douc**eur** – la longu**eur**
**Exceptions :**
le b**eurre** – la dem**eure** – l'h**eure** – un h**eurt** (heurter) – un l**eurre** (leurrer)

• Certains noms terminés par [œʀ] s'écrivent avec un **o** et un **e** liés.
le c**œur** – la s**œur** – la ranc**œur** – un ch**œur**

• Quelques adjectifs qualificatifs masculins se terminent également par **-eur**.
le meill**eur** résultat – un classement flatt**eur** – le règlement intéri**eur**

> ⚠ **Remarque**
>
> Quelques noms empruntés à des langues étrangères se terminent par le son [œʀ], mais ils gardent leur orthographe d'origine.
>
> un leader – un speaker – un flipper – un dealer – un manager* – un cutter*
>
> * Certains peuvent aussi se prononcer [ɛʀ].

## Les noms terminés par [waʀ]

• Les noms féminins terminés par [waʀ] s'écrivent tous **-oire**.
une hist**oire** – la gl**oire** – une baign**oire**

• Les noms masculins terminés par [waʀ] s'écrivent généralement **-oir**.
un trott**oir** – le désesp**oir** – le pouv**oir** – le dev**oir**
**Exceptions :**
le laborat**oire** – le répert**oire** – un interrogat**oire** – un observat**oire**...
Il faut retenir l'orthographe du nom d'origine anglaise *un square* (un petit jardin public).

• Les adjectifs masculins terminés par [waʀ] s'écrivent tous **-oire**.
un emploi provis**oire** – un prix déris**oire** – un effort mérit**oire**
**Exception :** un tableau n**oir**

> ⚠ **Remarque**
>
> On hésite souvent sur le genre de quelques noms terminés par [waʀ].
> – noms masculins :
> un iv**oire** – un access**oire**
> – noms féminins :
> une écrit**oire** – une échappat**oire**
>
> Le nom *mémoire* peut être féminin (*avoir une bonne mémoire*) ou masculin (*rédiger un mémoire sur les insectes*).

# LES NOMS TERMINÉS PAR LE SON [o]

Les noms terminés par le son [o] ont différentes finales sonores homophones qu'il faut savoir distinguer.

## Confusion due à la prononciation

Les noms terminés par le son [o] peuvent s'écrire :

- **-eau**

un tonn**eau** – le cerv**eau** – un pinc**eau**

Beaucoup de noms terminés par le son [o] s'écrivent ainsi.

Seuls deux noms terminés par **-eau** sont du genre féminin :

la p**eau** – l'**eau**

- **-au**

le pré**au** – le tuy**au** – le boy**au**

- **-o**

un lavab**o** – un pian**o** – le lot**o**

Il faut retenir l'orthographe d'un nom commun terminé par **-oo** : un z**oo**.

- **-ôt**

un imp**ôt** – le dép**ôt** – un entrep**ôt**

- **-op**

le gal**op** – un sir**op**

## Autres cas

- À la fin des noms terminés par **-o** ou **-au**, on trouve souvent une lettre muette.

un lo**t** – le repo**s** – le galo**p** – un escro**c** – un assau**t** – le réchau**d** – le tau**x**

- Il est parfois possible de trouver la consonne finale d'un nom terminé par **-au** ou **-o** avec un mot de la même famille dans lequel on entend la consonne.

un abrico**t** → un abricotier    le repo**s** → se reposer

Mais il y a des exceptions (*le numéro → numéroter*), aussi est-il plus prudent de consulter un dictionnaire en cas de doute.

- Les noms pluriels en [o] s'écrivent **-aux** (sans **e**) lorsque le nom singulier se termine par **-al** ou **-ail**.

un cheval → des chev**aux**    un travail → des trav**aux**

### ⚠ Remarques

**1** Beaucoup de noms terminés par **-o** sont des noms formés en raccourcissant d'autres noms (voir leçon 55).

la photographie → la phot**o**
un microphone → un micr**o**
une automobile → une aut**o**

**2** Il n'y a jamais de lettre muette après la terminaison **-eau**, sauf lorsque le nom est au pluriel.

des pinc**eaux** – des bur**eaux** – des chap**eaux**

# LES NOMS TERMINÉS PAR LE SON [ε]

Les noms terminés par le son [ε] ont différentes finales sonores homophones qu'il faut savoir distinguer.

## Règle générale

Les noms masculins terminés par le son [ε] s'écrivent -**et**.
le fil**et** – un bill**et** – le parqu**et** – le budg**et**

 **Remarque**

*Un mets* et *un entremets* prennent un -**s** même au singulier.

## Autres cas

Il y a d'autres terminaisons qu'il faut bien connaître :
- **-ai** : le miner**ai** – le dél**ai** – le qu**ai**
- **-ait** : le forf**ait** – le retr**ait** – le portr**ait**
- **-ais** : le pal**ais** – un harn**ais** – le mar**ais**
- **-ès** : l'acc**ès** – le congr**ès** – le progr**ès**
- **-êt** : un arr**êt** – un pr**êt** – le gen**êt**
- **-ect** : le resp**ect** – l'asp**ect** – un susp**ect**
- **-ey** : le voll**ey** – un pon**ey** – un b**ey**
- **-ay** : le tramw**ay**

Ces noms sont des emprunts aux langues étrangères (sauf *le gamay*, nom d'un cépage).

**Remarques**

**1** On peut parfois trouver la lettre muette finale des noms terminés par le son [ε] avec un mot de la même famille dans lequel cette lettre est prononcée.

le regret → regretter
l'excès → excessif
le lait → la laiterie
l'engrais → engraisser
le crêt → la crête
le suspect → suspecter

**2** Les noms féminins terminés par le son [ε] s'écrivent -**aie**.

la plaie – la baie – la craie

**Exceptions** : la paix – la forêt

**3** Beaucoup de noms d'habitants se terminent par -**ais**.

les Lyonnais – les Anglais – les Libanais

**4** Beaucoup de lieux plantés d'arbres (ou d'arbustes) sont des noms féminins terminés par -**aie**.

la roseraie – la palmeraie – l'orangeraie

**5** La graphie -**ay** termine de nombreux noms propres.

Bombay – l'Uruguay – le Paraguay – Joachim Du Bellay – Épernay – Annonay

# LES NOMS TERMINÉS PAR LE SON [e]

Les noms terminés par le son [e] ont différentes finales sonores homophones qu'il faut savoir distinguer.

## Les noms féminins

- **Les noms féminins** terminés par le son [e] s'écrivent **-ée**.
une all**ée** – la chemin**ée** – la veill**ée** – la bou**ée**
**Exceptions** :
la cl**é** (qui peut aussi s'écrire la cl**ef**) – l'acn**é** – une psych**é** (un grand miroir)

- Les noms féminins terminés par **-té** ou **-tié** s'écrivent **-é**.
la bon**té** – la liber**té** – la san**té** – l'ami**tié**
**Exceptions** :
la dict**ée** – la mon**tée** – la remon**tée** – la je**tée** – la por**tée** – la bu**tée** – la pâ**tée**
Ainsi que les noms qui indiquent un contenu.
une brouet**tée** de sable – une po**tée** aux choux – une nui**tée** d'hôtel

## Les noms masculins

- Beaucoup de **noms masculins** terminés par le son [e] s'écrivent **-er**.
le papi**er** – le dang**er** – l'épervi**er** – un loy**er**

Ce sont assez souvent :
– des **noms de métiers** ;
un bouch**er** – un pompi**er** – un routi**er** – un serruri**er**
– des **noms d'arbres ou d'arbustes** ;
un framboisi**er** – un cerisi**er** – un rosi**er** – un olivi**er**
– des **noms formés sur des infinitifs** de verbes du 1$^{er}$ groupe.
le dîn**er** – le soup**er** – le déjeun**er** – le goût**er**

- Un certain nombre de noms masculins terminés par le son [e] s'écrivent **-é**.
le bl**é** – le béb**é** – le degr**é** – le caf**é**

- Quelques noms masculins terminés par le son [e] s'écrivent **-ée**.
le lyc**ée** – le mus**ée** – le scarab**ée** – un mausol**ée** – un troph**ée** – un rez-de-chauss**ée**

### ⚠ Remarques

**1** Certains participes passés de verbes du 1$^{er}$ groupe sont employés comme noms.
un corrig**é** – un énonc**é** – un souffl**é** – un trait**é**

Certains sont employés au masculin ou au féminin dont ils prennent la marque.
un(e) réfugi**é**(e) – un(e) employ**é**(e) – un(e) accus**é**(e) – un(e) invit**é**(e)

**2** Il ne faut pas confondre *la pâtée* du chien (nom féminin) qui fait exception à la règle des noms féminins en **-té** ou **-tié**, et *le pâté* (nom masculin).

**3** Quelques noms masculins ont des terminaisons particulières :
le pi**ed** – le marchepi**ed** – le n**ez**

# 71

# LES NOMS TERMINÉS PAR LES SONS [i] ET [y]

Les noms terminés par les sons [i] et [y] ont différentes finales sonores homophones qu'il faut savoir distinguer.

## Les noms terminés par le son [i]

- **Les noms féminins** terminés par le son [i] s'écrivent **-ie**.
la parod**ie** – l'autops**ie** – l'éclairc**ie**
**Exceptions** :
la sour**is** – la breb**is** – la perdr**ix** – la fourm**i** – la nu**it**
- **Les noms masculins** terminés par le son [i] peuvent s'écrire :
**– -i**
un cr**i** – un ennem**i** – un confett**i**
**– -ie**
un incend**ie** – un gén**ie** – un paraplu**ie**
**– -is**
un rad**is** – le maqu**is** – le parv**is**
**– -it**
le bru**it** – le créd**it** – l'appét**it**
Il existe quelques terminaisons plus rares :
**-il** : le pers**il** – un out**il**       **-ix** : le pr**ix** – un crucif**ix**       **-iz** : le r**iz**
**-id** : le n**id**                         **-ye** : le rall**ye**                      **-y** : le jur**y**

⚠ **Remarque**

*Merci*, toujours écrit avec un *i* final, peut être un nom masculin :
Mon ami m'adresse un grand merci.

ou un nom féminin :
Ce pilote est à la merci d'un incident mécanique.

## Les noms terminés par le son [y]

- **Les noms féminins** terminés par le son [y] s'écrivent **-ue**.
la gr**ue** – la coh**ue** – la verr**ue**
**Exceptions** :
la trib**u** – la vert**u** – la br**u** – la gl**u**
- **Les noms masculins** terminés par le son [y] peuvent s'écrire :
**– -u**
un aperç**u** – un tiss**u** – un éc**u**
**– -us**
un surpl**us** – un intr**us** – un ob**us**
**– -ut**
un b**ut** – un sal**ut** – le chal**ut**
**– -ux**
le refl**ux** – l'affl**ux**
**– -ût**
à l'aff**ût** – un f**ût**

Pour les noms masculins, il est prudent de consulter un dictionnaire en cas de doute.

# LES NOMS TERMINÉS PAR LES SONS [u] ET [wa]

Les noms terminés par les sons [u] et [wa] ont différentes finales sonores homophones qu'il faut savoir distinguer.

## Les noms terminés par le son [u]

- **Les noms féminins** terminés par le son [u] s'écrivent **-oue**.
la j**oue** – la r**oue** – la pr**oue**
**Exception** : la t**oux**

- **Les noms masculins** terminés par le son [u] peuvent s'écrire :
– **-ou**
le gen**ou** – le p**ou** – le tr**ou**
– **-out** ou **-oût**
un aj**out** – un ég**out** – le g**oût**
– **-ous**
un rem**ous** – le dess**ous**
– **-oux**
un jal**oux** – le h**oux**

- Il existe quelques terminaisons plus rares :
le caoutch**ouc** – le j**oug** – le l**oup** – le p**ouls** – boire tout son s**aoul** (son s**oûl**)

## Les noms terminés par le son [wa]

- **Les noms féminins** terminés par le son [wa] s'écrivent :
– **-oie**
la j**oie** – la courr**oie** – la s**oie**
– **-oi**
la f**oi** – la l**oi** – une par**oi**
– **-oix**
la p**oix** – la cr**oix** – la n**oix** – la v**oix**

- **Les noms masculins** terminés par le son [wa] s'écrivent :
– **-oi**
un empl**oi** – un conv**oi** – l'ém**oi**
– **-ois**
un m**ois** – un b**ois** – un cham**ois**
– **-oit**
un endr**oit** – un t**oit** – le dr**oit**

- Il existe quelques terminaisons plus rares :
un ch**oix** – le f**oie** – le p**oids** – le d**oigt** – le fr**oid**

Pour tous ces noms, il est prudent de consulter un dictionnaire en cas de doute.

 **Remarque**

Un certain nombre de noms d'habitants se terminent par **-ois**.

les Lill**ois** – les Dan**ois** – les Chin**ois** – les Iroqu**ois** – les Bavar**ois**

# 73

# LES NOMS TERMINÉS PAR LE SON [l]

Les noms terminés par le son [l] ont différentes finales sonores homophones.

## Les noms terminés par le son [al]

- **Les noms masculins** terminés par le son [al] s'écrivent :
– **-al** : un métal – un animal – un piédestal
– **-âle** : un râle – un mâle – un châle
**Exceptions** : un scandale – un vandale – un dédale – un pétale – un cannibale – un intervalle

- **Les noms féminins** terminés par le son [al] s'écrivent :
– **-ale** : une sandale – une escale – une rafale
– **-alle** : une dalle – une malle – une salle

## Les noms terminés par le son [ɛl]

- **Les noms masculins** terminés par le son [ɛl] s'écrivent :
– **-el** : le tunnel – un hôtel – le miel
**Exceptions** : le zèle – un parallèle – un polichinelle – un vermicelle – un rebelle – un cocktail

- **Les noms féminins** terminés par le son [ɛl] s'écrivent :
– **-elle** : une mamelle – une pelle – une selle
**Exceptions** : la clientèle – une parallèle – la grêle – une stèle – une aile

## Les noms terminés par le son [il]

**Les noms masculins et féminins** terminés par le son [il] s'écrivent :
– **-il** : le fil – un profil – un civil
– **-ile** : l'argile – un reptile – une file
**Exceptions** : la ville – le bacille – un mille – un vaudeville la chlorophylle – une idylle – le crésyl – le phényle

## Les noms terminés par les sons [ɔl] et [ol]

- **Les noms masculins et féminins** terminés par les sons [ɔl] et [ol] s'écrivent :
– **-ol** : le sol – un envol – un bol (seulement des noms masculins)
– **-ole** : une gondole – un symbole – une casserole
– **-olle** : la colle – une corolle – une fumerolle
– **-ôle** : le rôle – un contrôle – la tôle

- **Graphies plus rares :**
le saule – une gaule – un hall – un goal – le crawl – le football – un atoll

## Les noms terminés par le son [yl]

**Les noms masculins et féminins** terminés par le son [yl] s'écrivent :
– **-ule** : un véhicule – la mandibule – un tentacule
**Exceptions** : le calcul – le recul – le consul – le cumul – la bulle – le tulle

# LES NOMS TERMINÉS PAR LE SON [ʀ]

Les noms terminés par le son [ʀ] ont différentes finales sonores homophones.

## Les noms terminés par le son [aʀ]

- **Les noms masculins** terminés par le son [aʀ] s'écrivent :
  – *-ard* : un billard – le hasard – un placard
  – *-ar* : un cauchemar – un nénuphar – le dollar
  – *-art* : un écart – un rempart – un quart
  – *-are* : un phare – un hectare – un cigare
- Graphies plus rares : un tintamarre – des arrhes – un jars
- **Les noms féminins** terminés par le son [aʀ] s'écrivent :
  – *-arre* : la bagarre – une jarre – une amarre
  – *-are* : la mare – la fanfare – la gare
  **Exceptions** : la part – la plupart

## Les noms terminés par le son [ɛʀ]

- **Les noms masculins et féminins** terminés par le son [ɛʀ] s'écrivent :
  – *-aire* : l'anniversaire – un itinéraire – un missionnaire
  – *-er* : un bulldozer – un reporter – un ver (de terre)
  – *-erre* : une équerre – le tonnerre – une serre
  – *-ert* : le couvert – le dessert – un expert
- Graphies plus rares : le revers – l'univers – le nerf – le flair – un clerc

## Les noms terminés par le son [iʀ]

- **Les noms masculins et féminins** terminés par le son [iʀ] s'écrivent :
  – *-ir* : le tir – l'avenir – un saphir
  – *-ire* : un vampire – la cire – une tirelire
- Graphies plus rares : le martyr(e) – une lyre – le zéphyr – la myrrhe

## Les noms terminés par le son [ɔʀ]

- **Les noms masculins et féminins** terminés par le son [ɔʀ] s'écrivent :
  – *-or* : le cor de chasse – le trésor – un ténor (seulement des noms masculins)
  – *-ore* : une flore – une métaphore – un météore
  – *-ort* : un effort – le ressort – un transport
  – *-ord* : le bord – un raccord – à tribord
- Graphies plus rares : le porc – le minotaure – le corps – le mors – le remords

## Les noms terminés par le son [yʀ]

**Les noms masculins et féminins** terminés par le son [yʀ] s'écrivent :
– *-ure* : une manucure – la toiture – le carbure
**Exceptions** : le fémur – le mur – l'azur – le futur

# LES NOMS TERMINÉS PAR LE SON [ãs]

Les noms terminés par le son [ãs], qui sont le plus souvent des noms féminins, s'écrivent généralement avec deux terminaisons différentes, aussi fréquentes l'une que l'autre.

## Les noms terminés par -ance

la balance – les vacances – la nuance – la vengeance – la France

Beaucoup de ces noms sont des substantifs d'adjectifs qualificatifs (ou d'adjectifs verbaux) terminés par -ant.

des soldats vaillants      → la vaillance des soldats
une importante décision → l'importance d'une décision
une croyance survivante → la survivance d'une croyance
des câbles résistants    → la résistance des câbles

## Les noms terminés par -ence

l'agence – la cadence – la semence – la licence – la faïence

Beaucoup de ces noms sont des substantifs d'adjectifs qualificatifs terminés par -ent.

une pensée cohérente     → la cohérence d'une pensée
des hommes corpulents → la corpulence de ces hommes
des propos véhéments  → la véhémence des propos
une proposition indigente → l'indigence d'une proposition

Il faut retenir deux exceptions à la règle de formation de ces noms.

un père exigeant     → l'exigence d'un père
un journal existant → l'existence d'un journal

### ⚠ Remarques

1 Quelques noms ont des terminaisons particulières.

– -anse

la danse – une ganse – l'anse – la panse – la transe

– -ense

la défense – l'offense – la dépense – la dispense – la récompense

2 Seul un nom en [ãs] est masculin :
le silence

3 On peut parfois retrouver la terminaison correcte à l'aide d'un mot de la même famille que l'on sait orthographier.

l'enfant → l'enfance
avancer → l'avance
un affluent → l'affluence
absent → l'absence

4 En anglais, le nom danse s'écrit dance !

# LES CONSONNES FINALES MUETTES

**76**

Il y a une ou des consonnes muettes à la fin de :

– certains noms ;
le plomb – le flanc – rond – du persil – un nerf – le sang – un tas – une croix – un poids – un manuscrit – le riz

– certains adjectifs.
gris – vivant – heureux – bas – rond

## Comment retrouver les consonnes finales muettes ?

• Pour entendre la consonne finale, on peut :

– **essayer de former le féminin ;**
un ballon rond → une table ronde
un organisme vivant → une scène vivante
un ciel gris → une journée grise

– **chercher un mot de la même famille ;**

| | |
|---|---|
| le plomb → le plombier | l'outil → l'outillage |
| le flanc → flancher | un tas → tasser |

– **s'appuyer sur la liaison.**
renvoyer les personnes dos (z)à dos

• On peut identifier la consonne finale **-x** lorsqu'elle se transforme en **-s-** dans des mots féminins, ou de même famille.

heureux → heureuse                    une croix → croiser

• Il n'est pas toujours possible d'utiliser ces procédés :
le homard – le croquis – un hareng – le parcours – monsieur
Ou bien ils peuvent entraîner une erreur.
s'abriter, **mais** un abri      juteux, **mais** le jus      un bijoutier, **mais** un bijou

Lorsqu'un doute subsiste, il faut chercher l'orthographe des mots dans un dictionnaire.

### ⚠ Remarques

**1** La plupart des noms terminés par une consonne muette sont masculins. Seule une trentaine de noms féminins ont une consonne finale muette.

**2** Sur les vingt consonnes de l'alphabet, treize peuvent être muettes à la fin d'un mot :
b – c – d – f – g – h – l – p – r – s – t – x – z

**3** Dans certains noms, ces mêmes consonnes sont sonores.
un ours – le thorax – un bouc – un poil – un test – le bled – un veuf – le contact

**4** Lorsqu'on accorde les mots ou lorsqu'on conjugue les verbes, on place aussi des lettres muettes.
des rues étroites – de nouveaux journaux
tu bouges – tu peux – ils cherchent – elle pâlit – il sort

# LA LETTRE *H* EN DÉBUT DE MOT

Comme la lettre *h* ne se prononce pas, il est souvent difficile de savoir s'il faut la placer en début de mot.

## Le *h* aspiré

Lorsqu'un mot commence par un *h* aspiré, on ne place pas d'apostrophe et la liaison avec le mot qui précède est impossible.
Le **h**ameau a gardé tout son charme.
Les / **h**ameaux ont gardé tout leur charme.
L'alpiniste se **h**isse au sommet.
Les alpinistes se sont / **h**issés au sommet.

⚠ **Remarque**

Pour quelques mots (heureusement peu nombreux), l'élision et la liaison sont impossibles bien qu'il n'y ait pas présence d'un *h* initial.

les yaourts – le yoga – les yachts – les yacks – le yen – les yoles – les yourtes les onze premiers – la ouate

## Le *h* muet

• Lorsqu'un mot commence par un *h* muet, on place l'apostrophe au singulier et on fait la liaison au pluriel. Le pronom personnel *se* s'élide en *s'*.
L'**h**élice du navire est faussée.
Les (z)**h**élices du navire sont faussées.
Il fait froid ; les gens s'**h**abillent chaudement.
Cet instrument produit des sons très (z)**h**armonieux.
Dans ce cas, seule la mémorisation des mots ou la consultation d'un dictionnaire permettent de savoir s'il y a un *h* initial.

• Le *h* est muet dans beaucoup de mots qui commencent par un préfixe d'origine grecque.
l'**h**écatombe – l'**h**ellénisme – l'**h**éliotropisme – l'**h**émisphère – l'**h**émorragie – l'**h**étérogénéité – un **h**ippodrome – l'**h**omonyme – l'**h**oroscope – l'**h**ydrogène – l'**h**ypnose – l'**h**ypoglycémie

⚠ **Remarques**

**1** On trouve la lettre *h* combinée avec d'autres lettres pour former des sons consonnes.
**ch** : la **ch**asse – un mat**ch**
**ph** : un **ph**oque – une **ph**rase
**sh** : le **sh**ort – le **sh**érif
**sch** : le **sch**éma – le kir**sch**
**ch** (prononcé [k]) : la **ch**lorophylle – le **ch**rome – une **ch**ronique

**2** On trouve parfois la lettre *h* à la fin de quelques mots ou interjections.
oh – eh – un mammou**th** – l'anet**h** – la casba**h** – le copra**h**

# LES LETTRES MUETTES INTERCALÉES

À l'intérieur des mots, on peut trouver des lettres muettes intercalées comme le *h* ou le *e*.

## La lettre *h* intercalée

authentique – une panthère – le thermalisme – un dahlia – une inhalation – l'éther – l'adhésion – exhorter

• Le *h* peut séparer deux voyelles et tenir le rôle d'un tréma, empêchant qu'elles forment un seul son.
ahuri – brouhaha – un cahot – une cohorte – un véhicule – ahurissant

• On trouve un *h* dans de nombreux préfixes et suffixes, d'origine grecque.
*thermo-* : un thermomètre – le thermostat
*chrono-* : un chronomètre – la chronologie
*-graphe* : un géographe – le photographe
*-thèque* : la bibliothèque – la discothèque
*rhin-* : un rhinocéros – une rhinite
*thérap-* : une thérapie – un radiothérapeute

• Dans des mots d'origine étrangère, la lettre *h*, placée après un *g*, permet de prononcer le *g* [g].
un ghetto – des spaghettis

## La lettre *e* intercalée

• Au futur simple de l'indicatif et au présent du conditionnel, pour les verbes du 1er groupe en *-ier*, *-ouer*, *-uer*, *-yer*, il ne faut pas oublier de placer le *e* de l'infinitif qui reste muet.
*remercier* → je remercierai – nous remercierions
*renflouer* → nous renflouerons – je renflouerais
*éternuer* → il éternuera – elles éternueraient
*tutoyer* → tu tutoieras – vous tutoieriez

• La plupart des noms dérivant de ces verbes gardent le *e* de l'infinitif.
*remercier* → le remerciement
*renflouer* → le renflouement
*éternuer* → l'éternuement
*tutoyer* → le tutoiement
**Exceptions :**
*châtier* → le châtiment          *arguer* → l'argument          *agréer* → l'agrément

### ⚠ Remarque

D'autres lettres peuvent être muettes à l'intérieur des mots.

– la lettre *m*
l'automne – condamner
– la lettre *p*
septième – le baptême – le compteur

– la lettre *g*
la sangsue – les amygdales
– la lettre *o*
l'alcool
– la lettre *a*
la Saône – un toast

# LA LETTRE X

La lettre x peut être sonore (et se prononcer de plusieurs façons) ou muette.

## La lettre x : consonne sonore

- La lettre x se prononce :
- [ks]
l'explication – une galaxie – l'expiration – un élixir

- [gz] dans les mots commençant par **ex-**, si le **x** est suivi d'une voyelle ou d'un **h**.
exagérer – examen – l'exécution – existence – l'exhibition

- Suivie d'un **c**, la lettre **x** a la valeur d'un [k] dans les mots commençant par **ex-**.
exciter – l'excédent – excentrique – excellent

- En fin de mot, le son [ks] peut s'écrire **-x** ou **-xe**.
le silex – le larynx – une taxe – l'annexe

### ⚠ Remarques

**1** Comme elle équivaut à deux consonnes, la lettre **x** n'est jamais précédée d'un **e** accentué.

**2** La lettre **x** peut éventuellement se prononcer [s] ou [z].
[s] : dix – six – soixante – Bruxelles – Auxerre
[z] : deuxième – sixième – dixième

**3** Très peu de mots commencent par la lettre **x**.
un xylophone – la xénophobie – le vin de Xérès – Xavier

**4** Il arrive que le son [ks] soit transcrit par :

– deux **c** devant **e** ou **i** ;
le succès – accepter – l'occident – la succession
– **-ct-** devant le suffixe **-ion**.
l'action – la direction – la fonction
**Exceptions** :
la connexion – la réflexion – la flexion

**5** Il faut retenir ces deux orthographes :
le tocsin : sonnerie de cloche pour donner l'alarme
l'eczéma : rougeurs sur la peau

## La lettre x : consonne muette

La lettre **x** est muette :

- quand elle marque le pluriel de certains noms et adjectifs ;
les bateaux – les aveux – les bijoux – des journaux locaux

- à la fin de certains mots, même au singulier.
la croix – le houx – deux – roux

# LES SUFFIXES ET LES PRÉFIXES

Le suffixe se place à la fin du radical pour former un mot nouveau ; le préfixe au début du radical. Différents suffixes ou préfixes ont des formes homophones.

## Des suffixes

- Les noms et adjectifs terminés par [sjɛl] s'écrivent **-ciel** ou **-tiel**.
un logi**ciel** – superfi**ciel**          un poten**tiel** – torren**tiel**
Les adjectifs féminins doublent le **l**.
une idée superfi**cielle**                une pluie torren**tielle**

- Les noms et adjectifs terminés par [sjal] s'écrivent **-cial** ou **-tial**.
commer**cial** – ra**cial**              par**tial** – spa**tial**
**Exception** : paroi**ssial**
Les adjectifs féminins ne doublent pas le **l**.
une branche commer**ciale**              une navette spa**tiale**
Les adjectifs masculins pluriels se terminent généralement par **-aux**.
des centres commer**ciaux** – des préjugés ra**ciaux**

- Les adjectifs terminés par [sjø] s'écrivent le plus souvent **-cieux**.
gra**cieux** – spa**cieux** – pré**cieux** – mali**cieux**
Quelques-uns s'écrivent **-tieux**.
préten**tieux** – minu**tieux** – infec**tieux**

- Les noms terminés par [sjõ] s'écrivent le plus souvent **-tion**.
la posi**tion** – la por**tion** – la nata**tion** – l'éduca**tion**
Quelques-uns s'écrivent :
**-sion** : la ver**sion** – l'excur**sion**    **-ssion** : la pa**ssion** – la mi**ssion** – l'obse**ssion**
**-xion** : l'anne**xion** – la réfle**xion**  **-cion** : la suspi**cion**

###  Remarque

Les verbes du 1er groupe terminés par **-onner** s'écrivent avec deux **n**.
sa**vonner** – tâ**tonner** – acti**onner**

**Exceptions** : télépho**ner** – s'époumo**ner** – ramo**ner** – trô**ner**

## Des préfixes

- Les mots formés avec les préfixes **il-**, **im-**, **in-**, **ir-** doublent la consonne quand le radical commence par **l, m, n, r**.
**il**-limité – **im**-mangeable – l'**in**-novation – **ir**-réel
**Exceptions** : imaginer – l'île – l'iris – inamical (radical : ami)
Comme il n'est pas toujours possible de retrouver le radical (souvent un mot latin aujourd'hui inusité), il faut vérifier dans un dictionnaire en cas de doute.

- Pour bien orthographier un mot formé à l'aide de préfixes comme **dé-**, **dés-**, **en-**, **em-**, **r(e)-**, il faut penser au radical.
*emménager* est formé sur le radical *ménager* et le préfixe **em-**  → deux **m**
*enivrer* est formé sur le radical *ivre* et le préfixe **en-**      → un seul **n**

# LES HOMONYMES LEXICAUX

Les homonymes sont des mots dont la prononciation est identique mais qui on des orthographes différentes. Seuls le contexte ou la consultation d'un dictionnaire permettent de lever les ambiguïtés.

l'épreuve de **saut** en hauteur
porter un **seau** d'eau

Il n'y a pas de **sot** métier.
parler sous le **sceau** du secret

## Comment les distinguer ?

• Certains homonymes ne se distinguent que par **la présence d'un accent**.

Ce fruit est **mûr**.
avoir une **tâche** difficile
ouvrir une **boîte** de chocolat

Il s'appuie contre le **mur**.
effacer une **tache** d'encre
Ce vieillard **boite** légèrement.

• Les homonymes peuvent être **de natures grammaticales différentes**.

L'infirmière fait une prise de **sang** au malade. → nom
Il ne faut jamais rouler **sans** boucler sa ceinture de sécurité. → préposition
Ce radiateur électrique vaut **cent** euros. → déterminant numéral
Ce bouquet de fleurs **sent** bon. → verbe conjugué

### ⚠ Remarques

**1** Des mots de la même famille permettent quelquefois de trouver l'orthographe correcte.

avoir faim → souffrir de la famine
attendre la fin → cela va bientôt finir

**2** Quelques mots sont homophones mais difficiles à distinguer car ils appartiennent à la même famille. Il est préférable de consulter un dictionnaire.

souffrir le **martyre** – canoniser un **martyr**
des adjectifs **numéraux** – les **numéros** gagnants

**3** Certains éléments de la phrase sont parfois homonymes. Le sens permet de les distinguer assez facilement.

Je **l'ai fait** volontiers.
**l'effet** de surprise

Voici **des filets** de pêcheur.
Les images **défilaient** rapidement.

Ce pantalon, tu **l'as mis** souvent.
Dans le pain, je préfère **la mie**.

## Cas particulier

Lorsque des homonymes se prononcent et s'écrivent de la même manière, on dit qu'ils sont **homographes**. Il peut s'agir de :

• deux noms de genres différents ;
le **tour** de France

la **tour** du château

• d'un nom et d'un verbe.
la **voie** de chemin de fer

Il faut que je te **voie**.

# LES MOTS D'ORIGINE ÉTRANGÈRE

Certains mots, souvent utilisés, sont empruntés à d'autres langues que le français.

## Les différentes langues d'emprunt

- **l'anglais** : le camping – un puzzle – le stress – un sprint – un pickpocket – un clown – le record
- **l'italien** : un confetti – l'opéra – un imprésario – le carpaccio – un dilettante
- **l'espagnol** : un toréador – la paella – un rodéo – le cacao – l'embargo – la cédille – la pacotille
- **le portugais** : un autodafé
- **l'allemand** : un bivouac – un blockhaus – un leitmotiv – un hamster – un edelweiss – un putsch
- **le japonais** : le karaté – un bonze – une geisha – un kamikaze – hara-kiri – le tatami – le samouraï
- **l'arabe** : le bazar – le pacha – le muezzin – la razzia – l'alcool – la baraka – l'élixir – un gourbi
- **le russe** : le mazout – un cosaque – une datcha – la steppe – une isba – la vodka – la toundra – la troïka
- **les langues nordiques** : un fjord – un drakkar – un geyser – un homard – le ski – un troll – le fartage – une saga – le sauna
- **les langues africaines** : le baobab – le chimpanzé – la banane – le zèbre

### ⚠ Remarques

**1** Les noms d'origine étrangère peuvent conserver le pluriel de leur langue, mais le pluriel du français s'impose le plus souvent.

un rugbyman / des rugbymen
      des rugbymans
un box / des boxes
      des box
un sandwich / des sandwiches
      des sandwichs
un concerto / des concerti
      des concertos

**2** Pour les noms composés d'origine anglaise, seul le second mot prend la marque du pluriel.

des week-ends      des skate-boards

**3** À l'écrit, il faut penser qu'il existe peut-être un mot français avant d'utiliser certains mots anglo-saxons. Il est préférable d'écrire :

baladeur **plutôt que** walkman
présentateur **plutôt que** speaker

## Les mots hérités du latin

Certains mots ou expressions latines sont encore employés aujourd'hui. Ils sont **parfois légèrement déformés** ; par exemple, ils peuvent prendre des accents alors qu'il n'y en a pas en latin.

le minimum    un spécimen    un référendum    un junior    un mémento
Mais le plus souvent, ils ont été **adoptés sans aucune modification**.
un alter ego : un autre moi-même.
un casus belli : un acte susceptible d'entraîner une guerre.
un modus vivendi : un accord entre deux parties opposées.

La langue française recèle des pièges qu'il faut savoir éviter.

## Les paronymes

• Certains mots ont des formes et des prononciations proches, ce sont **des paronymes**.
Pour choisir le terme correct, il faut bien examiner le sens de la phrase.
écouter les **prévisions** météorologiques     faire des **provisions** de nourriture

• La phrase peut être incorrecte ou incompréhensible lorsqu'on emploie un mot pour un autre.
Il ne faut pas écrire : Les syndicats agitent le **sceptre** du chômage.
Mais : Les syndicats agitent le **spectre** du chômage.

> **⚠ Remarque**
>
> Les humoristes utilisent parfois délibérément les paronymes pour nous faire sourire.
>
> Il était fier comme un bar-tabac.
> (au lieu de comme Artaban)
>
> Je vous le donne Émile.
> (au lieu de je vous le donne en mille)
> avoir des papiers en bonne et difforme
> (au lieu de en bonne et due forme)
> un ingénieur à Grenoble
> (au lieu d'un ingénieur agronome)

## Les barbarismes

Quand on déforme un mot, on commet **un barbarisme**.
avoir des problèmes **pécuniaires**
Et non : avoir des problèmes **pécuniers** (même si l'on dit des problèmes financiers)

> **⚠ Remarque**
>
> L'origine du mot *barbarisme* est grecque. Dans la Grèce antique, un barbare était un étranger qui déformait la langue de la cité lorsqu'il s'exprimait.

## Les pléonasmes

Lorsqu'on emploie consécutivement deux mots qui signifient la même chose, on commet **un pléonasme**.
Avant de partir en promenade, j'ai **ajouté en plus** des vêtements chauds.
(Lorsqu'on ajoute quelque chose, c'est évidemment en plus.)
Quand mes camarades sont sortis, je les **ai suivis derrière**.
(Si l'on suit quelqu'un, on se trouve derrière lui.)
Béatrice nous présente une **double alternative**.
(Une alternative, c'est déjà un choix entre deux possibilités.)

> **⚠ Remarque**
>
> L'expression *au jour d'aujourd'hui* est incorrect : c'est un pléonasme.

# DES ANOMALIES ORTHOGRAPHIQUES

Pour trouver l'orthographe d'un mot, on peut s'aider d'un mot de la même famille.

## Les mots qui ont le même radical

Les mots, qui ont le même radical et un rapport de sens, appartiennent à **la même famille**.

l'exist**e**nce → exist**e**r → le son [ã] s'écrit avec un **e**
imm**e**n**s**e → m**e**sure → s'écrit avec un **e** et un **s**
le pou**ls** → pu**l**sation → s'écrit avec un **l** et un **s**

## Les noms dérivés de verbes

• Les noms dérivés des verbes en **-guer** et **-quer**, formés avec les suffixes en **-a** (**-age, -ation, -aison, -abilité, -ateur**...) ou **-o** (**-on**) perdent le **u** après le **g** et transforment, le plus souvent, le **qu** en **c**.
fatiguer → la fati**g**abilité          évoquer → l'évo**c**ation
**Exceptions** : le pi**qu**age – un atta**qu**ant – un trafi**qu**ant – un prati**qu**ant

• Pour les noms formés avec le suffixe **-eur**, le radical est conservé.
fuguer → un fu**g**ueur          marquer → un mar**qu**eur

## Cas particuliers

**Dans une même famille :**
• des mots contiennent une consonne double et d'autres une consonne simple ;
la so**nn**erie / la so**n**orisation          l'ho**nn**eur / ho**n**orer          no**mm**er / no**m**inal
la cha**rr**ue / le cha**r**iot          une mo**nn**aie / mo**n**étaire          ba**tt**re / comba**t**if

• on peut trouver des modifications d'accents ;
la grâce / gracieux          le séchage / la sècheresse          extrême / l'extrémité

• on peut trouver des anomalies.
ceindre → la ceinture / un cintre          le vent → venté / un vantail

Mots dont la prononciation n'est pas strictement conforme à l'orthographe.

| | | | |
|---|---|---|---|
| la fe**mm**e | l'**aqu**arelle | un s**qu**are | un alb**um** |
| solennel | l'**aqu**arium | le poêle | un géran**ium** |
| la solennité | a**qu**atique | la poêle | un musé**um** |
| solennellement | l'é**qu**ateur | poêler | du rh**um** |
| l'auto**m**ne | é**qu**atorial | un faon | un sér**um** |
| conda**m**ner | l'é**qu**ation | un paon | le référend**um** |
| second | **qu**adragénaire | un taon | le faisan |
| la seconde | **qu**adriennal | monsieur | faisandé |
| secondaire | **qu**aternaire | messieurs | faisable |
| seconder | é**qu**ilatéral | un gars | la ville |
| un parasol | un **qu**adrilatère | un exam**en** | tranquille |
| un tournesol | un **qu**adrupède | un poll**en** | le bacille |
| vraisemblable | des **qu**adruplés | un agenda | le million |
| la vraisemblance | un **qu**atuor | un pentagone | le milliard |

# GRAMMAIRE

# 85 LES PRÉPOSITIONS – LES CONJONCTIONS DE COORDINATION – LES INTERJECTIONS

Les prépositions, les conjonctions de coordination **et** les interjections **sont des mo**t invariables.

## Les prépositions

**Les prépositions** introduisent des mots (ou des groupes de mots) qui ont la fonction de compléments.

Il s'arrête **devant** une affiche.     Il peint **à la manière** de Georges Braque.

Les prépositions sont des **mots simples** (*de – à – avant – après – avec – chez – pour – par – dans – sous...*) ou des **locutions prépositives** (*à travers – afin de – au-dessous de – à côté de – au cours de – à condition que...*).

### ⚠ Remarques

**1** Certains participes présents et participes passés (*attendu que, étant donné, eu égard à, y compris, concernant, vu, excepté...*) peuvent être employés comme des prépositions.

Concernant notre itinéraire, il faudra l'étudier à l'aide **d'**une carte routière.

Dans le prix de ce canapé, tout est inclus, **y compris** le transport.

**2** Si certains verbes se construisent indifféremment avec **à** ou **de** devant un infinitif complément, d'autres marquent un sens différent selon la proposition.

Le bois continue **à** brûler.
= Le bois continue **de** brûler.

Norbert parle **à** ses amis.
≠ Norbert parle **de** ses amis.

## Les conjonctions de coordination

**Les conjonctions de coordination** relient deux mots, deux groupes de mots ou deux propositions de même nature. Il existe :

• sept **conjonctions de coordination simples** : *mais – ou – et – donc – or – ni – car*
• des **mots ou locutions conjonctives** (surtout des adverbes) : *aussi – en revanche – néanmoins – alors – d'ailleurs – en outre – en effet...*

L'île de Ré **et** le continent sont reliés par un pont.
La péniche arrive en vue de l'écluse, **mais** l'éclusier n'est pas à son poste.

## Les interjections

**Les interjections** traduisent l'attitude affective, la réaction, le sentiment de celui qui parle ou écrit.

Les interjections ne jouent aucun rôle grammatical ; elles viennent enrichir la phrase et sont généralement suivies d'un point d'exclamation.

**Courage !** Le sommet est en vue.

**Eh bien !** Cela n'a pas été une partie de plaisir.

Les interjections peuvent être employées seules.

**Attention !**     **Bravo !**     **Debout !**     **Chut !**     **Chiche !**

Un certain nombre d'interjections sont des onomatopées, c'est-à-dire des mots qui imitent un bruit.

**Pan !** la balle s'écrasa contre le mur.     **Miaou !** le chaton est là.

Une phrase peut être formée d'une proposition (phrase simple), voire de deux ou plusieurs propositions (phrase complexe).

## Les propositions indépendantes

**Une proposition indépendante** comporte un seul verbe conjugué ; elle ne dépend d'aucune autre proposition et aucune autre ne dépend d'elle.
On a souvent besoin d'un plus petit que soi.
De nombreux sous-traitants travaillent pour cette usine automobile.

## Les propositions juxtaposées et coordonnées

• **Les propositions juxtaposées** sont reliées par une virgule, un point-virgule ou deux-points.
Mikaël attend devant la barrière**,** il n'y a plus de place au parking.
Le parking est complet **;** est-ce habituel ?
Le tarif de ce parking est élevé **:** beaucoup renoncent à le fréquenter.

• **Les propositions coordonnées** sont reliées par une conjonction de coordination, une locution conjonctive ou un adverbe de liaison.
Mikaël attend devant la barrière, **car** il n'y a plus de place au parking.
Le parking est complet **et** ce n'est pas habituel.
Le tarif de ce parking est élevé, **donc** beaucoup renoncent à le fréquenter.
Dans certains cas, la conjonction de coordination est précédée d'une virgule.

• Le rapport de sens entre les propositions juxtaposées est souvent moins fort que celui entre les propositions coordonnées. Les conjonctions de coordination peuvent exprimer :
**la cause** → Jacqueline est déçue, car toutes ses plantes perdent leurs feuilles.
**la conséquence** → Cette viande est trop grasse, donc je ne l'achèterai pas.
**l'opposition** → Ils voulaient faire du canotage, mais la barque prend l'eau.

### ⚠ Remarques

**1** Dans une même phrase, il est possible de rencontrer des propositions juxtaposées et des propositions coordonnées.

Tu suis le couloir, tu pousses la porte et
prop. juxtaposée    prop. juxtaposée
tu entres car c'est le lieu du rendez-vous.
prop. coordonnée    prop. coordonnée

**2** Dans les propositions coordonnées et juxtaposées, le groupe sujet ou le verbe peuvent ne pas être exprimés. Ce sont **des propositions elliptiques**.

L'agriculteur laboure son champ, le herse, puis sème du tournesol.
Oriane part en vacances aux Canaries, Roxane en Irlande.

**3** Certaines phrases n'ont pas de verbe ; ce sont **des phrases nominales**. Elles sont le plus souvent indépendantes, mais peuvent être juxtaposées ou coordonnées.

Beaucoup de bruit pour rien !
De bonnes intentions, mais sans résultat.

# 87 LES SUBORDONNÉES RELATIVES – LES PRONOMS RELATIFS

Dans une phrase complexe, la proposition principale peut avoir une ou plusieurs propo sitions subordonnées relatives **sous sa dépendance**.

## Les subordonnées relatives

• **La proposition subordonnée relative** permet de compléter un nom ou un pronom appartenant à la proposition principale.
Portez à la déchetterie ces objets / **qui** sont encombrants.
    proposition principale         proposition subordonnée relative

• La proposition subordonnée relative peut être enchâssée dans la proposition principale.
Ces objets,    **qui** sont encombrants,    portez-les à la déchetterie.
prop. principale    prop. subordonnée relative        prop. principale

## Les pronoms relatifs

• **Un pronom relatif** unit une proposition subordonnée à un nom (ou pronom) placé dans la proposition principale.
L'artisan **qui** vient de s'installer embauchera bientôt un apprenti.
Le film **dont** vous m'avez parlé n'est pas diffusé dans mon quartier.

• Les pronoms relatifs peuvent être :
– de **formes simples** : *qui – que – quoi – dont – où* ;
– de **formes composées** : *lequel – laquelle – lesquels – lesquelles.*
Ces formes composées sont parfois construites avec les prépositions **à** et **de** :
*à laquelle – auquel – auxquels – duquel – desquels...*

• Le nom, le groupe nominal, le pronom ou la proposition, remplacés par le pronom relatif, sont ses **antécédents**. Le pronom relatif s'accorde avec son antécédent.
La voiture de sport **que** je lave appartient à mon oncle.
Celles **qui** gênent la circulation devront être déplacées.
Les personnes **auxquelles** je pense auront un avertissement.

• Dans la subordonnée relative, le pronom relatif a diverses fonctions :
– **sujet :** Tu as parié sur le cheval **qui** a remporté la course du tiercé.
– **COD :** Louise apprécie le bijou **que** son mari lui a offert.
– **COI :** La séance de cinéma **à laquelle** j'ai assisté commençait à seize heures.
– **complément du nom :** L'outil **dont** tu aiguises la lame est dangereux.

### ⚠ Remarque

Il existe des **adjectifs relatifs** qui ne sont que très rarement employés.

Il se peut que le bureau des renseignements soit fermé, **auquel** cas tu chercheras sur Internet.

Les manifestants défilent boulevard Saint-Michel, **lesquels** manifestants brandissent d'immenses banderoles.

Dans une phrase complexe, la proposition principale peut avoir une ou plusieurs propositions subordonnées conjonctives sous sa dépendance.

## Les subordonnées conjonctives

• **Les propositions subordonnées conjonctives** complètent le verbe de la proposition principale ou expriment une circonstance de l'action de la principale.
Le stade de France permet **que** 80 000 spectateurs assistent aux compétitions.
Je téléphone **pour que** tu n'oublies pas ton rendez-vous.

• **Les subordonnées complétives** – introduites par *que* – sont le plus souvent compléments d'objet du verbe de la principale et ne peuvent être ni déplacées ni supprimées sans modifier le sens de la phrase.
M. Ayraud attend **que** les pompiers interviennent.　→ COD
M. Ayraud s'étonne **que** les pompiers soient déjà là.　→ COI
Le mode – indicatif ou subjonctif – du verbe de la subordonnée complétive dépend du verbe de la principale ou de la forme de ce verbe.
Je pense que tu viendras. → indicatif　Je doute que tu viennes. → subjonctif

• **Les subordonnées circonstancielles** précisent les circonstances de l'action de la proposition principale.
**Quand** on détecte un incendie, on appelle les pompiers. → compl. circ. de temps
Les subordonnées circonstancielles peuvent suivre, précéder ou être insérées dans la proposition principale.
**Bien qu'**il ait rempli tous les formulaires, M. Dumontel n'a pas obtenu de réponse.
M. Dumontel n'a pas obtenu de réponse **bien qu'**il ait rempli tous les formulaires.
M. Dumontel, **bien qu'**il ait rempli tous les formulaires, n'a pas obtenu de réponse.

### ⚠ Remarques

**1** Il est possible qu'une proposition subordonnée dépende d'une autre proposition subordonnée et non de la proposition principale.

Il se peut　　　／ que l'orage ait éclaté
prop. principale　　prop. subordonnée

／ pendant que nous dormions.
　　prop. subordonnée

**2** Il ne faut pas confondre la proposition subordonnée conjonctive introduite par *que* avec la proposition subordonnée relative également introduite par *que*.

Il m'apporte la lettre **que** j'attends.
→ relative

J'attends **qu'**il m'apporte la lettre.
→ conjonctive

## Les conjonctions de subordination

Une proposition conjonctive commence toujours par :
• **une conjonction de subordination** (*que – quand – si – lorsque – puisque – comme – quoique – sinon...*)

• ou **une locution conjonctive**, assez souvent formée sur la conjonction **que**
(*afin que – parce que – depuis que – aussitôt que – en sorte que – sans quoi – au cas où – dès que – en attendant que...*).

# LES ADVERBES

Les adverbes **sont des mots invariables.**

## Règles générales

• **Les adverbes modifient le sens :**
– d'un **verbe** ;
Axel aide **volontiers** ses camarades.　　Axel aide **souvent** ses camarades.
Axel aide **parfois** ses camarades.　　　Axel aide **rarement** ses camarades.

– d'un **adjectif** ;
Ce café est **très** chaud.　　　　　　　Ce café est **assez** chaud.
Ce café est **plutôt** chaud.　　　　　　Ce café est **extrêmement** chaud.

– d'un **autre adverbe.**
Ces vêtements coûtent **trop** cher. Ces vêtements coûtent **finalement** cher.

• Il existe des adverbes de manière (*plutôt – mieux – bien...*), de lieu (*ici – partout – ailleurs...*), de temps (*jamais – tard – autrefois...*), de quantité (*assez – encore – trop...*), d'affirmation (*vraiment – bien sûr – sans doute...*), de négation (*ne ... guère – ne ... pas – ne ... point*).

### ⚠ Remarques

**1** Les adverbes placés avant les adjectifs qualificatifs ne s'accordent pas.
une ligne **bien** droite – des traits **bien** droits

**2** Certains adverbes (*jamais – toujours – volontiers – ailleurs – auprès – dehors – dessus – dessous...*) sont terminés par un **-s** muet.

**3** Les adverbes *debout, ensemble, pêle-mêle, à demi* sont invariables.
Les spectateurs sont restés **debout.**
Les joueurs sont restés **ensemble.**
Les pièces du puzzle s'étalent **pêle-mêle** sur la table.
La statue est à **demi** recouverte d'un voile blanc.

## Cas particuliers

• **Les locutions adverbiales** sont des groupes de mots équivalant à des adverbes.
Ce café est assez chaud.　　　　　　Ce café est **à peu près** chaud.
Axel aide parfois ses camarades.　　Axel aide **de temps en temps** ses camarades.
Ces vêtements coûtent trop cher.　　Ces vêtements coûtent **sans doute** cher.

• **Certains adjectifs** sont employés comme des adverbes ; ils sont alors invariables.
Ce monsieur est fort (musclé).　　　Ces messieurs sont forts (musclés).
Ce monsieur parle **fort** (beaucoup).　Ces messieurs parlent **fort** (beaucoup).

• L'adverbe peut parfois jouer le rôle d'un **déterminant.**
Avec *un peu*, l'accord du verbe se fait au singulier :
**Un peu de** repos vous ferait du bien.
Avec *beaucoup de*, il se fait au pluriel :
**Beaucoup de** personnes habitent la région parisienne.

Les adverbes de manière en -*ment* sont formés à partir d'un adjectif qualificatif, généralement féminin.

| | | | |
|---|---|---|---|
| brave – brave → brave**ment** | | brutal – brutale | → brutale**ment** |
| doux – douce → douce**ment** | | naturel – naturelle | → naturelle**ment** |
| dur – dure → dure**ment** | | curieux – curieuse | → curieuse**ment** |

## Comment orthographier les adverbes en -*ment* ?

- Dans certains cas, on place un accent sur le *e* qui précède la terminaison -*ment*.

confus – confuse → confus**é**ment        énorme – énorme → énorm**é**ment

- Les adverbes correspondant à des adjectifs terminés au masculin par -*é, -ai, -i, -u* sont formés à partir de l'adjectif masculin.

aisé → **aisé**ment                    vrai → **vrai**ment
infini → **infini**ment                résolu → **résolu**ment

On ajoute quelquefois un accent circonflexe sur le *u*.

assidu → assid**û**ment                cru → cr**û**ment

- Les adverbes formés à partir d'adjectifs terminés par le son [ã] s'écrivent :

-*emment*, s'ils sont formés à partir d'adjectifs terminés par -*ent* ;

impati**ent** → impati**emment**        prud**ent** → prud**emment**

-*amment*, s'ils sont formés à partir d'adjectifs terminés par -*ant*.

suffis**ant** → suffis**amment**        brill**ant** → brill**amment**

### ⚠ Remarques

**1** Pour ne pas confondre les adverbes, les noms et les adjectifs terminés par le son [ã], on remplace :

– l'adverbe (invariable) par l'expression *de manière...* ;

Les savants sont **généralement** des personnes modestes.
Les savants sont **de manière générale** des personnes modestes.

– le nom (variable) par un autre nom ;

Ces savants étudient les **glissements** de terrains.
Ces savants étudient les **modifications** de terrains.

– l'adjectif (variable) par un autre adjectif.

Ces rues portent les noms de savants **éminents**.
Ces rues portent les noms de savants **célèbres**.

**2** On ne peut pas former des adverbes de manière avec tous les adjectifs qualificatifs (*immobile, content, familial, fameux, aigu, lointain...*). Au lieu de l'adverbe, il faut alors employer une périphrase.

Les enfants ouvrent leurs cadeaux **en famille**.
Les enfants ouvrent leurs cadeaux **d'un air content**.

# LES PRONOMS POSSESSIFS, DÉMONSTRATIFS, INDÉFINIS

Les pronoms remplacent généralement un groupe nominal déjà mentionné afin d'éviter une répétition.

## Les pronoms possessifs

• **Le pronom possessif** remplace un groupe nominal dont le déterminant peut être adjectif possessif.
Gloria enfile son pull ; **le mien** est introuvable.
Ces meubles sont en merisier ; **les nôtres** sont en acajou.

• Les pronoms possessifs des première et deuxième personnes du pluriel prennent **un accent circonflexe** ; les adjectifs possessifs n'en ont pas.
Notre appartement domine le parc municipal ; **le vôtre** donne sur le gymnase.

| singulier | | | pluriel | | |
|---|---|---|---|---|---|
| **1re personne** | **2e personne** | **3e personne** | **1re personne** | **2e personne** | **3e personne** |
| le mien | le tien | le sien | le nôtre | le vôtre | le leur |
| la mienne | la tienne | la sienne | la nôtre | la vôtre | la leur |
| les miens | les tiens | les siens | les nôtres | les vôtres | les leurs |
| les miennes | les tiennes | les siennes | | | |

## Les pronoms démonstratifs

• **Le pronom démonstratif** remplace un groupe nominal dont le déterminant peut être un adjectif démonstratif.
Je suis devant les boutiques ; enfin **celles** qui sont ouvertes !

• Le pronom démonstratif *ce* subit l'élision devant toute forme du verbe *être* commençant par une voyelle, ainsi que devant le pronom personnel *en*.
**C'**est le début du printemps. **C'**était un jour de fête. **C'**en est fini de ce travail.

| | | | masculin | féminin | neutre |
|---|---|---|---|---|---|
| **formes simples** | | **sing.** | celui | celle | ce |
| | | **plur.** | ceux | celles | |
| **formes composées** | **démonstratifs proches** | **sing.** | celui-ci | celle-ci | ceci |
| | | **plur.** | ceux-ci | celles-ci | |
| | **démonstratifs lointains** | **sing.** | celui-là | celle-là | cela – ça |
| | | **plur.** | ceux-là | celles-là | |

## Les pronoms indéfinis

**Le pronom indéfini** remplace un groupe nominal dont le déterminant peut être un adjectif indéfini.
Tout le nécessaire manque.                    → **Tout** manque.
Les pronoms indéfinis sont nombreux : *aucun – autre(s) – autrui – chacun(e) – certains – personne – nul – plusieurs – quiconque – tout, tous – la plupart...*

# LA VOIX PASSIVE –
# LE COMPLÉMENT D'AGENT

La voix passive présente la même action que la voix active, mais de façon différente.

Voix active : le sujet fait l'action.
  Une bâche protège le tas de bois.

Voix passive : le sujet subit l'action.
  Le tas de bois est protégé par une bâche.

## La voix passive

• Le COD du verbe actif devient le sujet du verbe passif et le sujet du verbe actif devient le complément d'agent du verbe passif.

Une bâche protège le tas de bois.  Le tas de bois est protégé par une bâche.
   sujet                COD              sujet                compl. d'agent

• En général, il n'y a que les verbes transitifs directs qui peuvent être employés à la voix passive puisque c'est le COD qui devient sujet.

• Au passif, tous les verbes sont conjugués avec *être* qui porte la marque du temps.

présent de l'indicatif :
Les cheveux de Sabine **sont** retenus par un ruban.
présent du conditionnel :
Les cheveux de Sabine **seraient** retenus par un ruban.
présent du subjonctif :
Il faut que les cheveux de Sabine **soient** retenus par un ruban.

### ⚠ Remarques

**1** Les verbes comme *arriver, tomber, entrer, partir,* etc. dont la conjugaison se fait toujours avec l'auxiliaire *être,* ne sont jamais à la voix passive.

**2** Un verbe pronominal peut avoir un sens passif.
Ces appartements se sont loués en quelques jours.

## Le complément d'agent

• Le complément d'agent est souvent introduit par les prépositions *par* et *de*.
*L'Étranger* a été écrit **par** Albert Camus. → Albert Camus a écrit *L'Étranger*.
*L'Étranger* est connu **de** beaucoup de lecteurs. → Beaucoup de lecteurs connaissent *L'Étranger*.

• Il est possible que le complément d'agent soit sous-entendu.
L'immeuble a été bâti en peu de temps.
Le passage à l'actif se fait avec le pronom sujet *on*.
On a bâti l'immeuble en peu de temps.
Quand le complément d'agent est sous-entendu, il n'est pas toujours aisé de distinguer le verbe passif et le verbe *être* suivi d'un participe passé employé comme adjectif.
Le parking est occupé. Le parking est occupé par des véhicules. → passif
Le parking est occupé. Le parking est vide.
→ *occupé* et *vide* sont attributs du sujet

# 93 LES FORMES AFFIRMATIVE, NÉGATIVE ET INTERROGATIVE

Une phrase peut prendre différentes formes, voire combiner ces formes.

## Les formes affirmative et négative

- **La forme négative** s'oppose à la forme affirmative.

Lucas part en avance.　　　　Lucas **ne** part **pas** en avance.

- Le verbe est le seul élément de la phrase qui puisse être encadré par une locution négative. Aux temps composés, la négation encadre l'auxiliaire (ou parfois le verbe et un adverbe).

Lucas **n'**est **pas** parti en avance.　　Lucas **n'**est vraiment **pas** parti en avance.

- Il existe **plusieurs locutions négatives** : *ne ... pas – ne ... rien – ne ... plus – ne ... jamais – ne ... guère – ne ... que – ne ... ni ... ni – ne ... point.*
Parfois, le second terme de la négation est placé avant *ne*.
**Aucun** ne connaît la réponse.　　**Personne** ne connaît la réponse.
Lorsque le verbe est à l'infinitif, la locution négative est placée avant lui.
Vous devez apprendre à **ne pas** mentir.

### ⚠ Remarques

**1** La locution *ne ... que* signifie généralement *seulement*.

Tu **ne** possèdes **que** vingt euros.

**2** Parfois la négation est réduite au seul premier terme *ne*.

On **ne** peut laisser circuler de fausses nouvelles.
Obtenir un prix ? Samir **n'**ose y croire.

**3** Pour exprimer la négation, on peut également utiliser un mot de sens contraire (un antonyme).

Lucas part en retard.

## La forme interrogative

- Lorsque le sujet du verbe est un pronom, il se place après le verbe ou après l'auxiliaire pour les temps composés. Dans ce cas, on lie le verbe au pronom par un trait d'union.

Réaliseras-**tu** ton projet ?　　　　Avez-**vous** versé un acompte ?

- Pour formuler une interrogation, on peut également (surtout si le pronom sujet est *je*) faire précéder le verbe de l'expression *Est-ce que... .*
**Est-ce que** le vent souffle ?　　　　**Est-ce que** je t'accompagne ?

### ⚠ Remarques

**1** Pour éviter la rencontre de deux voyelles, on place un *t* euphonique entre les terminaisons *a* et *e* des verbes et les pronoms de la 3ᵉ personne du singulier.

Compare-**t-il** ces produits ?
Acheta-**t-elle** ces produits ?
Échange-**t-on** nos places ?

**2** Lorsque le sujet du verbe est un nom, on place, après le verbe, un pronom personnel (dit de reprise) de la 3ᵉ personne.

Le score est-**il** définitif ?
Les joueurs quitteront-**ils** le terrain ?

**3** L'interrogation peut aussi être marquée par des mots interrogatifs.

**Qui** est là ? **Où** es-tu ? **Quelle** heure est-il ?

# LES FORMES IMPERSONNELLE, PRONOMINALE ET EMPHATIQUE

Une phrase peut prendre différentes formes, voire combiner ces formes.

## La forme impersonnelle

• Un verbe à la **forme impersonnelle** est un verbe dont le sujet ne représente ni une personne, ni un animal, ni une chose défini.
Les verbes impersonnels ne se conjuguent qu'à la 3ᵉ personne du singulier avec le sujet *il* (parfois *ce*, *ça* ou *cela*), du genre neutre.
**Il** ne vous arrive que des ennuis.
**Ça** déborde de bons sentiments dans ce mélo !

• Il existe des verbes qui ne peuvent être employés qu'à la forme impersonnelle ; à part le verbe *falloir*, ils expriment tous des phénomènes naturels.
Il **faut** écouter les conseils. – Il **a neigé** une grande partie de la nuit.
Il **a plu** des cordes. – Il **tonnera** probablement avant la fin de la journée.
Le participe passé des verbes impersonnels est toujours invariable.

• Dans une tournure impersonnelle, *il* est le **sujet apparent**, celui avec lequel le verbe s'accorde. Le complément d'objet est le **sujet réel**, celui avec lequel le verbe ne s'accorde pas.

    Il  <u>se passe</u> de <u>curieux événements</u> dans ce hameau.
   ↑                 COD
 sujet
apparent
De fait, le COD est le véritable agent de l'action exprimée par le verbe.
**De curieux événements** <u>se passent</u> dans ce hameau.

• Retenons certaines tournures présentatives dont le sujet *il* est neutre.
**Il** était une fois...       **Il** est trois heures.       **Il** y a...

### ⚠ Remarque

Certains verbes peuvent être exceptionnellement à la forme impersonnelle.

Des encombrements <u>se forment</u> à la sortie du tunnel. → forme personnelle
Il <u>se forme</u> des encombrements à la sortie du tunnel. → forme impersonnelle

## La forme pronominale

• Un verbe à **la forme pronominale** est conjugué avec **un pronom personnel réfléchi**.
Je **me** repose un peu.  Tu **te** lances à l'aventure.  Les villages **s'**embellissent.

• Les temps composés d'un verbe à la forme pronominale se construisent avec l'auxiliaire *être*.
Je **me** suis reposée un peu.      Les villages **se** sont embellis.

## La forme emphatique

**La forme emphatique** met en relief certains mots en utilisant des présentatifs ou le déplacement de groupes de mots avec reprise par un pronom.
C'est le modèle que je préfère. → Le modèle que je préfère, c'est celui-ci.

À l'oral comme à l'écrit, de nombreuses erreurs de sens peuvent être évitées.

## Les contresens

- Se tromper sur l'interprétation d'un mot ou d'une expression, c'est commettre un contresens.
Ne pas avoir un sou vaillant.
→ ne pas avoir un sou qui vaille (qui vaut quelque chose), et non avoir un sou courageux

- Assez souvent, le contresens provient d'un mot pris au sens propre et non au sens figuré.
Être dans ses petits souliers.
→ être mal à l'aise, et non porter des souliers trop petits

## Les erreurs les plus fréquentes (1)

- *Amener* s'emploie plutôt pour des êtres.
La maman **amène** ses enfants à l'école.
*Apporter* s'emploie plutôt pour des choses.
La maman **apporte** le goûter à ses enfants.

- On ne dit pas : Vous n'êtes pas sans ignorer que la Thaïlande se trouve en Asie.
Mais : Vous **n'êtes pas sans savoir** que la Thaïlande se trouve en Asie.
ou : Vous **n'ignorez pas** que la Thaïlande se trouve en Asie.

- Il faut éviter de terminer une phrase par la préposition *avec*.
On ne dit pas : Le journal proposait un DVD gratuit ; je l'ai pris avec.
Mais : J'ai pris le DVD gratuit offert **avec** le journal.

- On ne dit pas : Malgré qu'il soit fatigué, il termine son travail.
Mais : **Bien qu'**il soit fatigué, il termine son travail.

- On n'emploie jamais *car* et *en effet* ensemble.
On ne dit pas : Rentrons, car en effet la nuit tombe.
Mais : Rentrons, **car** la nuit tombe.          Rentrons, **en effet** la nuit tombe.

- On ne dit pas *de façon à ce que* ou *de manière à ce que* ; on dit :
Il dispose les objets **de façon qu'**il puisse les atteindre facilement.
Il dispose les objets **de manière qu'**il puisse les atteindre facilement.

- Lorsque le verbe est suivi de deux pronoms compléments, le COD se place le plus près du verbe.
Rendez-**les**-moi.          Dites-**le**-vous pour dit.

- On ne peut rentrer quelque part que si l'on en est sorti.
On dit : Après mon travail, je **rentre** chez moi.
Et : J'**entre** à la mairie.

- On n'est pas furieux après quelqu'un, mais **furieux contre** quelqu'un.

# DES ERREURS À ÉVITER (2)

## Les erreurs les plus fréquentes (2)

• De nombreuses erreurs sont commises dans la conjugaison des verbes. Il faut éviter ces incorrections en identifiant d'abord le groupe auquel les verbes appartiennent, puis en consultant les tableaux de conjugaison correspondants. Par exemple : le verbe *mourir* appartient au 3ᵉ groupe ; à l'imparfait de l'indicatif, on ne place pas l'élément *-ss-* caractéristique des verbes du 2ᵉ groupe. On ne dit pas : il mourrissait　　　Mais : il mourait

• Il existe des verbes proches qui appartiennent à des groupes différents.
*ressortir de*, 3ᵉ groupe : Les spectateurs **ressortent** enchantés **de** ce concert.
*ressortir à*, 2ᵉ groupe : Ces procès **ressortissent au** tribunal correctionnel.

• Le nom qui marque la nationalité ou qui désigne les habitants d'un lieu est un nom propre ; il prend une majuscule.
Les Français et les Italiens sont des Latins.
Je savoure un fromage de Roquefort.
Le nom qui désigne une langue, un produit d'origine, ainsi que l'adjectif qualificatif, s'écrivent sans majuscule.
Le français et l'italien sont des langues latines.
N'abusez pas du beaujolais nouveau.

• Il ne faut pas confondre l'emploi des deux adverbes *jadis* et *naguère*.
*Jadis* signifie : « *Il y a fort longtemps* » et *naguère* : « *Il n'y a guère de temps.* »
**Jadis**, les serfs étaient malheureux.
Ces rues, **naguère** fréquentées, sont maintenant désertes.

• Comme *pallier* est un verbe transitif, on ne dit pas :
L'éleveur pallie au manque de foin en donnant de la paille à ses bêtes.
Mais : L'éleveur **pallie** le manque de foin en donnant de la paille à ses bêtes.

• Ne pas confondre l'adverbe *voire*, qui a le sens de *même*, et l'infinitif *voir*.
Ce champignon est comestible, **voire** savoureux.
Je vais **voir** si ce champignon est comestible.

• Ne pas confondre la locution adverbiale *à l'envi*, qui a le sens de *à qui mieux mieux*, et le nom *l'envie*.
Les hyènes se disputaient **à l'envi** la carcasse du gnou.
Cette femme enceinte a **une envie** de fraises.

• Le participe passé du verbe *dire* – *dit* – se soude avec l'article défini et avec l'adverbe *sus* dans des expressions pour rappeler qu'il a déjà été question des personnes ou des choses.
Je suis certain que **ladite** signature est une imitation grossière.
Mon adresse **susdite** est celle de mon lieu de vacances.
Mais les deux mots sont distincts lorsque *le* est un pronom personnel précédant le verbe au présent de l'indicatif.
Il ne viendra pas ; il me **le dit** calmement.

# CONJUGAISON

# LES VERBES

Un verbe est un mot qui indique ce que fait, ce qu'est ou ce que pense une personne, un animal ou une chose.

## L'infinitif

• On dit qu'un verbe est **conjugué** lorsque son écriture change selon le sujet du verbe ou le temps de la phrase.

• Lorsqu'il n'est pas conjugué, le verbe se présente sous une forme neutre : **l'infinitif**. C'est ainsi qu'il figure dans un dictionnaire.

parler – marcher – réunir – découvrir – faire – croire – venir – pouvoir

## Le radical et la terminaison d'un verbe

Un verbe se compose d'un **radical** et d'une **terminaison** (ou désinence).

cherch-**er**         réun-**ir**         voul-**oir**         descend-**re**

radical    terminaison

(Dans les exemples ci-dessus, les terminaisons sont celles de l'infinitif.)

### ⚠ Remarque

Pour certains verbes, le radical reste le même dans toutes les formes verbales.

je **ris** – nous **ri**ions – ils **ri**ront – il faut qu'elle **rie** – **ris** – j'ai **ri**

Pour d'autres verbes, le radical peut varier d'une forme verbale à l'autre.

je **vais** – nous **all**ons – elle **ira** – il faut que tu **aill**es

## Les trois groupes de verbes

• **Le 1er groupe** : tous les verbes dont l'infinitif se termine par *-er* (sauf *aller*).
cherch**er** – trouv**er** – parl**er** – appel**er**

• **Le 2e groupe** : les verbes dont l'infinitif se termine par *-ir* et qui intercalent l'élément *-ss-* entre le radical et la terminaison, aux personnes du pluriel du présent de l'indicatif.
réunir (nous réuni**ss**ons) – agir (vous agi**ss**ez)

• **Le 3e groupe** : tous les autres verbes.
perdre – apparaître – vivre – courir (on ne dit pas « nous courissons »)

Les verbes *avoir* et *être* n'appartiennent à aucun groupe. Ils s'emploient comme les autres verbes, mais aussi comme **auxiliaires** aux temps composés (voir leçon 98).

## Les verbes pronominaux

On appelle **verbes pronominaux** les verbes qui sont accompagnés d'un pronom personnel de la même personne que le sujet. À l'infinitif, c'est le pronom de la 3e personne : *se*.
se laver – se tenir – se nourrir – s'asseoir – se pincer – se poser
Je **me** lave. – Tu **te** tenais. – Il **se** nourrit. – Nous **nous** asseyons. – Vous **vous** pincez. – Ils **se** posent.

# LES TEMPS – LES MODES – LES PERSONNES

La conjugaison est composée de séries verbales appelées « temps », elles-mêmes réunies en séries appelées « modes ».

## Les temps

• **Le temps** du verbe permet de se situer (action / parole) sur un axe temporel (passé, présent, futur). La terminaison d'un verbe varie selon **le temps**.

hier → je march**ais**    aujourd'hui → je march**e**    demain → je marche**rai**

• **Temps simples** : formes sans auxiliaire.
je marche – nous marchions – vous marcheriez

• **Temps composés** : auxiliaire *être* ou *avoir* + participe passé du verbe.
j'ai marché – nous avions marché – ils seront partis

## Les modes

• **L'indicatif** : action dans sa réalité.
Il **lit** ce roman.

• **L'impératif** : action sous forme d'ordre, de conseil, de recommandation.
**Lis** ce roman !

• **Le subjonctif** : action envisagée ou hypothétique.
Il faut qu'il **lise** ce roman.

• **Le conditionnel** : action éventuelle, qui dépend d'une condition.
S'il en avait le temps, il **lirait** ce roman.

## Les personnes

• La terminaison d'un verbe varie selon **la personne**.
*je, tu, il, elle, on, nous, vous, ils, elles* sont des **pronoms de conjugaison**.

• Il y a trois personnes du singulier et trois personnes du pluriel.

| | | |
|---|---|---|
| **je** marche | → c'est moi qui fais l'action | $1^{re}$ pers. du singulier |
| **tu** marches | → c'est toi qui fais l'action | $2^e$ pers. du singulier |
| **il/elle/on** marche | → c'est lui (elle) qui fait l'action | $3^e$ pers. du singulier |
| **nous** marchons | → c'est nous qui faisons l'action | $1^{re}$ pers. du pluriel |
| **vous** marchez | → c'est vous qui faites l'action | $2^e$ pers. du pluriel |
| **ils/elles** marchent | → ce sont eux (elles) qui font l'action | $3^e$ pers. du pluriel |

### ⚠ Remarques

**1** Dans la langue courante, il est devenu fréquent d'employer le pronom *on* à la place du pronom *nous*.

**Nous** marchons vite.
**On** marche vite.

**2** Le *vous* de politesse s'emploie quand on ne veut pas tutoyer son unique interlocuteur : la terminaison du verbe est celle de la $2^e$ personne du pluriel. Mais on ne s'adresse qu'à une seule personne.

# LE PRÉSENT DE L'INDICATIF : *avoir – être – 1ᵉʳ groupe*

Le présent de l'indicatif indique généralement le moment actuel, mais il a aussi d'autres valeurs.

## Les valeurs du présent de l'indicatif

- Le présent indique une action qui se déroule au moment où l'on parle.
Tu **regardes** la télévision.

- Il peut exprimer une habitude, une action ou un fait souvent répété.
Ce magasin **ouvre** tous les jours à 9 heures.

- Il peut présenter une vérité générale, un fait permanent.
Qui ne **risque** rien n'**a** rien.

- Il exprime des actions passées que l'on place dans le présent pour les rendre plus vivantes (présent de narration).
En 1492, Christophe Colomb **découvre** l'Amérique.

- Il peut avoir une valeur de passé récent ou de futur très proche.
Je **viens** juste de lui téléphoner.    Demain, j'**arrive** vers 15 heures.

## Tableaux de conjugaison

| auxiliaires | | 1ᵉʳ groupe |
|---|---|---|
| avoir | être | parler |
| j' ai | je suis | je parle |
| tu as | tu es | tu parles |
| il/elle a | il/elle est | il/elle parle |
| nous avons | nous sommes | nous parlons |
| vous avez | vous êtes | vous parlez |
| ils/elles ont | ils/elles sont | ils/elles parlent |

### Remarques

**1** Certaines formes des auxiliaires sont homophones (elles ont la même prononciation).

Tu [ɛ] frileux.  2ᵉ pers. sing.  → es *(être)*
Il [ɛ] frileux.  3ᵉ pers. sing.  → est *(être)*
J'[ɛ] froid.  1ʳᵉ pers. sing.  → ai *(avoir)*
Tu [a] froid.  2ᵉ pers. sing.  → as *(avoir)*
Elle [a] froid.  3ᵉ pers. sing.  → a *(avoir)*

**2** Pour les verbes du 1ᵉʳ groupe, quatre terminaisons sont muettes :

je parle – tu parles – il parle – elles parlent

Il faut donc bien chercher la personne à laquelle le verbe est conjugué pour placer la terminaison correcte.

**3** Le pronom personnel précédant le verbe n'est pas obligatoirement le sujet du verbe : ce peut être un pronom personnel complément.

Tu *me* donnes un as. → Tu donnes un as.

**4** Les verbes du 3ᵉ groupe comme *ouvrir, couvrir, découvrir, recouvrir, entrouvrir, offrir, souffrir, cueillir, recueillir, saillir, défaillir, assaillir, tressaillir* se conjuguent comme les verbes du 1ᵉʳ groupe au présent de l'indicatif.

j'ouvre – tu découvres – il souffre – nous cueillons – vous défaillez – elles tressaillent

# LE PRÉSENT DE L'INDICATIF :
## 2ᵉ et 3ᵉ groupes

Au présent de l'indicatif, **les terminaisons des verbes des 2ᵉ et 3ᵉ groupes sont identiques.**

## Tableaux de conjugaison

| 2ᵉ groupe | 3ᵉ groupe | |
|---|---|---|
| réussir | courir | rompre |
| je réussis | je cours | je romps |
| tu réussis | tu cours | tu romps |
| il/elle réussit | il/elle court | il/elle rompt |
| nous réussissons | nous courons | nous rompons |
| vous réussissez | vous courez | vous rompez |
| ils/elles réussissent | ils/elles courent | ils/elles rompent |

### ⚠ Remarques

**1** Certains verbes du 3ᵉ groupe (et leurs dérivés) perdent la dernière lettre de leur radical aux personnes du singulier.

| | | | |
|---|---|---|---|
| *vivre* | je vis | tu vis | on vit |
| *mettre* | je mets | tu mets | il met |
| *battre* | je bats | tu bats | elle bat |
| *dormir* | je dors | tu dors | il dort |
| *sentir* | je sens | tu sens | on sent |
| *partir* | je pars | tu pars | elle part |
| *sortir* | je sors | tu sors | il sort |
| *mentir* | je mens | tu mens | elle ment |
| *paraître* | je parais | tu parais | il paraît* |

\* Pour les verbes terminés par **-aître** à l'infinitif – ainsi que *plaire* –, on conserve l'accent circonflexe quand le *i* du radical est suivi d'un *t*.

**2** Il existe plusieurs formes homophones. Pour éviter les erreurs, il faut chercher le verbe, le groupe et la personne avant de placer la terminaison.

*réussir* → je réussis – tu réussis – il réussit
*courir* → je cours – tu cours – elle court – ils courent

**3** Pour les verbes terminés par **-dre**, il n'y a pas de terminaison à la 3ᵉ personne du singulier.

j'attends – il attend

**4** Il ne faut pas confondre les verbes du 1ᵉʳ groupe homophones de verbes du 3ᵉ groupe à certaines personnes. Pour éviter les fautes d'orthographe, il faut chercher l'infinitif qui indique le groupe auquel appartient chaque verbe.

Vous [fɛt] un tour en ville.
   3ᵉ groupe → faites *(faire)*
Tu [fɛt] ton anniversaire.
   1ᵉʳ groupe → fêtes *(fêter)*

**5** Pour les personnes du pluriel des verbes du 2ᵉ groupe, on intercale l'élément **-ss-** entre le radical et la terminaison. Cet élément permet de distinguer les verbes en **-ir** du 2ᵉ groupe de ceux également en **-ir** du 3ᵉ groupe.

**6** Les formes conjuguées du verbe *croître* conservent l'accent circonflexe quand elles peuvent être confondues avec les formes conjuguées du verbe *croire*.

*croître* → Je croîs. L'arbre croît.
*croire* → Je crois. Il me croit.

**7** Le verbe *vêtir* (et ses dérivés) conserve l'accent circonflexe à toutes les personnes.

*revêtir* → je revêts – tu revêts – elle revêt – nous revêtons – vous revêtez – ils revêtent

# LE PRÉSENT DE L'INDICATIF : verbes irréguliers

Au présent de l'indicatif, certains verbes du 3e groupe ont des formes irrégulières qu'il faut retenir.

## Quelques verbes irréguliers

| aller | je vais | elle va | nous allons | ils vont |
|---|---|---|---|---|
| faire | tu fais | nous faisons | vous faites | elles font |
| venir | je viens | elle vient | nous venons | ils viennent |
| pouvoir | je peux | il peut | nous pouvons | elles peuvent |
| valoir | tu vaux | elle vaut | vous valez | ils valent |
| dire | je dis | elle dit | vous dites | elles disent |
| devoir | tu dois | il doit | nous devons | ils doivent |
| voir | il voit | nous voyons | vous voyez | elles voient |
| lire | je lis | elle lit | nous lisons | ils lisent |
| mourir | tu meurs | il meurt | vous mourez | elles meurent |
| asseoir* | j'assois | elle assoit | nous assoyons | ils assoient |
| | j'assieds | elle assied | nous asseyons | ils asseyent |
| acquérir | j'acquiers | il acquiert | vous acquérez | ils acquièrent |
| écrire | tu écris | elle écrit | nous écrivons | elles écrivent |
| vaincre | tu vaincs | elle vainc | vous vainquez | ils vainquent |
| fuire | je fuis | nous fuyons | vous fuyez | elles fuient |
| peindre | je peins | il peint | nous peignons | ils peignent |
| conduire | tu conduis | elle conduit | vous conduisez | elles conduisent |
| résoudre | je résous | nous résolvons | vous résolvez | ils résolvent |
| coudre | tu couds | il coud | nous cousons | elles cousent |

* Les deux conjugaisons sont acceptées, même si la première est d'un niveau moins soutenu.

### ⚠ Remarques

**1** Les verbes dont l'infinitif se termine par *-indre*, comme *peindre, joindre, craindre*, perdent le *d* du radical aux personnes du singulier.
Aux personnes du pluriel, le radical est modifié.

**2** Le radical des verbes dont l'infinitif se termine par *-uire*, comme *conduire*, est modifié aux personnes du pluriel : ajout du *s*.

**3** Les verbes *résoudre* et *dissoudre* perdent le *d* aux trois personnes du singulier. Leur radical est modifié aux trois personnes du pluriel.

**4** Les verbes *coudre, découdre, moudre* conservent le *d* aux trois personnes du singulier.

**5** Le verbe *falloir* ne s'utilise qu'à la 3e personne du singulier.
Il **faut** préserver l'environnement.

# L'IMPARFAIT DE L'INDICATIF : 1er, 2e et 3e groupes

L'imparfait de l'indicatif est un temps du passé.

## Les valeurs de l'imparfait de l'indicatif

- L'imparfait de l'indicatif marque un fait situé dans le passé.
Avant de découvrir cette région, je n'**aimais** pas la campagne.

- Il indique une action qui a duré, qui n'est peut-être pas achevée, qui n'est pas délimitée dans le temps.
La mer **se déchaînait** et le bateau **tanguait** dangereusement.

- C'est aussi le temps de la description (paysages, scènes) et de l'expression de faits habituels dans le passé.
Le dimanche, nous **mangions** chez nos parents.

## Tableaux de conjugaison

| 1er groupe | 2e groupe | 3e groupe | |
|---|---|---|---|
| **parler** | **agir** | **vendre** | **revenir** |
| je parlais | j'agissais | je vendais | je revenais |
| tu parlais | tu agissais | tu vendais | tu revenais |
| il/elle parlait | il/elle agissait | il/elle vendait | il/elle revenait |
| nous parlions | nous agissions | nous vendions | nous revenions |
| vous parliez | vous agissiez | vous vendiez | vous reveniez |
| ils/elles parlaient | ils/elles agissaient | ils/elles vendaient | ils/elles revenaient |

### ⚠ Remarques

**1** À l'imparfait, tous les verbes prennent les mêmes terminaisons.

**2** Pour les verbes du 2e groupe, on intercale l'élément **-ss-** entre le radical et la terminaison.

**3** Pour tous les verbes, quatre terminaisons sont homophones.
je recul**ais** – tu recul**ais** – il recul**ait** – elles recul**aient**

Il faut donc bien chercher la personne à laquelle le verbe est conjugué pour placer la terminaison correcte.

**4** Pour les verbes du 1er groupe en **-gner, -iller, -ier, -yer**, les terminaisons des 1re et 2e personnes du pluriel ont une prononciation quasiment identique au présent et à l'imparfait. Il ne faut donc pas oublier d'ajouter un **i** à l'imparfait.

nous gagnons – nous gagn**i**ons
vous travaillez – vous travaill**i**ez
nous skions – nous ski**i**ons
vous balayez – vous balay**i**ez

> Pour bien faire la distinction, on remplace par une forme du singulier.

Aujourd'hui, nous skions.
Aujourd'hui, elle skie.  → présent
Hier, nous ski**i**ons.
Hier, elle ski**ait**.  → imparfait

**5** Certains verbes du 3e groupe (*rire, cueillir, bouillir, fuir, voir, asseoir, croire, craindre, peindre...*) se conjuguent avec cette même particularité.

nous ri**i**ons – vous cueill**i**ez –
nous bouill**i**ons – vous fuy**i**ez –
nous voy**i**ons – vous assoy**i**ez
vous assey**i**ez – nous croy**i**ons –
vous craign**i**ez – nous peign**i**ons

# L'IMPARFAIT DE L'INDICATIF :
## *avoir – être – verbes irréguliers*

À l'imparfait de l'indicatif, quelques verbes modifient leur radical (on dit que ces verbes sont irréguliers), mais la forme de ce radical est la même pour toutes les personnes.

## être – avoir

| | | | | |
|---|---|---|---|---|
| **avoir** | j'avais | il/elle avait | nous avions | ils/elles avaient |
| **être** | j'étais | il/elle était | nous étions | ils/elles étaient |

## Quelques verbes irréguliers

| | | | | |
|---|---|---|---|---|
| **faire** | je faisais | il faisait | nous faisions | ils faisaient |
| **aller** | tu allais | elle allait | vous alliez | elles allaient |
| **dire** | je disais | il disait | nous disions | ils disaient |
| **prédire** | tu prédisais | elle prédisait | vous prédisiez | elles prédisaient |
| **maudire** | je maudissais | il maudissait | nous maudissions | ils maudissaient |
| **lire** | tu lisais | elle lisait | vous lisiez | elles lisaient |
| **écrire** | j'écrivais | il écrivait | nous écrivions | ils écrivaient |
| **conduire** | tu conduisais | elle conduisait | vous conduisiez | elles conduisaient |
| **boire** | je buvais | il buvait | nous buvions | ils buvaient |
| **vaincre** | tu vainquais | elle vainquait | vous vainquiez | elles vainquaient |
| **prendre** | je prenais | il prenait | nous prenions | ils prenaient |
| **éteindre** | tu éteignais | elle éteignait | vous éteigniez | elles éteignaient |
| **coudre** | je cousais | il cousait | nous cousions | ils cousaient |
| **résoudre** | tu résolvais | elle résolvait | vous résolviez | elles résolvaient |
| **paraître** | je paraissais | il paraissait | nous paraissions | ils paraissaient |
| **taire** | tu taisais | elle taisait | vous taisiez | elles taisaient |
| **plaire** | je plaisais | il plaisait | nous plaisions | ils plaisaient |
| **haïr** | tu haïssais | elle haïssait | vous haïssiez | elles haïssaient |

### ⚠ Remarques

**1** Les terminaisons sont les mêmes pour tous les verbes : *-ais, -ais, -ait, -ions, -iez, -aient*.

**2** Le radical sur lequel on forme l'imparfait de l'indicatif est le même que celui de la 1re personne du pluriel du présent de l'indicatif pour tous les verbes (sauf *être*).

présent → nous faisons
imparfait → je faisais

présent → nous conduisons
imparfait → tu conduisais

présent → nous buvons
imparfait → ils buvaient

présent → nous résolvons
imparfait → vous résolviez

**3** Le verbe *falloir* ne se conjugue qu'à la 3e personne du singulier.

Il fallait procéder à des modifications.

# LE FUTUR SIMPLE :
## *avoir* – *être* – 1$^{er}$ et 2$^e$ groupes

Le futur simple s'emploie généralement pour exprimer une action à venir, mais il a aussi d'autres valeurs.

## Les valeurs du futur simple

• Le futur simple indique une action qui se fera, avec plus ou moins de certitude, dans l'avenir par rapport au moment où l'on parle.
Pour votre anniversaire, vous **inviterez** tous vos amis.

• Il exprime l'ordre à la place de l'impératif.
Vous **nettoierez** votre bureau avant de partir.

• Il peut aussi prendre la valeur du présent pour atténuer le ton de certains propos ou marquer une nuance de politesse, essentiellement aux 1$^{res}$ personnes du singulier et du pluriel.
Je te **demanderai** de rouler moins vite. Nous **solliciterons** un bref entretien.

• Lorsqu'on utilise le présent de narration dans un récit, tous les faits postérieurs au moment où se situe l'action racontée seront au futur simple.
Jeanne d'Arc <u>affirme</u> qu'elle <u>délivrera</u> Orléans.
       présent de narration   futur simple

## Tableaux de conjugaison

| auxiliaires | | 1$^{er}$ groupe | 2$^e$ groupe |
|---|---|---|---|
| **être** | **avoir** | **rester.** | **finir** |
| je serai | j'aurai | je resterai | je finirai |
| tu seras | tu auras | tu resteras | tu finiras |
| il/elle sera | il/elle aura | il/elle restera | il/elle finira |
| nous serons | nous aurons | nous resterons | nous finirons |
| vous serez | vous aurez | vous resterez | vous finirez |
| ils/elles seront | ils/elles auront | ils/elles resteront | ils/elles finiront |

### ⚠ Remarques

**1** Au futur simple, les terminaisons sont les mêmes pour tous les verbes.

**2** Le futur des verbes des 1$^{er}$ et 2$^e$ groupes (hormis quelques verbes, leçon 105) se forme à partir de l'infinitif complet auquel on ajoute les terminaisons : *-ai, -as, -a, -ons, -ez, -ont*.

**3** Certaines terminaisons sont homophones ; pour ne pas les confondre, il faut bien identifier la personne à laquelle le verbe est conjugué.
Tu rester[a].     2$^e$ pers. sing.   → as
Elle rester[a].    3$^e$ pers. sing.   → a

Nous finir[5].     1$^{re}$ pers. plur.   → ons
Elles finir[5].     3$^e$ pers. plur.   → ont

**4** Quand on écrit un verbe du 1$^{er}$ groupe au futur simple, il faut bien penser à l'infinitif pour éviter d'oublier le *e* muet.
*jouer* → je jouerai – nous jouerons
*skier* → je skierai – nous skierons
*créer* → je créerai – nous créerons

**5** Le verbe *cueillir* (et ses dérivés), du 3$^e$ groupe, se conjugue comme un verbe du 1$^{er}$ groupe.
je cueillerai – nous cueillerons

# LE FUTUR SIMPLE :
## 3ᵉ groupe – verbes irréguliers

Les terminaisons du futur simple des verbes du 3ᵉ groupe sont les mêmes que celles des verbes des 1ᵉʳ et 2ᵉ groupes.

## Quelques verbes irréguliers

| | | | | |
|---|---|---|---|---|
| **faire** | je ferai | il fera | nous ferons | ils feront |
| **aller** | tu iras | elle ira | vous irez | elles iront |
| **venir** | je viendrai | il viendra | nous viendrons | ils viendront |
| **tenir** | tu tiendras | elle tiendra | vous tiendrez | elles tiendront |
| **acquérir** | j'acquerrai | il acquerra | nous acquerrons | ils acquerront |
| **mourir** | tu mourras | elle mourra | vous mourrez | elles mourront |
| **courir** | je courrai | il courra | nous courrons | ils courront |
| **pouvoir** | tu pourras | elle pourra | vous pourrez | elles pourront |
| **devoir** | je devrai | il devra | nous devrons | ils devront |
| **vouloir** | tu voudras | elle voudra | vous voudrez | elles voudront |
| **voir** | je verrai | il verra | nous verrons | ils verront |
| **recevoir** | tu recevras | elle recevra | vous recevrez | elles recevront |
| **savoir** | je saurai | il saura | nous saurons | ils sauront |
| **valoir** | tu vaudras | elle vaudra | vous vaudrez | elles vaudront |
| **asseoir** | j'assoirai | il assoira | nous assoirons | ils assoiront |
| | tu assiéras | elle assiéra | vous assiérez | elles assiéront |

### ⚠ Remarques

**1** Au futur simple, les verbes du 3ᵉ groupe, dont l'infinitif se termine par **-e**, perdent cette lettre.

descendre → je descendrai
combattre → tu combattras
rire → nous rirons

**2** Avant d'écrire un verbe du 3ᵉ groupe au futur simple, il faut chercher son infinitif pour ne pas oublier une lettre muette ou en placer une superflue.

Le ministre **saluera** le président.
saluer ; 1ᵉʳ groupe → présence d'un e
Le ministre **conclura** son discours.
conclure ; 3ᵉ groupe → pas de e

**3** Le futur proche s'exprime à l'aide du verbe *aller* au présent de l'indicatif suivi de l'infinitif.

Dans un instant, je **vais prendre** le TGV.

**4** *Revoir* et *entrevoir* (ainsi qu'*envoyer*) se conjuguent comme *voir*.

Nous vous **reverrons** demain.
Tu **entreverras** une solution.

Mais *pourvoir* et *prévoir* se conjuguent sur un autre radical.

Nous **pourvoirons** à vos besoins.
Tu **prévoiras** une trousse de secours.

**5** Au futur simple, les formes des verbes *être* et *savoir* ont des prononciations proches. Pour ne pas les confondre, il faut bien examiner le sens de la phrase ou changer de temps.

Je **serai** sous un abri.
Je **suis** sous un abri.
Je **saurai** où m'abriter.
Je **sais** où m'abriter.

# LE PASSÉ SIMPLE :
## avoir – être – 1er groupe

Le passé simple est un temps du passé, le plus souvent utilisé dans la langue écrite.

## Les valeurs du passé simple

• Le passé simple exprime des faits passés, complètement achevés, qui ont eu lieu à un moment précis, sans idée d'habitude et sans lien avec le présent.
Le train **arriva** à l'heure.

• Il marque la succession des faits, c'est le temps du récit écrit par excellence.
Karine **surmonta** son trac, **écarta** le rideau et **entra** en scène.

• Il exprime une action brève dans le passé, soudaine, à la différence de l'imparfait, temps de la description, qui marque une action qui dure ou des faits habituels.
Géraldine **regardait** un film à la télévision lorsque le téléphone **sonna**.

→ action qui dure : imparfait          → action brève : passé simple

⚠ **Remarque**

Aujourd'hui, le passé simple, qui est essentiellement un **temps du récit**, est surtout employé aux troisièmes personnes du singulier et du pluriel dont les formes sont plus aisées à mémoriser. Pour les deux premières personnes du pluriel, on lui préférera le passé composé.

## Tableaux de conjugaison

| auxiliaires | | 1er groupe |
|---|---|---|
| **avoir** | **être** | **sonner** |
| j'eus | je fus | je sonnai |
| tu eus | tu fus | tu sonnas |
| il/elle eut* | il/elle fut* | il/elle sonna |
| nous eûmes | nous fûmes | nous sonnâmes |
| vous eûtes | vous fûtes | vous sonnâtes |
| ils/elles eurent | ils/elles furent | ils/elles sonnèrent |

\* Ces formes ne prennent jamais d'accent circonflexe au passé simple.

⚠ **Remarques**

1 Au passé simple, les terminaisons sont les mêmes pour tous les verbes du 1er groupe : **-ai, -as, -a, -âmes, -âtes, -èrent**.

2 Le verbe *aller*, même s'il appartient au 3e groupe, se conjugue au passé simple comme un verbe du 1er groupe.
j'all**ai** – nous all**âmes** – ils all**èrent**

3 Au passé simple et à l'imparfait de l'indicatif, les terminaisons des verbes du 1er groupe, à la 1re personne du singulier, ont pratiquement la même prononciation. Pour entendre la différence, on remplace par la 2e personne du singulier.
Souvent, j'hésit**ais** à parler.
Souvent, tu hésit**ais** à parler. → imparfait
Soudain, j'hésit**ai** à parler.
Soudain, tu hésit**as** à parler. → passé simple

# 107

## LE PASSÉ SIMPLE :
## 2ᵉ et 3ᵉ groupes en -i-

Au passé simple, les verbes du 2ᵉ groupe et certains verbes du 3ᵉ groupe ont les mêmes terminaisons : **-is, -is, -it, -îmes, -îtes, -irent.**

## Tableaux de conjugaison

| 2ᵉ groupe | 3ᵉ groupe | | |
|---|---|---|---|
| rougir | sourire | sortir | entendre |
| je rougis | je souris | je sortis | j'entendis |
| tu rougis | tu souris | tu sortis | tu entendis |
| il/elle rougit | il/elle sourit | il/elle sortit | il/elle entendit |
| nous rougîmes | nous sourîmes | nous sortîmes | nous entendîmes |
| vous rougîtes | vous sourîtes | vous sortîtes | vous entendîtes |
| ils/elles rougirent | ils/elles sourirent | ils/elles sortirent | ils/elles entendirent |

### ⚠ Remarques

**1** Au passé simple, pour les personnes du singulier, les terminaisons des verbes du 2ᵉ groupe sont les mêmes que celles du présent de l'indicatif. Pour distinguer ces deux temps, il faut chercher les indicateurs temporels ou observer les formes des autres verbes de la phrase.
passé simple :
L'avion **arrivait** de Mexico et à l'approche de Roissy, il **ralentit** et **atterrit.**
présent de l'indicatif :
L'avion **arrive** de Mexico et à l'approche de Roissy, il **ralentit** et **atterrit.**

**2** À la 3ᵉ personne du singulier, il n'y a jamais d'accent sur la voyelle qui précède le **-t.**
il rougit – on sourit – il sortit – on entendit

**3** Tous les verbes du 3ᵉ groupe n'ont pas une terminaison en **-i** au passé simple (voir leçon 108).

**4** Les deux premières personnes du pluriel, aux formes désuètes, ne sont plus employées aujourd'hui.

## Quelques verbes irréguliers

| | | | | |
|---|---|---|---|---|
| **faire** | je fis | il fit | nous fîmes | ils firent |
| **prendre** | tu pris | elle prit | vous prîtes | elles prirent |
| **voir** | je vis | il vit | nous vîmes | ils virent |
| **mettre** | tu mis | elle mit | vous mîtes | elles mirent |
| **dire** | je dis | il dit | nous dîmes | ils dirent |
| **conduire** | tu conduisis | elle conduisit | vous conduisîtes | elles conduisirent |
| **asseoir** | j'assis | il assit | nous assîmes | ils assirent |
| **écrire** | tu écrivis | elle écrivit | vous écrivîtes | elles écrivirent |
| **peindre** | je peignis | il peignit | nous peignîmes | ils peignirent |
| **naître** | tu naquis | elle naquit | vous naquîtes | elles naquirent |
| **vaincre** | je vainquis | il vainquit | nous vainquîmes | ils vainquirent |
| **acquérir** | tu acquis | elle acquit | vous acquîtes | elles acquirent |

# LE PASSÉ SIMPLE :
## 3ᵉ groupe en -u- et en -in-

Au passé simple, les verbes du 3ᵉ groupe se terminent par **-s, -s, -t, -mes, -tes, -rent**.
Ces terminaisons peuvent être précédées de **-u-** ou **-in-**.

## Tableaux de conjugaison

| courir | vouloir | venir | tenir |
|---|---|---|---|
| je cour**us** | je voul**us** | je v**ins** | je t**ins** |
| tu cour**us** | tu voul**us** | tu v**ins** | tu t**ins** |
| il/elle cour**ut** | il/elle voul**ut** | il/elle v**int** | il/elle t**int** |
| nous cour**ûmes** | nous voul**ûmes** | nous v**înmes** | nous t**înmes** |
| vous cour**ûtes** | vous voul**ûtes** | vous v**întes** | vous t**întes** |
| ils/elles cour**urent** | ils/elles voul**urent** | ils/elles v**inrent** | ils/elles t**inrent** |

### ⚠ Remarques

**1** Pour trouver la terminaison des verbes du 3ᵉ groupe, on ne peut pas se référer à l'infinitif ni à d'autres formes conjuguées.

*mourir* → il meurt (présent)
il mourut (passé simple)
*venir* → il vient (présent)
il vint (passé simple)

Il faut retenir par cœur les formes du passé simple pour ces verbes.

**2** Les verbes des mêmes familles que *venir* et *tenir* prennent les mêmes terminaisons.

*venir* : advenir – survenir – revenir – devenir – prévenir – intervenir – provenir – convenir – se souvenir – redevenir – contrevenir

*tenir* : appartenir – obtenir – détenir – entretenir – retenir – contenir – soutenir – maintenir – s'abstenir

## Quelques verbes irréguliers

| | | | | |
|---|---|---|---|---|
| **connaître** | je conn**us** | il conn**ut** | nous conn**ûmes** | ils conn**urent** |
| **savoir** | tu s**us** | elle s**ut** | vous s**ûtes** | elles s**urent** |
| **valoir** | je val**us** | il val**ut** | nous val**ûmes** | ils val**urent** |
| **pouvoir** | tu p**us** | elle p**ut** | vous p**ûtes** | elles p**urent** |
| **devoir** | je d**us** | il d**ut** | nous d**ûmes** | ils d**urent** |
| **vivre** | tu véc**us** | elle véc**ut** | vous véc**ûtes** | elles véc**urent** |
| **boire** | je b**us** | il b**ut** | nous b**ûmes** | ils b**urent** |
| **croire*** | tu cr**us** | elle cr**ut** | vous cr**ûtes** | elles cr**urent** |
| **croître*** | je cr**ûs** | il cr**ût** | nous cr**ûmes** | ils cr**ûrent** |
| **plaire** | tu pl**us** | elle pl**ut** | vous pl**ûtes** | elles pl**urent** |
| **taire** | je t**us** | il t**ut** | nous t**ûmes** | ils t**urent** |
| **résoudre** | tu résol**us** | elle résol**ut** | vous résol**ûtes** | elles résol**urent** |
| **pourvoir** | je pourv**us** | il pourv**ut** | nous pourv**ûmes** | ils pourv**urent** |

\* Le verbe *croître* (grandir) prend un accent circonflexe à toutes les personnes pour ne pas être confondu avec le verbe *croire* qui ne le prend qu'aux deux premières personnes du pluriel.

# LES TEMPS SIMPLES :
## verbes en -yer, -eler et -eter

Les verbes du 1er groupe en *-yer*, en *-eler* et *-eter* présentent des spécificités.

## Verbes en -yer

| payer | | nettoyer | |
|---|---|---|---|
| **présent** | **futur simple** | **présent** | **futur simple** |
| je paie | je paierai | tu nettoies | tu nettoieras |
| nous payons | nous paierons | vous nettoyez | vous nettoierez |
| ils/elles paient | ils/elles paieront | ils/elles nettoient | ils/elles nettoieront |

### ⚠ Remarques

**1** Pour les verbes en **-ayer, -oyer, -uyer**, le *y* se transforme en *i* devant les terminaisons commençant par un *e* muet au présent et au futur simple de l'indicatif.

**2** Pour les verbes en **-ayer**, le maintien du *y* devant le *e* muet est toléré. Mais, pour mieux retenir l'ensemble des conjugaisons des verbes en **-yer**, il est préférable de transformer le *y* en *i* pour tous les verbes, quelle que soit la voyelle qui précède le *y* à l'infinitif.

**3** Les verbes *envoyer* et *renvoyer* ont une conjugaison particulière au futur simple :

j'enverrai – ils renverront

## Verbes en -eler et -eter

| appeler | | jeter | |
|---|---|---|---|
| **présent** | **futur simple** | **présent** | **futur simple** |
| j'appelle | j'appellerai | tu jettes | tu jetteras |
| nous appelons | nous appellerons | vous jetez | vous jetterez |
| ils/elles appellent | ils/elles appelleront | ils/elles jettent | ils/elles jetteront |

### ⚠ Remarques

**1** La plupart des verbes en **-eler** et **-eter** doublent le *l* ou le *t* devant les terminaisons commençant par un *e* muet.

**2** Seuls quelques verbes en **-eler** *(peler – geler et ses composés – écarteler – marteler – modeler – démanteler)* et en **-eter** *(acheter – crocheter – haleter – fureter)* ne doublent pas le *l* ou le *t* devant les terminaisons commençant par un *e* muet. Ils s'écrivent avec un **accent grave** sur le *e* qui précède le *l* ou le *t*.

je pèle – nous pelons
tu achèteras – vous achèterez

**3** À l'imparfait et au passé simple de l'indicatif, les terminaisons, pour l'ensemble des personnes, ne commencent jamais par un *e* muet ; on conserve donc le *y* des verbes en **-yer**, on ne double pas la consonne des verbes en **-eler** et en **-eter** et on ne place pas d'accent grave.

**4** Les verbes comme *interpeller* et *regretter* qui ont deux *l* ou deux *t* à l'infinitif les conservent à toutes les personnes.

j'interpelle – nous interpellons
tu regrettes – vous regrettez

# LES TEMPS SIMPLES :
## verbes en *-cer*, *-ger*, *-guer* et *-quer*

Les verbes du 1er groupe en *-cer*, *-ger*, *-guer* et *-quer* observent certaines règles qu'il faut connaître.

### Verbes en *-cer*

| présent | imparfait | passé simple |
|---|---|---|
| je m'enfonce | tu t'enfonçais | je m'enfonçai |
| nous nous enfonçons | vous vous enfonciez | nous nous enfonçâmes |

**Remarques**

1 Pour conserver le son [s], les verbes en *-cer* prennent une **cédille** sous le *c* devant les voyelles *o* ou *a*.

2 Au futur simple, l'infinitif des verbes en *-cer* se retrouve en entier à toutes les personnes ; le son [s] est ainsi toujours conservé.

tu t'**enfonce**ras – nous nous **enfonce**rons

3 Quelques verbes du 3e groupe (*apercevoir, percevoir, concevoir, décevoir, recevoir*) s'écrivent avec un *ç* devant les voyelles *o* et *u* au présent et au passé simple.

j'aperçois – il aperçoit
j'aperçus – ils aperçurent
tu conçus – vous conçûtes

### Verbes en *-ger*

| présent | imparfait | passé simple |
|---|---|---|
| je nage | tu nageais | je nageai |
| nous nageons | vous nagiez | nous nageâmes |

**Remarques**

1 Les verbes en *-ger* prennent un *e* après le *g* devant les voyelles *o* ou *a* pour conserver le son [ʒ].

2 Au futur simple, l'infinitif des verbes en *-ger* se retrouve en entier à toutes les personnes ; le son [ʒ] est ainsi toujours conservé.

je **nage**rai – nous **nage**rons

### Verbes en *-guer* et *-quer*

| présent | imparfait | passé simple |
|---|---|---|
| je me fatigue | je me fatiguais | je me fatiguai |
| nous nous fatiguons | nous nous fatiguions | nous nous fatiguâmes |

**Remarques**

1 Pour tous les temps simples, et à toutes les personnes, les verbes en *-guer* conservent le *u* de leur radical, même s'il n'est pas indispensable pour maintenir le son [g].

2 Il en est de même pour les verbes en *-quer* qui conservent toujours le *u* du radical.

nous débarquons – elle débarquait –
je débarquerai – vous débarquâtes

# LES TEMPS SIMPLES :
## verbes comme *semer* et *céder*

Dans certaines formes de leur conjugaison, les verbes comme *semer* et *céder* voient leu radical changer : du *e* en *é* et du *é* en *è*.

## Verbes comme *semer*

| présent | futur simple | imparfait | passé simple |
|---|---|---|---|
| je sème | tu sèmeras | je semais | tu semas |
| nous semons | vous sèmerez | nous semions | vous semâtes |

**⚠ Remarques**

**1** Pour les verbes du 1er groupe qui ont un *e* muet dans l'avant-dernière syllabe de leur infinitif, on place un **accent grave** sur ce *e* devant une terminaison commençant par un *e* muet.

**2** Pour l'imparfait et le passé simple de l'indicatif, il n'existe pas de terminaisons commençant par un *e* muet ; le radical n'est donc jamais modifié. En prononçant les formes verbales à haute voix, on entend la différence.

## Verbes comme *céder*

| présent | futur simple | imparfait | passé simple |
|---|---|---|---|
| je cède | tu cèderas | je cédais | tu cédas |
| nous cédons | vous cèderez | nous cédions | vous cédâtes |

**⚠ Remarques**

**1** Pour les verbes du 1er groupe qui ont un *é* dans l'avant-dernière syllabe de leur infinitif, l'accent aigu devient un **accent grave** devant un *e* muet.

**2** Pour le futur simple, l'usage admet que l'on puisse conserver le *é* devant la terminaison muette. Cependant, pour ne pas créer de confusion, il est préférable d'appliquer la même règle qu'au présent de l'indicatif, d'autant que la prononciation actuelle appelle l'accent grave.

**3** Pour l'imparfait et le passé simple de l'indicatif, il n'existe pas de terminaisons commençant par un *e* muet ; le radical n'est donc jamais modifié. En prononçant les formes verbales à haute voix, on entend la différence.

**4** On applique la même règle de transformation du *é* en *è* devant un *e* muet pour les verbes du 1er groupe en **-éguer** ou en **-égner**.

présent de l'indicatif :
je délègue – nous déléguons
tu règnes – vous régnez

futur simple :
il délèguera – ils délègueront
je règnerai – nous règnerons

**5** Les verbes en **-éer** conservent l'accent aigu dans toute leur conjugaison. Attention, il ne faut pas oublier le *e* muet au futur simple.

je crée – tu créais – elle créa – nous créeron

# 12 LE PASSÉ COMPOSÉ DE L'INDICATIF

Le passé composé est un temps du passé, souvent utilisé aussi bien à l'écrit qu'à l'oral.

## Les valeurs du passé composé

• Il exprime des faits achevés à un moment donné du passé, en relation avec le présent ou dont les conséquences sont encore sensibles dans le présent.
Tu reviens de l'hôpital, tu **as rendu** visite à ta sœur.

• Aujourd'hui, il est souvent employé à la place du passé simple. Il indique alors un événement dans le passé sans relation avec le présent.
Il **s'est levé** et il **a quitté** la table.

## Tableaux de conjugaison

| auxiliaire *avoir* | auxiliaire *être* | |
|---|---|---|
| **rêver** | **venir** | **se lever** |
| j'ai rêvé | je suis venu(e) | je me suis levé(e) |
| tu as rêvé | tu es venu(e) | tu t'es levé(e) |
| il/elle a rêvé | il/elle est venu(e) | il/elle s'est levé(e) |
| nous avons rêvé | nous sommes venu(e)s | nous nous sommes levé(e)s |
| vous avez rêvé | vous êtes venu(e)s | vous vous êtes levé(e)s |
| ils/elles ont rêvé | ils/elles sont venu(e)s | ils/elles se sont levé(e)s |

### ⚠ Remarques

**1** Pour former le passé composé, on place l'auxiliaire conjugué au présent de l'indicatif devant le participe passé. Beaucoup de verbes, en particulier les verbes transitifs, se conjuguent avec l'auxiliaire *avoir*. Quelques verbes intransitifs *(aller, partir, arriver, entrer, rester, venir...)*, ainsi que les verbes pronominaux, se conjuguent avec l'auxiliaire *être*.

**2** Tous les participes passés des verbes du 1er groupe se terminent par *-é*.
affirmer : affirmé     rester : resté
Tous les participes passés des verbes du 2e groupe se terminent par *-i*.
remplir : rempli     maigrir : maigri
Les participes passés des verbes du 3e groupe se terminent généralement par *-i* ou *-u*.
sourire : souri     vendre : vendu
Mais il existe des formes particulières.
naître : né, née     devoir : dû, due

plaire : plu          pouvoir : pu
savoir : su, sue      voir : vu, vue
vivre : vécu, vécue   vaincre : vaincu, vaincue
Certains participes passés se terminent par une lettre muette, *-t* ou *-s*. Le féminin du participe passé permet souvent de trouver la lettre muette.
asseoir : assis, assise     prendre : pris, prise
mourir : mort, morte       faire : fait, faite
ouvrir : ouvert, ouverte   dire : dit, dite
Pour l'accord des participes passés, voir leçons 27 à 33.

**3** Les verbes *avoir* et *être* se conjuguent tous les deux avec l'auxiliaire *avoir*.
J'**ai eu** du courage. J'**ai été** courageux(se).

**4** Aux 1re et 2e personnes, seule la personne qui écrit sait quel accord il faut faire.
soit le masculin : Je suis parti. Nous sommes partis.
soit le féminin : Tu es partie. Vous êtes parties.

# LE PLUS-QUE-PARFAIT DE L'INDICATIF

Le plus-que-parfait est un temps composé du passé.

## Les valeurs du plus-que-parfait

• Le plus-que-parfait de l'indicatif exprime des faits accomplis dont la durée est indéterminée, et qui se situent avant une autre action passée exprimée le plus souvent à l'imparfait, au passé composé ou au passé simple.

Béatrice lisait les lettres qu'elle **avait reçues**.
Béatrice a lu les lettres qu'elle **avait reçues**.
Béatrice lut les lettres qu'elle **avait reçues**.
C'est après avoir reçu les lettres que Béatrice a pu les lire.

• Le plus-que-parfait peut aussi exprimer, dans le passé, des faits répétés ou habituels.

Pendant des mois, Mathilde **avait cherché** du travail : en vain.

• Il s'emploie également pour exprimer un fait passé par rapport au moment présent.

Je suis en panne et ça, je ne l'**avais** pas **prévu**.

• Il peut aussi être employé seul ; il présente un fait totalement accompli au moment où l'on parle.

Tu **avais** longuement **réfléchi** avant de t'exprimer.
J'**étais restée** pour vous aider.

• Dans les propositions de supposition, il exprime un fait qui ne s'est pas réalisé dans le passé.

Si j'**avais été** plus attentif, j'aurais retenu le nom de cet acteur.

## Tableaux de conjugaison

| auxiliaire *avoir* | auxiliaire *être* | |
|---|---|---|
| **résister** | **intervenir** | **s'arrêter** |
| j'avais résisté | j'étais intervenu(e) | je m'étais arrêté(e) |
| tu avais résisté | tu étais intervenu(e) | tu t'étais arrêté(e) |
| il/elle avait résisté | il/elle était intervenu(e) | il/elle s'était arrêté(e) |
| nous avions résisté | nous étions intervenu(e)s | nous nous étions arrêté(e)s |
| vous aviez résisté | vous étiez intervenu(e)s | vous vous étiez arrêté(e)s |
| ils/elles avaient résisté | ils/elles étaient intervenu(e)s | ils/elles s'étaient arrêté(e)s |

### ⚠ Remarques

**1** Pour former le plus-que-parfait d'un verbe, on place un des deux auxiliaires, conjugué à l'imparfait de l'indicatif, devant le participe passé.

**2** Aux temps composés, l'adverbe, ainsi que la seconde partie de la négation, se placent entre l'auxiliaire et le participe passé.

L'émission s'était **brusquement** interrompue.
L'émission **ne** s'était **jamais** interrompue.

# LE PASSÉ ANTÉRIEUR
## ET LE FUTUR ANTÉRIEUR

14

## Le passé antérieur

• Le passé antérieur exprime des faits accomplis, généralement brefs, dont la durée est déterminée, et qui se situent avant une autre action passée exprimée au passé simple. On dit que c'est le **passé du passé**. Il se rencontre généralement dans les propositions subordonnées après une conjonction de temps (*quand, lorsque, aussitôt que, dès que, après que...*).
Après qu'il **eut atteint** le col, Philippe **se reposa**.
Quand les coureurs **furent arrivés** au sommet du col, ils **se désaltérèrent**.

• Il s'emploie parfois dans une proposition indépendante pour exprimer une action brève dans le passé. Il est alors accompagné d'un adverbe de temps (*bientôt, vite, enfin, en un instant...*).
Les jeunes gens **eurent** <u>bientôt</u> **aménagé** leur nouvel appartement.
Le boxeur **se fut** <u>rapidement</u> **relevé**.

• Au passé antérieur, l'auxiliaire (*être* ou *avoir*) est conjugué au passé simple.

| auxiliaire *avoir* | auxiliaire *être* | |
|---|---|---|
| **refuser** | **rester** | **se servir** |
| j'eus refusé | je fus resté(e) | je me fus servi(e) |
| tu eus refusé | tu fus resté(e) | tu te fus servi(e) |
| il/elle eut refusé | il/elle fut resté(e) | il/elle se fut servi(e) |
| nous eûmes refusé | nous fûmes resté(e)s | nous nous fûmes servi(e)s |
| vous eûtes refusé | vous fûtes resté(e)s | vous vous fûtes servi(e)s |
| ils/elles eurent refusé | ils/elles furent resté(e)s | ils/elles se furent servi(e)s |

## Le futur antérieur

• Le futur antérieur exprime une action qui sera achevée à un moment donné du futur. On dit que c'est le **passé du futur**. On peut le trouver dans des propositions subordonnées ou des propositions indépendantes.
Nous relirons ce que nous **aurons écrit**. L'autobus **sera parti** dans dix minutes.

• Au futur antérieur, l'auxiliaire (*avoir* ou *être*) est conjugué au futur simple de l'indicatif.

| auxiliaire *avoir* | auxiliaire *être* | |
|---|---|---|
| **refuser** | **rester** | **se servir** |
| j'aurai refusé | je serai resté(e) | je me serai servi(e) |
| tu auras refusé | tu seras resté(e) | tu te seras servi(e) |
| il/elle aura refusé | il/elle sera resté(e) | il/elle se sera servi(e) |
| nous aurons refusé | nous serons resté(e)s | nous nous serons servi(e)s |
| vous aurez refusé | vous serez resté(e)s | vous vous serez servi(e)s |
| ils/elles auront refusé | ils/elles seront resté(e)s | ils/elles se seront servi(e)s |

# 115

# LE PRÉSENT DU CONDITIONNEL

Le présent du conditionnel exprime généralement des faits dont la réalisation est soumise à une condition.

## Les valeurs du présent du conditionnel

• Le présent du conditionnel a valeur de **mode** lorsque l'action est :
– la conséquence possible d'un fait supposé, d'une condition ;
S'il pleuvait plus souvent, la pelouse **reverdirait**.
– une éventualité ;
Quelques plaisanteries **détendraient** peut-être l'atmosphère.
– un souhait ;
J'**aimerais** voyager à travers le monde.
– un fait dont on n'est pas certain, une supposition.
Par hasard, **ressemblerait**-il à son cousin ?

• Le présent du conditionnel, pour certains emplois, est considéré comme un temps de l'indicatif. C'est un **futur hypothétique du passé**.
Je pensais (ai pensé) que tu **attendrais** le prochain métro.
Dans ce cas, le présent du conditionnel s'impose parce que le verbe de la principale est au passé.
Si le verbe de la principale est au présent de l'indicatif, le verbe de la subordonnée est au futur simple.
Je pense que tu **attendras** le prochain métro.

## Tableaux de conjugaison

| camper | faiblir | dormir | vivre |
|---|---|---|---|
| je camperais | je faiblirais | je dormirais | je vivrais |
| tu camperais | tu faiblirais | tu dormirais | tu vivrais |
| il/elle camperait | il/elle faiblirait | il/elle dormirait | il/elle vivrait |
| nous camperions | nous faiblirions | nous dormirions | nous vivrions |
| vous camperiez | vous faibliriez | vous dormiriez | vous vivriez |
| ils/elles camperaient | ils/elles faibliraient | ils/elles dormiraient | ils/elles vivraient |

### ⚠ Remarques

**1** Au présent du conditionnel, tous les verbes ont les mêmes terminaisons, celles de l'imparfait de l'indicatif. Le radical est le même que celui qui permet de former le futur simple.

**2** Pour les verbes des 1er et 2e groupes, on retrouve l'infinitif en entier.

**3** Pour les verbes du 1er groupe en **-ouer, -uer, -ier, -éer**, il ne faut pas oublier de placer le **e**.

je jouerais – tu tuerais – elle épierait – il créerait

**4** Les verbes du 3e groupe, dont l'infinitif se termine par **-e**, perdent cette lettre.

**5** Pour certains verbes du 3e groupe, le radical a une forme particulière (voir leçon 116).

**6** Il faut retenir les formes de *être* et *avoir*.

*être* : je serais – nous serions
*avoir* : j'aurais – nous aurions

130

# 16 LE PRÉSENT DU CONDITIONNEL : verbes irréguliers

Pour un certain nombre de verbes, on retrouve, au présent du conditionnel, les mêmes irrégularités de formes du radical qu'au futur simple. Les terminaisons sont toujours celles de l'imparfait de l'indicatif.

## Formes particulières du 1er groupe

| | | | | |
|---|---|---|---|---|
| **nettoyer** | je nettoierais | il nettoierait | nous nettoierions | ils nettoieraient |
| **envoyer** | tu enverrais | elle enverrait | vous enverriez | elles enverraient |
| **appeler** | j'appellerais | il appellerait | nous appellerions | ils appelleraient |
| **modeler** | tu modèlerais | elle modèlerait | vous modèleriez | elles modèleraient |
| **jeter** | je jetterais | il jetterait | nous jetterions | ils jetteraient |
| **acheter** | tu achèterais | elle achèterait | vous achèteriez | elles achèteraient |
| **achever** | j'achèverais | il achèverait | nous achèverions | ils achèveraient |
| **libérer*** | tu libèrerais | elle libèrerait | vous libèreriez | elles libèreraient |

* Si l'usage admet que l'on puisse conserver le **é** devant la terminaison muette, il est préférable d'appliquer la même règle qu'au présent de l'indicatif, d'autant que la prononciation actuelle appelle l'accent grave.

## Quelques verbes irréguliers du 3e groupe

| | | | | |
|---|---|---|---|---|
| **aller** | j'irais | il irait | nous irions | ils iraient |
| **faire** | tu ferais | elle ferait | vous feriez | elles feraient |
| **tenir (venir)** | je tiendrais | il tiendrait | nous tiendrions | ils tiendraient |
| **courir** | tu courrais | elle courrait | vous courriez | elles courraient |
| **pouvoir** | je pourrais | il pourrait | nous pourrions | ils pourraient |
| **voir** | tu verrais | elle verrait | vous verriez | elles verraient |
| **vouloir** | je voudrais | il voudrait | nous voudrions | ils voudraient |
| **valoir** | tu vaudrais | elle vaudrait | vous vaudriez | elles vaudraient |
| **asseoir** | j'assiérais | il assiérait | nous assiérions | ils assiéraient |
| | tu assoirais | elle assoirait | vous assoiriez | elles assoiraient |
| **savoir** | je saurais | il saurait | nous saurions | ils sauraient |

### ⚠ Remarques

**1** Pour les verbes qui doublent le **r** au présent du conditionnel *(accourir, parcourir, concourir, secourir, mourir, acquérir, requérir, conquérir...)*, il ne faut pas confondre les formes de l'imparfait de l'indicatif et celles du présent du conditionnel.

Avant, il **courait** vite.
S'il s'entraînait, il **courrait** vite.

**2** Les verbes *cueillir, accueillir, se recueillir* se conjuguent comme des verbes du 1er groupe.

tu cueillerais – il accueillerait – elles se recueilleraient

**3** Le verbe *falloir* ne s'emploie qu'à la 3e personne du singulier.

Il **faudrait** baisser le son.

# FUTUR SIMPLE OU PRÉSENT DU CONDITIONNEL ?

À l'oral ou à l'écrit, il n'est pas rare d'hésiter entre le futur simple et le présent du condi tionnel. Il faut donc savoir distinguer ces deux temps.

## Confusion due à la prononciation

Les terminaisons de la première personne du singulier du futur simple et du présent du conditionnel ont **la même prononciation**.
Le 23 mars, je souhaiter[ɛ] l'anniversaire de mon ami Hervé.
Le 23 mars, je souhaiter[ɛ] que l'anniversaire d'Hervé soit une grande fête.

## Comment éviter toute confusion ?

• Pour distinguer ces deux terminaisons, on peut examiner le sens de la phrase.
Le 23 mars, je souhaiter[ɛ] l'anniversaire de mon ami Hervé.
C'est une quasi-certitude → futur simple → terminaison : *-ai*.
Le 23 mars, je souhaiter[ɛ] que l'anniversaire d'Hervé soit une grande fête.
C'est une possibilité, un désir → présent du conditionnel → terminaison : *-ais*.
• On peut aussi remplacer la 1^re personne du singulier par une autre personne ; on entend alors la différence.
– futur simple :
Le 23 mars, je souhaiter[ɛ] l'anniversaire de mon ami Hervé.
Le 23 mars, nous souhaiter**ons** l'anniversaire de notre ami Hervé.
– présent du conditionnel :
Le 23 mars, je souhaiter[ɛ] que l'anniversaire d'Hervé soit une grande fête.
Le 23 mars, nous souhaiter**ions** que l'anniversaire d'Hervé soit une grande fête.

## Concordance des temps

• Si le verbe de la proposition subordonnée, introduite par *si*, est au présent de l'indicatif, le verbe de la proposition principale est au futur simple.
Si Hervé m'appell**e**, je lui souhaiter**ai** son anniversaire.
Si Hervé nous appell**e**, nous lui souhaiter**ons** son anniversaire.
• Si le verbe de la proposition subordonnée, introduite par *si*, est à l'imparfait de l'indicatif, le verbe de la proposition principale est au présent du conditionnel.
Si Hervé m'appel**ait**, je lui souhaiter**ais** son anniversaire.
Si Hervé nous appel**ait**, nous lui souhaiter**ions** son anniversaire.

⚠ **Remarque**

Le verbe de la subordonnée introduite par la conjonction *si* ne s'écrit jamais au présent du conditionnel.

« Si j'achèterais un téléphone portable… » est un barbarisme.

La proposition correcte est :

Si j'achetais un téléphone portable, j'**adopterais** une sonnerie originale.

ou bien :

Si j'achète un téléphone portable, j'**adopterai** une sonnerie originale.

# 18 LES TEMPS COMPOSÉS DU CONDITIONNEL

Les temps composés du conditionnel **sont le passé 1re forme et le passé 2e forme.**

## Le passé 1re forme du conditionnel

Le passé 1re forme du conditionnel indique qu'un fait situé dans le passé serait accompli dans un moment à venir.
Je savais que la séance **aurait pris** fin quand minuit sonnerait.
Le chef de gare déclara que le train ne **serait** pas **parti** à 16 heures.

Le passé 1re forme du conditionnel est composé de l'auxiliaire *être* ou *avoir* au présent du conditionnel et du participe passé du verbe conjugué.

| apprécier | aller | partir |
| --- | --- | --- |
| j'aurais apprécié | je serais allé(e) | je serais parti(e) |
| il/elle aurait apprécié | il/elle serait allé(e) | il/elle serait parti(e) |
| nous aurions apprécié | nous serions allé(e)s | nous serions parti(e)s |
| ils/elles auraient apprécié | ils/elles seraient allé(e)s | ils/elles seraient parti(e)s |

⚠ **Remarque**

Si le verbe de la subordonnée, introduite par *si*, est au plus-que-parfait de l'indicatif, le verbe de la principale est au conditionnel passé.

Si tu avais vu ce film, tu l'**aurais apprécié**.
Si j'en avais eu l'occasion, je **serais parti**.

## Le passé 2e forme du conditionnel

On donne parfois au plus-que-parfait du subjonctif (voir leçon 125) le nom de passé 2e forme du conditionnel. Ce sont des temps recherchés, littéraires, qu'on ne rencontre qu'exceptionnellement à l'oral.

Le passé 2e forme du conditionnel est composé de l'auxiliaire *être* ou *avoir* à l'imparfait du subjonctif et du participe passé du verbe conjugué.

| apprécier | aller | partir |
| --- | --- | --- |
| j'eusse apprécié | je fusse allé(e) | je fusse parti(e) |
| il/elle eût apprécié | il/elle fût allé(e) | il/elle fût parti(e) |
| nous eussions apprécié | vous fussiez allé(e)s | nous fussions parti(e)s |
| ils/elles eussent apprécié | ils/elles fussent allé(e)s | ils/elles fussent parti(e)s |

⚠ **Remarque**

Pour ne pas confondre la 3e personne du singulier du passé 2e forme du conditionnel avec la 3e personne du singulier du passé antérieur de l'indicatif, qui ne se différencient que par la présence d'un accent circonflexe au conditionnel, on remplace par le passé 1re forme du conditionnel.

Il sortit après qu'il **eut pris** son parapluie.
S'il avait prévu la pluie, il **eût pris** son parapluie.
(S'il avait prévu la pluie, il **aurait pris** son parapluie. → passé du conditionnel)

# LA VOIX PASSIVE – LES VERBES TRANSITIFS / INTRANSITIFS

Une phrase qui passe de la voix active à la voix passive exprime toujours la même idée avec une construction différente. Cette transformation n'est possible qu'avec des verbes qui peuvent être suivis d'un COD (verbes transitifs).

## Voix active – Voix passive

- Un verbe est à la voix active lorsque le sujet fait l'action.
Ce réalisateur **tourne** un nouveau film.

- Un verbe est à la voix passive lorsque le sujet subit l'action.
Un nouveau film **est tourné** par ce réalisateur.

C'est le temps de l'auxiliaire *être* (simple ou composé) qui donne le temps de la forme verbale passive.

Un nouveau film **est** tourné par ce réalisateur.    **est** → présent de l'indicatif
Un nouveau film **sera** tourné par ce réalisateur.    **sera** → futur simple
Un nouveau film **a été** tourné par ce réalisateur.    **a été** → passé composé
Il faut que ce film **soit** tourné par ce réalisateur.    **soit** → présent du subjonctif

### ⚠ Remarques

**1** La voix passive se construit exclusivement avec l'auxiliaire *être*. Le participe passé s'accorde donc avec le sujet du verbe.
Un film est tourné par ce réalisateur.
Une série est tournée par ce réalisateur.

**2** Attention aux temps composés des verbes qui se conjuguent avec l'auxiliaire *être*.
Ce réalisateur est resté sur le plateau.
→ voix active – verbe au passé composé

**3** De la voix active à la voix passive, le COD devient le sujet du verbe et le sujet devient le **complément d'agent**. Celui-ci est le plus souvent introduit par la préposition *par*.
Ce film est coupé **par** des messages publicitaires.

Parfois, il est simplement sous-entendu.
voix active : On a tourné un film.
voix passive : Un film a été tourné.
(sous-entendu « **par on** »)

## Verbes transitifs – Verbes intransitifs

- Les verbes qui sont suivis d'un complément d'objet direct peuvent, le plus souvent, être mis à la forme passive. Ce sont des **verbes transitifs** directs.

- Les **verbes intransitifs** ne sont jamais accompagnés d'un COD, ils ne peuvent donc pas être à la voix passive ; mais, selon le sens, un verbe peut être transitif ou intransitif.
Le satellite **tourne** autour de la Terre.    → verbe intransitif
Ce jeune réalisateur **tourne** un nouveau film.    → verbe transitif

### ⚠ Remarque

Il ne faut pas confondre le verbe à la voix passive avec le verbe *être* suivi d'un participe passé marquant l'état ; le participe passé est alors attribut.

La lumière **est éteinte par Samuel**.
→ voix passive

La lumière **est éteinte**.
→ verbe *être* + attribut

# LE PRÉSENT DU SUBJONCTIF

Le subjonctif s'emploie généralement dans les propositions subordonnées.

## Les valeurs du subjonctif

Le subjonctif exprime généralement un désir, un souhait, un ordre, un doute, un regret, un conseil, une supposition... Les verbes au subjonctif sont, assez souvent, inclus dans une proposition subordonnée introduite par la conjonction *que*.

Je souhaite **que** tu **réussisses**.

La fragilité de ce moteur exige **que** le réglage **soit** parfait.

Nous doutons **qu'**il **retrouve** son chemin.

### ⚠ Remarques

**1** Le subjonctif peut être employé dans une proposition indépendante ou dans une proposition relative.

**Qu'**il **soit** prêt à l'heure !

Il n'y a que toi qui **réussisses** ce tour de magie.

**2** Les conjonctions *que* et *quoi* peuvent se trouver en tête de phrase dans des exclamations marquant l'ordre, l'étonnement, l'indignation. Le verbe est alors au subjonctif.

**Que** personne ne **sorte** !

**Que** tu te **perdes** ! Ce n'est pas possible.

**Quoi** que vous **mangiez**, vous ne serez pas rassasiés.

## Tableaux de conjugaison

| avoir | être | jouer | obéir | rire |
|---|---|---|---|---|
| que j'aie | que je sois | que je joue | que j'obéisse | que je rie |
| que tu aies | que tu sois | que tu joues | que tu obéisses | que tu ries |
| qu'il/elle ait | qu'il/elle soit | qu'il/elle joue | qu'il/elle obéisse | qu'il/elle rie |
| que nous ayons | que nous soyons | que nous jouions | que nous obéissions | que nous riions |
| que vous ayez | que vous soyez | que vous jouiez | que vous obéissiez | que vous riiez |
| qu'ils/elles aient | qu'ils/elles soient | qu'ils/elles jouent | qu'ils/elles obéissent | qu'ils/elles rient |

### ⚠ Remarques

**1** Au présent du subjonctif, tous les verbes (sauf *être* et *avoir*) prennent les mêmes terminaisons : ***-e, -es, -e, -ions, -iez, -ent***.

**2** Pour les verbes du 2ᵉ groupe, l'élément ***-ss-*** est toujours intercalé entre le radical et la terminaison.

Il faut que je fini**ss**e.

Il faut que nous réfléchi**ss**ons.

**3** Pour certains verbes du 1ᵉʳ groupe, on retrouve les mêmes modifications du radical devant un *e* muet.

*appeler* : Il faut que j'appe**ll**e.

*feuilleter* : Il faut qu'elles feuille**tt**ent.

*acheter* : Il faut que tu ach**è**tes.

*geler* : Il faut qu'il g**è**le.

*payer* : Il faut que tu pa**i**es.

*se lever* : Il faut qu'il se l**è**ve.

*accélérer* : Il faut qu'ils accél**è**rent.

Au présent du subjonctif, le radical d'un certain nombre de verbes du 3e groupe es modifié, mais les terminaisons sont toujours les mêmes : **-e, -es, -e, -ions, -iez, -ent**.

## Quelques verbes irréguliers

| | | | | |
|---|---|---|---|---|
| **faire** | que je fasse | qu'il fasse | que nous fassions | qu'ils fassent |
| **aller** | que tu ailles | qu'elle aille | que vous alliez | qu'elles aillent |
| **venir** | que je vienne | qu'il vienne | que nous venions | qu'ils viennent |
| **tenir** | que tu tiennes | qu'elle tienne | que vous teniez | qu'elles tiennent |
| **dire** | que je dise | qu'il dise | que nous disions | qu'ils disent |
| **écrire** | que tu écrives | qu'elle écrive | que vous écriviez | qu'elles écrivent |
| **lire** | que je lise | qu'il lise | que nous lisions | qu'ils lisent |
| **mourir** | que tu meures | qu'elle meure | que vous mouriez | qu'elles meurent |
| **haïr** | que je haïsse | qu'il haïsse | que nous haïssions | qu'ils haïssent |
| **devoir** | que tu doives | qu'elle doive | que vous deviez | qu'elles doivent |
| **savoir** | que je sache | qu'il sache | que nous sachions | qu'ils sachent |
| **voir** | que tu voies | qu'elle voie | que vous voyiez | qu'elles voient |
| **asseoir** | que j'assoie / que tu asseyes | qu'il assoie / qu'elle asseye | que nous assoyions / que vous asseyiez | qu'ils assoient / qu'elles asseyent |
| **vouloir** | que je veuille | qu'il veuille | que nous voulions | qu'ils veuillent |
| **recevoir** | que tu reçoives | qu'elle reçoive | que vous receviez | qu'elles reçoivent |
| **valoir** | que je vaille | qu'il vaille | que nous valions | qu'ils vaillent |
| **prendre** | que tu prennes | qu'elle prenne | que vous preniez | qu'elles prennent |
| **conduire** | que je conduise | qu'il conduise | que nous conduisions | qu'ils conduisent |
| **vaincre** | que tu vainques | qu'elle vainque | que vous vainquiez | qu'elles vainquent |
| **craindre** | que je craigne | qu'il craigne | que nous craignions | qu'ils craignent |
| **plaire** | que tu plaises | qu'elle plaise | que vous plaisiez | qu'elles plaisent |
| **se taire** | que je me taise | qu'il se taise | que nous nous taisions | qu'ils se taisent |
| **paraître** | que tu paraisses | qu'elle paraisse | que vous paraissiez | qu'elles paraissent |

 **Remarque**

Le verbe *falloir* ne s'emploie qu'à la 3e personne du singulier.

Il se peut qu'il **faille** démonter la roue.

# PRÉSENT DE L'INDICATIF
# OU PRÉSENT DU SUBJONCTIF ?

À l'oral ou à l'écrit, il n'est pas rare d'hésiter entre le présent de l'indicatif et le présent du subjonctif. Il faut donc savoir distinguer ces deux temps.

## Confusion due à la prononciation

• Pour certains verbes du 3ᵉ groupe, les formes des personnes du singulier du présent de l'indicatif et celles du présent du subjonctif sont homophones.
On sait que tu **cours** [kuʀ] les brocantes chaque dimanche.
On doute que tu **coures** [kuʀ] les brocantes chaque dimanche.

• Pour les verbes du 1ᵉʳ groupe, les terminaisons des trois personnes du singulier et de la 3ᵉ personne du pluriel sont les mêmes au présent de l'indicatif et au présent du subjonctif.
On sait que je **fréquente** les brocantes chaque dimanche.
On doute que je **fréquente** les brocantes chaque dimanche.

## Comment éviter toute confusion ?

Pour ne pas confondre présent de l'indicatif et présent du subjonctif, il faut :
– remplacer par la 1ʳᵉ ou la 2ᵉ personne du pluriel ;
On sait que vous **courez** les brocantes chaque dimanche.  → indicatif
On doute que vous **couriez** les brocantes chaque dimanche.  → subjonctif

– employer un autre verbe du 3ᵉ groupe avec lequel on entend la différence.
On sait que je **fais** les brocantes chaque dimanche.  → indicatif
On doute que je **fasse** les brocantes chaque dimanche.  → subjonctif

## Cas particuliers

• Pour les verbes du 1ᵉʳ groupe en *-yer, -ier, -iller, -gner*, aux deux premières personnes du pluriel du présent du subjonctif, il ne faut pas oublier, même si on ne l'entend pas distinctement, le *i* de la terminaison.
Il faut que vous renvoy**i**ez le bon de commande rempli correctement.
Il faut que nous nous réfugi**i**ons sous un auvent.
Il faut que vous verrouill**i**ez toutes les portes.
Il faut que nous regagn**i**ons rapidement notre place.

• Il en est de même pour quelques verbes du 3ᵉ groupe.
Il est rare que nous voy**i**ons des vents aussi violents.
Il convient que vous souri**i**ez devant la caméra.

### ⚠ Remarques

**1** *Après que* est suivi de l'indicatif (c'est une certitude).

Nous allumons le téléviseur après que nous **avons** mis nos écouteurs.

*Avant que* est suivi du subjonctif (il demeure un doute).

Nous allumons le téléviseur avant que nous **ayons** mis nos écouteurs.

**2** Les verbes *être* et *avoir*, aux deux premières personnes du pluriel, ne prennent pas de *i* après le *y*.

Il se peut que nous **ayons** du temps libre.
Il faut que vous **soyez** libres rapidement.

# 123 L'IMPARFAIT DU SUBJONCTIF

Comme le présent du subjonctif, l'imparfait du subjonctif exprime généralement un souhait, un ordre, un doute, un regret, un conseil, un désir, une supposition...

## L'emploi de l'imparfait du subjonctif

• L'imparfait du subjonctif s'emploie lorsque le verbe de la principale est à un temps passé de l'indicatif ou au conditionnel.
Il faut que ce garçon **s'endorme**. → présent du subjonctif
Il fallait (Il faudrait) que ce garçon **s'endormît**. → imparfait du subjonctif

• L'imparfait du subjonctif est un temps qu'on ne rencontre que dans les textes littéraires, essentiellement à la 3e personne du singulier. Ce temps n'est plus employé à l'oral. À l'écrit, il est aujourd'hui admis que l'on puisse remplacer l'imparfait du subjonctif par le présent du subjonctif.

## Tableaux de conjugaison

| avoir | être | écouter | faiblir |
|---|---|---|---|
| que j'eusse | que je fusse | que j'écoutasse | que je faiblisse |
| que tu eusses | que tu fusses | que tu écoutasses | que tu faiblisses |
| qu'il/elle eût | qu'il/elle fût | qu'il/elle écoutât | qu'il/elle faiblît |
| que nous eussions | que nous fussions | que nous écoutassions | que nous faiblissions |
| que vous eussiez | que vous fussiez | que vous écoutassiez | que vous faiblissiez |
| qu'ils/elles eussent | qu'ils/elles fussent | qu'ils/elles écoutassent | qu'ils/elles faiblissent |

| faire | aller | venir | pouvoir |
|---|---|---|---|
| que je fisse | que j'allasse | que je vinsse | que je pusse |
| que tu fisses | que tu allasses | que tu vinsses | que tu pusses |
| qu'il/elle fît | qu'il/elle allât | qu'il/elle vînt | qu'il/elle pût |
| que nous fissions | que nous allassions | que nous vinssions | que nous pussions |
| que vous fissiez | que vous allassiez | que vous vinssiez | que vous pussiez |
| qu'ils/elles fissent | qu'ils/elles allassent | qu'ils/elles vinssent | qu'ils/elles pussent |

### ⚠ Remarques

**1** L'imparfait du subjonctif se forme avec la même voyelle dans la terminaison que celle du passé simple.

**2** Pour les verbes du 2e groupe, les formes sont identiques à celles du présent du subjonctif, sauf pour la 3e personne du singulier.

**3** À la 3e personne du singulier, il faut toujours placer un accent circonflexe sur la voyelle qui précède le *t*. C'est une forme différente des cinq autres personnes.

# PASSÉ SIMPLE OU IMPARFAIT DU SUBJONCTIF ?

À l'oral ou à l'écrit, il n'est pas rare d'hésiter entre le passé simple et l'imparfait du subjonctif. Il faut donc savoir distinguer ces deux temps.

## Confusion due à la prononciation

Les terminaisons de la 3ᵉ personne du singulier du passé simple et de l'imparfait du subjonctif sont **homophones**.

• Pour les verbes du 1ᵉʳ groupe, à l'imparfait du subjonctif, on place un accent circonflexe sur le *a* qui précède le *t*. Au passé simple, la terminaison est un simple *a*.
Il était urgent que Luc **changeât** la batterie de la voiture.
Lorsqu'il vit qu'elle était usagée, Luc **changea** la batterie de la voiture.

• Pour les verbes des 2ᵉ et 3ᵉ groupes, seule la présence d'un accent circonflexe distingue l'imparfait du subjonctif du passé simple.

– 2ᵉ groupe :
Il était urgent que Luc **remplît** la batterie de la voiture.
Lorsqu'il vit qu'elle était usagée, Luc **remplit** la batterie de la voiture.

– 3ᵉ groupe :
Il était urgent que Luc **reprît** la batterie de la voiture.
Lorsqu'il vit qu'elle était usagée, Luc **reprit** la batterie de la voiture.

## Comment éviter toute confusion ?

Pour ne pas confondre ces formes verbales, il faut :

– se rapporter au sens de l'action, ou bien essayer de changer de personne ;
Il était urgent que tu **changeasses** la batterie de la voiture.
Lorsque tu vis qu'elle était usagée, tu **changeas** la batterie de la voiture.

Il était urgent que tu **remplisses** la batterie de la voiture.
Lorsque tu vis qu'elle était usagée, tu **remplis** la batterie de la voiture.

Il était urgent que tu **reprisses** la batterie de la voiture.
Lorsque tu vis qu'elle était usagée, tu **repris** la batterie de la voiture.

– essayer de changer de temps en remplaçant l'imparfait du subjonctif par un autre temps du subjonctif, ou le passé simple par un autre temps de l'indicatif.
Il est urgent que Luc **change** la batterie de la voiture.
Lorsqu'il a vu qu'elle était usagée, Luc **a changé** la batterie de la voiture.

Il est urgent que Luc **remplisse** la batterie de la voiture.
Lorsqu'il a vu qu'elle était usagée, Luc **a rempli** la batterie de la voiture.

Il est urgent que Luc **reprenne** la batterie de la voiture.
Lorsqu'il a vu qu'elle était usagée, Luc **a repris** la batterie de la voiture.

# LES TEMPS COMPOSÉS DU SUBJONCTIF

Les temps composés du subjonctif sont le passé et le plus-que-parfait.

## Le passé du subjonctif

On écrit le verbe de la subordonnée au passé du subjonctif si le verbe de la proposition principale est au présent ou au futur et si l'on veut exprimer un fait passé par rapport au fait de la principale ou par rapport à tel moment à venir.

Il n'est pas possible que le temps **ait changé** aussi rapidement.

Je regretterai vivement que mes amis **soient partis** sans me saluer.

| bouger | réagir | naître |
|---|---|---|
| que j'aie bougé | que j'aie réagi | que je sois né(e) |
| qu'il/elle ait bougé | qu'il/elle ait réagi | qu'il/elle soit né(e) |
| que nous ayons bougé | que nous ayons réagi | que nous soyons né(e)s |
| qu'ils/elles aient bougé | qu'ils/elles aient réagi | qu'ils/elles soient né(e)s |

## Le plus-que-parfait du subjonctif

On écrit le verbe de la subordonnée au plus-que-parfait du subjonctif si le verbe de la proposition principale est au passé et si l'on veut exprimer un fait passé par rapport au fait de la principale.

Il n'était pas possible que le temps **eût changé** aussi rapidement.

J'ai vivement regretté que mes amis **fussent partis** sans me saluer.

Il est admis, aujourd'hui, d'utiliser le passé du subjonctif à la place du plus-que-parfait.

| bouger | réagir | naître |
|---|---|---|
| que j'eusse bougé | que j'eusse réagi | que je fusse né(e) |
| qu'il/elle eût bougé | qu'il/elle eût réagi | qu'il/elle fût né(e) |
| que nous eussions bougé | que nous eussions réagi | que nous fussions né(e)s |
| qu'ils/elles eussent bougé | qu'ils/elles eussent réagi | qu'ils/elles fussent né(e)s |

### ⚠ Remarques

**1** Les formes du plus-que-parfait du subjonctif sont identiques à celles du passé 2ᵉ forme du conditionnel.

**2** À la 3ᵉ personne du singulier, il ne faut pas confondre le plus-que-parfait du subjonctif avec le passé antérieur de l'indicatif.

Quand il **eut opéré** le malade, le chirurgien le conduisit en salle de réveil.

Mieux assisté, il se pouvait que le chirurgien **eût opéré** le malade plus tôt.

Pour faire la distinction, on peut changer de personne.

Quand ils **eurent opéré** le malade, les chirurgiens le conduisirent en salle de réveil.

Mieux assistés, il se pouvait que les chirurgiens **eussent opéré** le malade plus tôt.

# L'IMPÉRATIF

Le présent de l'impératif ne se conjugue qu'à trois personnes, la 2e personne du singulier et les deux premières personnes du pluriel, sans sujet exprimé.

## Les valeurs de l'impératif

Le présent de l'impératif est employé pour exprimer des ordres, des conseils, des souhaits, des recommandations, des demandes, des interdictions.

Ne t'**énerve** pas.      **Traduis** ce texte.
**Ralentissons** à l'entrée du village.      **Respirez** profondément.

### ⚠ Remarque

Le passé de l'impératif est formé de l'auxiliaire (*avoir* ou *être*) au présent de l'impératif et du participe passé du verbe conjugué. C'est un temps très peu employé.

**Soyez partis** lorsque minuit sonnera.

## Tableaux de conjugaison

| 1er groupe | 2e groupe | 3e groupe | | |
|---|---|---|---|---|
| **jongler** | **bondir** | **descendre** | **courir** | **s'inscrire** |
| jongle | bondis | descends | cours | inscris-toi |
| jonglons | bondissons | descendons | courons | inscrivons-nous |
| jonglez | bondissez | descendez | courez | inscrivez-vous |

### ⚠ Remarques

**1** Pour les verbes du 2e groupe, on intercale l'élément **-ss-** entre le radical et les terminaisons pour les personnes du pluriel.

**2** À la 2e personne du singulier, les verbes du 1er groupe (ainsi que *ouvrir, offrir, souffrir, cueillir, aller* et *savoir*) ne prennent pas de **s**. Néanmoins, pour faciliter la prononciation, ces verbes (ainsi que *aller*) prennent un **s** quand le mot qui suit est *en* ou *y*.

Ces chocolats, offres-en à tes amis.
N'hésite pas, vas-y franchement.

**3** On place un trait d'union entre le verbe à l'impératif et le pronom personnel complément qui le suit.

Vos enfants, emmenez-les au cirque.
Laisse-nous terminer ce puzzle.

**4** Les particularités rencontrées pour les verbes comme *nettoyer, appeler, acheter, céder* devant un **e** muet se retrouvent à la 2e personne du singulier du présent de l'impératif.

Nettoie-les.      Appelle-moi.
Achète-la.      Ne cède pas.

## Formes particulières

| avoir | être | aller | savoir | envoyer |
|---|---|---|---|---|
| aie | sois | va | sache | envoie |
| ayons | soyons | allons | sachons | envoyons |
| ayez | soyez | allez | sachez | envoyez |

# 127 PRÉSENT DE L'IMPÉRATIF OU PRÉSENT DE L'INDICATIF ?

À l'oral ou à l'écrit, il n'est pas rare d'hésiter entre le présent de l'impératif et le présent de l'indicatif. Il faut donc savoir distinguer ces deux temps.

## Confusion due à la prononciation

• Pour les verbes du 1er groupe, il ne faut pas confondre la 2e personne du singulier du présent de l'impératif, qui n'a pas de sujet exprimé, avec la 2e personne du singulier du présent de l'indicatif.

Appelle ton ami au téléphone.          présent de l'impératif          → e
Tu appelles ton ami au téléphone.      présent de l'indicatif          → es

• Pour les verbes du 3e groupe comme *offrir, ouvrir, cueillir, accueillir, tressaillir, souffrir* ou *aller*, la 2e personne du singulier du présent de l'impératif, qui ne prend pas de **s**, peut également être confondue avec une forme conjuguée du présent de l'indicatif.

Ouvre ton courrier !          présent de l'impératif          → e
Tu ouvres ton courrier.       présent de l'indicatif          → es

Va jusqu'aux grilles du stade.        présent de l'impératif          → a
Tu vas jusqu'aux grilles du stade.    présent de l'indicatif          → as

## Cas particuliers des verbes pronominaux

• Pour les verbes pronominaux, la forme verbale du présent de l'impératif est suivie du pronom personnel réfléchi *toi*, qu'il ne faut pas confondre avec le pronom personnel de la forme interrogative *tu*.

Présente-toi au plus vite au guichet de la poste ! présent de l'impératif → e
Pourquoi présentes-tu ton carnet au guichet ?   présent de l'indicatif → es

• Pour les deux personnes du pluriel du présent de l'impératif, il ne faut pas confondre les pronoms personnels réfléchis avec les pronoms personnels de la forme interrogative.

Contrôlons-**nous** pour être plus précis.        présent de l'impératif
Comment contrôlons-**nous** nos gestes ?          présent de l'indicatif

Contrôlez-**vous** pour être plus précis.         présent de l'impératif
Comment contrôlez-**vous** vos gestes ?           présent de l'indicatif

## Comment éviter toute confusion ?

• Afin de bien distinguer présent de l'impératif et présent de l'indicatif, il faut être attentif(ve) à la recherche du pronom personnel.

• Pour bien différencier présent de l'impératif et présent de l'indicatif à la forme interrogative, on peut examiner la ponctuation. À la fin d'une phrase impérative, on trouve assez souvent un point d'exclamation ; à la fin d'une phrase interrogative, on trouve un point d'interrogation.

# LES FORMES VERBALES EN -*ANT*

Il existe trois formes verbales en -*ant* : le participe présent, le gérondif et l'adjectif verbal.

## Participe présent et gérondif

• Le **participe présent** est une forme verbale terminée par -*ant*, qui marque une action en cours de déroulement. Il peut avoir un complément d'objet ou un complément circonstanciel. Le participe présent est **invariable**.
**Souriant** aux spectateurs, les chanteurs entrent en scène.
**Souriant** sous les projecteurs, les chanteurs entrent en scène.

• Lorsque la forme verbale en -*ant* est précédée de la préposition *en*, c'est un **gérondif**.
Le gérondif précise les circonstances de l'action et fonctionne comme un adverbe. Il est **invariable**.
**En souriant** aux spectateurs, les chanteurs entrent en scène.

## Participe présent et adjectif verbal

Le participe présent peut se transformer en adjectif lui aussi terminé par **-*ant***. Il s'agit de l'adjectif verbal. Cet adjectif s'accorde avec le nom (ou le pronom) auquel il se rapporte. Il peut être épithète ou attribut.
Les spectateurs ont face à eux des chanteurs **souriants**.

### ⚠ Remarques

**1** Dans certains cas, il est difficile de distinguer le participe présent de l'adjectif verbal. Il faut alors remplacer le nom masculin par un nom féminin ; à l'oral, on entend la différence.
**Souriant** aux spectateurs, les <u>chanteuses</u> entrent en scène. → participe présent
Les spectateurs ont face à eux des <u>chanteuses</u> **souriantes**. → adjectif verbal

**2** L'expression *soi-disant* est toujours invariable.

**3** Certains adjectifs verbaux sont employés comme noms.
Seuls les **descendants** mâles régnaient.

**4** Il ne faut pas confondre les participes présents et les adjectifs verbaux en -*ant* avec les adverbes terminés par -*ant* ou -*ent*.
Auparavant, ces chanteuses étaient souvent éblouissantes.

## Orthographe des participes présents et adjectifs verbaux

| participes présents | adjectifs verbaux | participes présents | adjectifs verbaux |
| --- | --- | --- | --- |
| provoquant | provocant | excellant | excellent |
| convainquant | convaincant | négligeant | négligent |
| fatiguant | fatigant | adhérant | adhérent |
| naviguant | navigant | influant | influent |
| suffoquant | suffocant | précédant | précédent |
| vaquant | vacant | convergeant | convergent |
| intriguant | intrigant | différant | différent |
| communiquant | communicant | équivalant | équivalent |

# 129

## EU – EUT – EÛT ? FUT – FÛT ?

Il faut savoir distinguer les formes homophones du verbe *avoir* : *eu – eut – eût* ainsi que les formes homophones du verbe *être* : *fut – fût*.

### eu – eut – eût ?

- Le participe passé du verbe *avoir*.
Damien a **eu** vingt ans.
- La 3e personne du singulier du verbe *avoir* au passé simple.
Quand Damien **eut** vingt ans, il partit à l'aventure au Brésil.
- La 3e personne du singulier du verbe *avoir* au passé 2e forme du conditionnel ou à l'imparfait du subjonctif.
Le Brésil, Damien ne l'**eût** pas visité s'il n'avait pas eu vingt ans.
Bien qu'il n'**eût** pas vingt ans, Damien était parti à l'aventure au Brésil.

### fut – fût ?

- La 3e personne du singulier du verbe *être* au passé simple de l'indicatif.
Quand Damien **fut** âgé de vingt ans, il partit à l'aventure au Brésil.
- La 3e personne du singulier du verbe *être* au passé 2e forme du conditionnel ou à l'imparfait du subjonctif.
Damien ne **fût** pas parti au Brésil s'il n'avait pas eu vingt ans.
Bien qu'il ne **fût** pas âgé de vingt ans, Damien était parti à l'aventure au Brésil.

### Comment éviter toute confusion ?

Pour différencier ces formes verbales homophones, il faut se rapporter au sens de l'action. On peut également essayer de changer le temps du verbe.

- *eu – eut – eût*
Si l'on peut remplacer par :
– un autre participe passé, il s'agit du participe passé *eu* ;
Damien a **eu** (**fêté** ses) vingt ans.
– un temps de l'indicatif (*aura – avait*), il s'agit du passé simple *eut* ;
Quand Damien **eut** (**aura**) vingt ans, il partit (partira) à l'aventure au Brésil.
– le passé 1re forme du conditionnel (*aurait*), il s'agit du conditionnel *eût* ;
Le Brésil, Damien ne l'**eût** (l'**aurait**) pas visité s'il n'avait pas eu vingt ans.
– le présent du subjonctif (*ait*), il s'agit de l'imparfait du subjonctif *eût*.
Bien qu'il n'**eût** (n'**ait**) pas vingt ans, Damien était parti (est parti) à l'aventure.

- *fut – fût*
Si l'on peut remplacer par :
– un temps de l'indicatif (*sera – était*), il s'agit du passé simple *fut* ;
Quand Damien **fut** (**sera**) âgé de vingt ans, il partit (partira) à l'aventure.
– le passé 1re forme du conditionnel (*serait*), il s'agit du conditionnel *fût* ;
Damien ne **fût** (**serait**) pas parti au Brésil s'il n'avait pas eu vingt ans.
– le présent du subjonctif (*soit*), il s'agit de l'imparfait du subjonctif *eût*.
Bien qu'il ne **fût** (**soit**) pas âgé de vingt ans, Damien était (est) parti à l'aventure.

# VOCABULAIRE

# LES MOTS ORIGINAIRES D'UNE AUTRE LANGUE

La langue française s'est construite au fil de l'histoire. Les guerres, les invasions, les échanges commerciaux ont contraint les hommes à adapter leur langage afin de se faire comprendre de leurs semblables. *L'étymologie d'un mot est son origine.*

## Les mots d'origine latine

• Si quatre-vingt pour cent des mots du français sont d'origine latine, ils ont souvent été déformés.

• D'autre part, un même mot latin a pu donner naissance à deux mots, l'un de formation populaire et l'autre de formation savante.

nager / naviguer          écouter / ausculter          étroit / strict

• Cependant, environ trois cents mots et expressions ont conservé leur forme latine et sont employés avec autant d'aisance que les mots français.

un agenda – un omnibus – a priori – un tibia – un requiem – un junior – le recto – le verso – un visa – un consensus – l'abdomen – un album

Ils sont parfois déformés ou peuvent prendre des accents alors que ceux-ci n'existent pas en latin : un spécimen – un déficit – un mémento – un alinéa

## Les mots d'origine grecque

Les mots d'origine grecque sont assez nombreux, mais la plupart sont d'usage restreint car ils appartiennent, généralement, à des lexiques spécialisés (scientifique ou technique).

la philosophie – la cardiologie – la physique – la technologie – un cylindre – la chlorophylle – un dinosaure – un cataplasme – un tréma – un archéologue

## Les mots empruntés à d'autres langues

• **Les mots francisés**
– Les emprunts à d'autres langues sont habituels. Peu à peu, les mots sont francisés et leur origine n'est plus connue que des linguistes.
– Origine gauloise (le blé – la bruyère...) ; arabe (un chiffre – la caravane...) ; allemande (une cible – l'accordéon...) ; scandinave (le renne – le homard...) ; tchèque (un pistolet – le robot...) ; néerlandaise (un boulevard – le vacarme...) ; italienne (un balcon – un pantalon – une galerie...).

• **Les mots qui conservent leur forme d'origine**
– Certains mots résistent à l'assimilation, peut-être parce qu'ils sont d'usage courant dans d'autres langues.
– L'anglais (kidnapper – un short – le week-end...) ; l'arabe (une merguez – le ramadan – le couscous...) ; l'italien (la pizza – les spaghettis – une mezzanine...) ; l'espagnol (l'armada – l'embargo – une paella...) ; l'allemand (un bivouac – un képi – un vasistas...) ; le japonais (le kimono – le tsunami – un kamikaze...) ; le russe (un mammouth – le mazout – la steppe...) ; le portugais (l'autodafé – la pintade – le cachalot...) ; des langues scandinaves (un fjord – un drakkar – un iceberg...) ; des langues de l'Inde (un cachou – la jungle – le yoga...) ; des langues africaines (le baobab – le chimpanzé – un zèbre...).

# LES MOTS D'ORIGINE RÉGIONALE – ARCHAÏSMES ET NÉOLOGISMES

## Les mots d'origine régionale

• Les mots ne viennent pas uniquement du latin, du grec ou de langues étrangères. Il y avait sur le territoire de la France actuelle des dizaines de langues et de dialectes. Des mots de ces régions sont entrés dans notre langue.
la cigale (provençal) – la choucroute (alsacien) – le bocage (normand) – un bijou (breton) – le maquis (corse) – le chalet (suisse romand) – le mascaret (gascon) – la kermesse (flamand) – un caillou (picard) – un coron (wallon)

• Certains noms sont issus de noms propres.
une poubelle : nom du préfet Poubelle inventeur de cette boîte à ordures
une silhouette : nom d'un contrôleur des Finances de Louis XV
le braille : nom de l'inventeur de l'alphabet à l'usage des aveugles
un diesel : nom de l'ingénieur allemand inventeur de ce type de moteur

## Les archaïsmes et les néologismes

• **Les archaïsmes**
Certains mots ne sont plus qu'exceptionnellement utilisés ou figurent dans des textes anciens, ce sont des archaïsmes.
Il a laissé **choir** (tomber) le vase en cristal.
Les serfs ont **ouï** (entendu) dire que le seigneur les affranchirait.
À la pensée d'un bon repas, les convives **se pourlèchent les babines** (se régalent).
Cette nuit, la princesse a dormi dans le **mitan** du lit (le milieu du lit).
Pour être en forme, ce sportif a suivi **moult** (beaucoup de) séances de musculation.

• **Les néologismes**
Aujourd'hui, il se crée aussi des mots nouveaux : les néologismes.
– Pour accompagner des techniques nouvelles :
surfer sur Internet – la robotique – la rétrofusée – un courriel (courrier électronique) – une médiatisation – un monospace – un routeur
– Pour la publicité :
positiver – le Téléthon – le zapping – un diaporama – la croissanterie
– En modifiant (ou en regroupant) certains mots :
un abribus – un héliport – une foultitude
– Par changement de sens :
une balance (un indicateur de police) – une niche fiscale (moyen d'échapper à l'impôt) – une puce – une souris (ordinateur)
– En utilisant des abréviations ou des sigles :
la hi-fi – le laser – le radar – les énarques (élèves sortis de l'ENA)
– D'autre part, certains mots peuvent changer de catégorie grammaticale et provoquer de nouvelles créations dans le lexique.

| | |
|---|---|
| le silence (nom) | Silence (interjection) ! On tourne. |
| une personne (nom) | Personne (pronom indéfini) n'est venu ce matin. |
| chanter faux (adverbe) | obtenir un résultat faux (adjectif qualificatif) |
| poser contre (préposition) | marquer un but sur un contre (nom) |
| blessé (participe passé) | soigner un blessé (nom) |
| devoir (verbe) | faire son devoir (nom) |

# LES MOTS COMPOSÉS
# ET LES MOTS DÉRIVÉS

- Les mots sont des groupements de lettres qui ont un sens dans une langue donnée.
- Les mots simples ne peuvent pas être décomposés en unités de sens plus petites.

la tête – avant – elle – beau – dire – le cadre – qui – rouge
- Les mots construits peuvent être découpés en unités de sens plus petites.

la télé/vis/ion – re/lire – un chass/eur – une en/jamb/ée – une soup/ière

## Les mots composés

La composition permet de proposer un mot nouveau par juxtaposition de mots existants. La juxtaposition peut s'effectuer de différentes façons.

- Les mots peuvent être **soudés** : un gentilhomme – maintenir – clairsemé – la contrebande – un portefeuille – longtemps – un marchepied – le vinaigre
- Les mots peuvent être **reliés par un trait (ou des traits) d'union** : un porte-clés – un chasse-neige – un arc-en-ciel – un après-midi – un avant-propos
- Les mots peuvent être **reliés par une préposition** : une salle à manger – un chef de gare – une machine à laver – une pomme de terre
- Les mots peuvent être simplement **juxtaposés** : une chaise longue – un compte rendu – tout à coup – parce que – tant soit peu – quelque part

## Les mots dérivés

- La **dérivation** forme des mots à partir d'un mot de base, le **radical**, par adjonction de **préfixes** (avant le radical) ou de **suffixes** (après le radical).

une fleur → fleur**ir** – **re**fleur**ir** – **af**fleur**er** – une fleur**iste** – un fleur**on**
- Parfois le radical est légèrement modifié dans les mots dérivés.

une fleur → la **flore** – la **flor**aison – les **flor**alies – un **flor**ilège – **flor**issant

- **Les préfixes et les suffixes**

Les préfixes et les suffixes sont nombreux et possèdent, en eux-mêmes, un sens.
**Exemples de préfixes :**

*trans-* (à travers, au-delà) : transpercer – transalpin – transmettre – le transport
*re-* (répétition, de nouveau) : remonter – refaire – recommencer – retomber
*in-, im-, il-, ir-* (contraire) : invendable – impossible – illisible – irrégulier
*ex-* (hors de) : exporter – expatrier – l'expiration – extraire – excentrer
*bi-, bis-* (deux fois) : biannuel – une bicyclette – un bimoteur – un biscuit
*inter-* (entre) : intervenir – l'interclasse – international – intercaler
*dis-, dys-* (mauvais état) : dyslexique – disproportionné
**Exemples de suffixes :**
*-té* (qualité) : l'honnêteté – l'égalité – la rapidité – la mobilité
*-asse* (péjoratif) : fadasse – molasse – blondasse – tiédasse – la vinasse
*-ance, -ence* (résultat de l'action) : la méfiance – la prudence – la souffrance
*-al, -el* (manière d'être) : familial – fraternel – glacial – habituel
*-eur* (au masculin, celui qui fait l'action) : le nageur – l'éleveur – le voyageur
*-eur* (au féminin, la qualité) : la grandeur – la maigreur – la frayeur
*-graphe, -graphie* (écriture) : le paragraphe – l'orthographe – la calligraphie

# LES FAMILLES DE MOTS – LES MOTS ABRÉGÉS

## Les familles de mots

• Tous les mots formés à partir d'un **même radical** appartiennent à la **même famille**. Ils sont formés par adjonction de préfixes et de suffixes, et ils ont entre eux un **rapport de sens**.

Par exemple, la famille du nom « terre » comprend les mots suivants : le terrain – la terrasse – un terrassier – le terreau – atterrir – l'atterrissage – le souterrain – se terrer – un terril – enterrer – un enterrement – un territoire – une terrine – un parterre...

• Le radical peut se présenter sous des formes différentes.

Par exemple, le mot latin *carnis* a donné : un carnassier – un carnivore – carné, mais également : la chair – charnu – décharné

• Il est parfois difficile de retrouver le radical à partir de plusieurs mots de même famille.

un pied – un **pié**ton – **péd**estre – la **péd**ale – un bi**pèd**e – un **pié**destal

• **Les racines latines**

– Deux racines latines peuvent donner des radicaux différents qui permettent néanmoins de constituer des mots de même famille.

Le latin populaire *cor* a donné : le cœur – écœurant – l'écœurement
Le latin savant *cordis* a donné : cordial – l'accord – accorder – la concorde
On pourrait même ajouter la racine grecque *kardia* qui a donné : cardiaque.

– Il arrive que le radical soit un mot d'origine latine qui n'appartient plus au français d'aujourd'hui : *innocent* a pour radical *nocere* (en latin : *nuire*).

• **Les variations orthographiques**

– Dans quelques familles, certains mots contiennent une **consonne double** et d'autres une **consonne simple**. Il faut toujours vérifier dans un dictionnaire.

un co**ll**ier mais une aco**l**ade
un ho**mm**e mais un ho**m**icide

une tra**pp**e mais atta**p**er
le to**nn**erre mais une déto**n**ation

– On note aussi des **modifications d'accents** à l'intérieur d'une même famille.

la grâce mais gracieux
extrême mais l'extrémité

le séchage mais la sècheresse
un cône mais conique

## Les mots abrégés

Beaucoup de mots jugés trop longs, ou difficiles à prononcer, ont été abrégés.

• **Apocope : suppression de la fin du mot**
C'est le cas le plus fréquent.

le cinématographe → le cinéma
un survêtement → un survêt
la météorologie → la météo

un pneumatique → un pneu
la publicité → la pub
le football → le foot

• **Aphérèse : suppression du début du mot**

un autobus → un bus
surfer sur Internet → surfer sur le net

faire de l'auto-stop → faire du stop
un capitaine → un pitaine

# LA POLYSÉMIE – LE SENS PROPRE ET LE SENS FIGURÉ

Connaître le sens précis d'un mot, savoir utiliser le mot juste ou bien ses synonymes permet de *mieux comprendre et de mieux se faire comprendre.*

## Les mots monosémiques

Ce sont des mots qui n'ont qu'**un seul sens**. Ils sont relativement rares. Ce sont souvent des termes techniques ou scientifiques.

un microscope – la médecine – un carburateur – un électron – une électrolyse

## Les mots polysémiques

Ce sont des mots qui peuvent avoir **plusieurs sens**. Étudier la polysémie d'un mot, c'est retrouver tous les sens que l'on peut lui donner selon le contexte. L'ensemble des sens d'un mot constitue son **champ sémantique**.

### ⚠ Remarque

Dans un dictionnaire, les différents sens d'un mot sont numérotés.
*Exemple : fin, fine (adjectif)*
1. Formé d'éléments très petits. *Sel fin.*
2. De très faible épaisseur. *Verre fin.*
3. Délicat, élégant. *Visage aux traits fins.*
4. D'une qualité supérieure. *Des chocolats fins.*
5. Très sensible. *Avoir l'ouïe fine.*
6. Qui est subtil, intelligent. *Une remarque fine.*

## Le sens propre et le sens figuré

• **Le sens propre d'un mot est son sens premier, le plus courant.**
De gros **nuages** noirs annoncent l'orage.

• Un mot peut posséder **d'autres sens** que l'on appelle les **sens figurés**. Un mot est au sens figuré quand on le **détourne de son sens premier** (le sens propre) pour créer un **effet de style**.
Karim est dans les **nuages**. – Heureux, Karim flotte sur un petit **nuage**. – Il n'y a jamais eu de **nuages** entre nous : nous nous entendons bien.

• Pour distinguer le sens propre du sens figuré, il faut examiner **le contexte**.
Les randonneurs prennent l'**air** au sommet de la montagne.
Sens propre : respirer l'air frais.
Jordan prend un **air** détaché, mais on sent qu'il est vexé.
Sens figuré : expresion du visage.

### ⚠ Remarques

**1** Beaucoup d'expressions ont un sens figuré.
Se faire fort de réussir : être sûr d'arriver à quelque chose
Perdre la tête : s'affoler, ne plus savoir ce que l'on fait

**2** Les changements de sens peuvent s'effectuer :

– par passage de la cause à l'effet :
Cet écrivain a une bonne plume.
– par passage du contenant au contenu :
Nous buvons une tasse de café.
– par passage de la partie au tout :
On aperçoit une voile au large.

**3** Les textes comiques ou poétiques jouent très souvent sur les sens figurés des mots et des expressions.

# 35

# LES NIVEAUX DE LANGUE

Selon les destinataires de nos paroles et de nos écrits, le niveau de langue que nous employons varie. On distingue trois niveaux de langue.

## Le niveau de langue soutenu

Le niveau de langue soutenu exige un **respect strict des règles de grammaire** et une grande **diversité dans le choix des mots et des tournures**. C'est le niveau de langue de la plupart des **œuvres littéraires** et de la **correspondance administrative** ou **officielle**.

Ces deux personnages émettent des points de vue divergents.

Quelles réflexions cet ouvrage vous inspire-t-il ?

### ⚠ Remarque

Dans un niveau de langue soutenu, on n'utilise pas les pronoms personnels compléments *en* et *y* pour remplacer une personne ou un animal ; cet emploi est cependant toléré à l'oral pour *en*.

Cette chanteuse, tout le monde en dit du bien.

## Le niveau de langue courant

Le niveau de langue courant s'emploie, à l'**oral** ou à l'**écrit**, avec des personnes qui nous sont peu familières. Le **vocabulaire** et la **syntaxe sont corrects**.

Ces deux personnes ont des opinions différentes.

Qu'est-ce que vous pensez de ce livre ?

### ⚠ Remarque

L'omission de la première partie de la négation, et celle du sujet *il*, dans les tournures impersonnelles, relèvent d'un niveau de langue relâché.

Cet étang est guère profond.
Faut que nous partions de bonne heure.

## Le niveau de langue familier

Le niveau de langue familier s'utilise **spontanément** avec des **personnes de notre entourage**. **Rarement écrite**, cette langue présente des approximations, un vocabulaire particulier et de nombreuses élisions ou omissions.

Ces types n'disent pas la même chose.  Vous pensez quoi de c'bouquin ?

## Langages particuliers

Il existe des termes et des tournures propres à des groupes de personnes qui exercent la même profession, demeurent en des mêmes régions ou ont des centres d'intérêt communs.

Les marins envoient le spi pour profiter de la moindre risée.
Le journaliste remet son papier au rédacteur en chef.

vocabulaire

# LES SYNONYMES – LES ANTONYMES

## Les synonymes

- Les synonymes sont des mots qui, **dans un même contexte**, ont des **sens à peu près identiques**. Les synonymes appartiennent à la **même catégorie grammaticale**.

La **voiture** (nom) de M. Denisot est en panne : il **attend** (verbe).

L'**automobile** (nom) de M. Denisot est en panne : il **patiente** (verbe).

- Il faut choisir des synonymes pour **éviter les répétions**.

Le **talent** de ce tailleur de pierre saute aux yeux. Son **habileté** à manier le ciseau fait merveille.

- On emploie aussi des synonymes pour être **plus précis**.

Sur le menu de ce restaurant, il y a beaucoup de **choses**.

Sur le menu de ce restaurant, il y a beaucoup de **plats**.

### ⚠ Remarques

**1** Les synonymes peuvent être **plus ou moins précis**.

Le loyer de l'**habitation** / de l'**appartement** de M. Colin est très élevé.

Ils peuvent **varier d'intensité**.

la chaleur / la canicule

intelligent / génial

Ils peuvent avoir des **sens plus ou moins favorables**.

un garçon / un garnement

Ils peuvent appartenir à des **niveaux de langue différents**.

Langage soutenu : Ce problème est **ardu**.

Langage correct : Ce problème est **difficile**.

Langage familier : Ce problème est **coton**.

**2** Un même mot peut avoir, selon le contexte, des synonymes différents.

L'acrobate vient de **tomber** / **chuter** du trapèze.

Flavien vient de **tomber** sur un roman / **trouver** un roman intéressant.

## Les antonymes

- Les antonymes sont des **mots de même nature grammaticale** qui, dans un **même contexte**, ont des **sens contraires**.

M. Leroy travaille **le jour**. M. Leroy travaille **la nuit**.

- **Les formations particulières de certains antonymes**
- À l'aide d'un **préfixe négatif**.

honnête / **mal**honnête    lisible / **il**lisible    faire / **dé**faire

- À l'aide d'un **changement de préfixe**.

un **pré**fixe / un **suf**fixe    **im**porter / **ex**porter

- La **négation** permet également d'exprimer une idée contraire.

Je sais jouer aux échecs. / Je **ne** sais **pas** jouer aux échecs.

### ⚠ Remarque

Un mot qui a plusieurs sens peut avoir un antonyme pour chacun d'eux.

passer un **mauvais** moment / passer un moment **agréable**

sortir par **mauvais** temps / sortir par **beau** temps

un **mauvais** garçon / un garçon **honnête**

# LES SUBSTITUTS

Substituer, c'est remplacer quelqu'un ou quelque chose. En grammaire, un substitut est un mot, ou un groupe de mots, qui est mis à la place d'un autre.

## Les pronoms

Les pronoms sont les substituts le plus souvent et le plus facilement employés.

• Le **pronom personnel sujet ou complément** remplace un nom ou un groupe nominal.
**La station-service** est ouverte toute la nuit. **Elle** possède des distributeurs à carte bancaire ; de nombreux automobilistes **la** fréquentent.

• Le **pronom possessif** remplace un groupe nominal dont le déterminant est un adjectif possessif.
Gloria enfile son pull ; **le mien** est introuvable.

• Le **pronom démonstratif** remplace un groupe nominal ou une proposition.
**Mon GPS ne fonctionne plus** ; **cela** m'ennuie beaucoup.

• Le **pronom indéfini** remplace un groupe nominal dont le déterminant pourrait être un adjectif indéfini.
**Les élèves** de 4ᵉ ont le choix entre deux langues vivantes. **Certains** (élèves) étudient l'allemand, mais **la plupart** (élèves) optent pour l'espagnol.

Les pronoms indéfinis indiquent l'absence d'une quantité, sa totalité, une unité ou plusieurs : *aucun – autre(s) – autrui – chacun(e), certains – personne – nul – plusieurs – quiconque – tout – tous – la plupart – quelqu'un – quelques-uns...*

## L'emploi d'un autre groupe nominal

• **Un synonyme ou un hyperonyme (terme englobant)**
La chasse au **tigre** est désormais interdite, car ce **fauve** est en voie de disparition.

• Une **périphrase** est une figure de style qui consiste à remplacer un mot par sa définition ou par une expression plus longue, mais équivalente.
le lion → le roi des animaux     le cinéma → le septième art

• La **nominalisation** est l'emploi d'un nom ou d'un groupe nominal pour remplacer un groupe verbal ou une phrase entière.
Le temps va se **dégrader**, mais cette **dégradation** sera passagère.

## L'apport d'informations nouvelles

Les substituts permettent de participer à la construction d'un personnage ou d'un paysage par l'apport d'éléments nouveaux sans aucune redite.
**La mère Cottivet, grande figure frondeuse de l'esprit lyonnais**, habitait montée de la Grande-Côte. **Concierge de son immeuble**, elle accueillait volontiers ses voisines pour boire un petit café.

# LES FIGURES DE STYLE (1)

Les figures de style sont des procédés de langage qui rendent les propos plus expressifs

## La comparaison

Elle rapproche, **à l'aide d'un mot comparatif** (verbe, adjectif, déterminant indéfini, conjonction de subordination), deux termes – le **comparé** et le **comparant** – pour insister sur les **rapports de ressemblance** qui les unissent.
Une voiture allemande, née en 1938, **ressemblait** à une coccinelle.
Les yeux du dragon, **semblables** à des langues de feu, se fixaient sur la proie.
**Tel** père, **tel** fils.
Il y a **autant** de boîtes aux lettres **que** de locataires.

## La métaphore

Elle associe, **sans mot comparatif**, un terme à un autre appartenant à un champ lexical différent, afin de traduire une pensée plus riche et plus complexe que celle qu'exprime un vocabulaire descriptif concret. La métaphore constitue une utilisation suggestive et expressive de la langue.
Pour cette personne retraitée, la peinture est une **source de revenus**.

• **La métaphore annoncée** contient à la fois le comparé et le comparant.
La **neige** est un **blanc manteau**.

• **La métaphore directe** ne contient que le comparant.
La campagne est recouverte d'un **blanc manteau**.

• Le contexte aide le lecteur à deviner le comparé.
Le **géant des airs** peut transporter 800 passagers. → l'Airbus A380
Le **géant des airs** plane à la recherche de mulots. → un aigle royal

• **Filer la métaphore**, c'est développer le champ lexical du comparant pour parler du comparé.
Lorsqu'il affronta la tempête, le navigateur solitaire découvrit que chaque nouvelle vague était pareille à une chaîne de montagnes avec ses sommets, ses vallées, ses plateaux couverts de neige. Son bateau pénétrait droit dans les régions les plus basses et tentait d'éviter les points culminants et les pentes escarpées de la vague.
La vague est décrite en utilisant le lexique de la géographie terrestre.

• De nombreuses métaphores sont passées dans le langage commun et sont devenues des clichés.
entrer en coup de vent                          un terrain d'entente
un coup de fil (un appel téléphonique)          une pomme de discorde

## L'antithèse

Elle consiste à rapprocher, en les opposant, deux mots ou deux expressions, pour mieux les mettre en valeur.
souffler le **chaud** et le **froid**              passer de l'**ombre** à la **lumière**
être entre la **vie** et la **mort**               être **invaincu**, mais pas **invincible**
être **volontaire** en paroles, mais bien **timide** en actes

# LES FIGURES DE STYLE (2)

## La personnification

Elle présente une chose, une idée, voire un animal comme une personne.
À l'entrée du port de Marseille, le château d'If **regarde** vers le large.
Sous l'effet du vent **capricieux**, la voile **souffre** et **gémit**.

## La périphrase

Elle consiste à désigner quelque chose ou quelqu'un par un groupe de mots
qui précise ses caractéristiques.

un détective → un fin limier          le Japon → le pays du Soleil-Levant

## L'oxymore

Il juxtapose deux mots de sens contraires, que l'on n'a pas l'habitude de trouver
accolés ; il donne à la pensée un tour inattendu, paradoxal et saisissant.
une pâle clarté – un illustre inconnu – une bonne claque – une belle erreur
un silence assourdissant – se hâter lentement – briller par son absence

## L'hyperbole, la litote et l'euphémisme

• **L'hyperbole** exagère l'expression pour créer un effet qui dépasse la mesure.
obtenir le contrat du siècle          mourir de faim
attendre une réponse pendant cent sept ans

• **La litote** atténue un propos pour faire comprendre davantage que ce que
l'on dit.
Ce problème n'est pas difficile. (Il est facile.)
Je ne déteste pas un brin de persil dans la salade. (J'apprécie un brin de persil.)
Chimène s'adressant à Rodrigue dans *Le Cid* : « Va, je ne te hais point ! »
(Je t'aime !)

• **L'euphémisme** atténue des termes désagréables ou une idée jugée
choquante.

les malentendants (les sourds)          les non-voyants (les aveugles)
rendre l'âme (mourir)          une longue maladie (le cancer)
le troisième âge (la vieillesse)          un juron (un blasphème)

## La métonymie

Elle remplace un groupe de mots par un mot qui lui est associé.
Il est porté sur la bouteille. (Il boit vraiment trop de boissons alcoolisées.)
Le roquefort, j'adore ! (Le fromage élaboré dans la ville de Roquefort.)

**vocabulaire**

# LA DÉNOTATION ET LA CONNOTATION

## La dénotation

C'est le **sens précis**, **permanent**, d'un mot, celui que l'on peut trouver dans un dictionnaire.

**Pain** : aliment fait de farine, d'eau, de sel et de levain, pétri, fermenté et cuit au four.

J'étale du beurre sur une tranche de pain.

**Toit** : partie qui recouvre et protège un bâtiment.

Les toits des maisons angevines sont en ardoise.

## La connotation

• C'est le **sens particulier**, plus **subjectif**, culturel ou affectif d'un mot dans un contexte donné.

L'homme gagnera son pain à la sueur de son front. → Il gagnera sa vie en travaillant.

(Le pain est pris dans un sens plus large, celui de nourriture.)

Toutes ces personnes vivent sous le même toit.

(Elles habitent dans le même logement.)

• Attention, il ne faut pas confondre la connotation avec le sens figuré d'un mot ou d'une expression.

Cet exercice était simple, tu as mangé ton pain blanc. → Tu as fait le plus facile.

(L'expression « pain blanc » est ici employée dans un sens figuré : quelque chose d'agréable.)

Grégory crie sur les toits qu'il sera un jour champion de France !

(L'expression « crier sur les toits » est employée au sens figuré : annoncer quelque chose à beaucoup de personnes.)

• Les connotations sont liées à l'expérience personnelle de celui qui écrit, voire qui lit.

• **Des connotations variées**

Un mot peut avoir une connotation différente selon la façon, les régions et les circonstances dans lesquelles il est employé.

– L'adjectif « blanc » peut avoir plusieurs sens connotés : en France, il est symbole de pureté ; en Chine, il symbolise le deuil.

– L'adjectif « cruel » est souvent connoté avec un animal sauvage.

– Pour celui qui connaît le célèbre poème de Charles Baudelaire « L'Albatros », l'évocation de cet oiseau lui rappellera le poète solitaire.

– L'enfer, lieu où se retrouvent les damnés dans la religion chrétienne, sera assimilé à une situation pénible, voire terrifiante.

– L'expression « Grande Guerre » est associée à la Première Guerre mondiale.

– Le « rat » connote la saleté, la maladie (la peste), la répugnance ou l'avarice.

– L'adjectif « vert » est parfois associé à l'espérance, la jeunesse.

– Le « printemps » est lié au renouveau.

– Une « plume » désigne le talent d'un écrivain.

# LE CHAMP LEXICAL

• Un champ lexical comprend l'ensemble des mots qui se rapportent à une même notion, une même idée ou un même thème.

**Champ lexical de la petite enfance** : un bambin – un hochet – une puéricultrice – un biberon – la crèche – téter – bercer – babiller – câliner – joufflu – affectueux...

**Champ lexical du rêve** : le songe – le mirage – le mythe – la chimère – l'utopie – l'imaginer – croire – se figurer – irréel – saugrenu – insolite – illusoire – pensif...

**Champ lexical de l'humour** : le rire – le comique – la plaisanterie – la blague – la galéjade – le canular – la farce – la parodie – le gag – la boutade – la bonne humeur – amuser – divertir – ridiculiser – se moquer – caricaturer – tourner en dérision...

• Les mots d'un champ lexical peuvent être de **nature grammaticale différente** : noms, verbes et adjectifs qualificatifs essentiellement, parfois des adverbes.

## Le champ lexical des récits et des genres littéraires

• **Les noms**

un auteur – un écrivain – un poète – un romancier – un comédien – un dramaturge – un traducteur – l'illustrateur – l'éditeur
un roman – un récit – une histoire – une fiction – un conte – une légende – une fable – une nouvelle – un fabliau – les Mémoires – un poème – un ouvrage – un recueil – une œuvre – les péripéties – une biographie
le génie – le talent – l'inspiration – la création – l'imagination – l'écriture
un spectacle – une représentation – le décor – une pièce – une scène – une comédie – une tragédie – un drame – une farce – un mélodrame

• **Les verbes**

jouer – décrire – représenter – se mettre dans la peau de – traduire – imaginer – inspirer – évoquer – créer – publier – rédiger – raconter

• **Les adjectifs qualificatifs**

amusant – insolite – fantastique – drôle – chimérique – irréel – lettré – cultivé – érudit – merveilleux – dépaysant – célèbre – passionnant – curieux

vocabulaire

## Les limites d'un champ lexical

• Plus la connaissance d'un champ lexical est étendu, plus les possibilités d'expression seront nombreuses et riches.

• On utilise parfois les mots d'un champ lexical qui n'a pas de rapport avec ce qui est décrit pour créer des images.
un **flot** de paroles pour évoquer une personne bavarde
un **champ** lexical pour parler de vocabulaire étendu

• Un même mot peut appartenir à des champs lexicaux différents.
Un bruit peut être **sourd** ; un **sourd** est handicapé ; on relève l'absence de communication dans un dialogue de **sourds** ; l'entêté est **sourd** à tous les arguments.

# LES TERMES ÉVALUATIFS

Les termes évaluatifs permettent d'émettre une opinion sur ce que l'on décrit ou c
que l'on rapporte. Ils appartiennent à différentes catégories grammaticales.

## Les termes mélioratifs

Ils expriment une **opinion positive**.

• **Adjectifs qualificatifs**
porter une **magnifique** robe – une journée **ensoleillée** – un sauveteur
**courageux** – un sourire **engageant** – un animal **affectueux** – un ami **dévoué**

• **Noms**
Ce repas est un **régal**. – le **triomphe** de la vérité – avoir **confiance** en
quelqu'un – s'en tirer avec les **honneurs** – réaliser un **exploit**

• **Verbes**
**vaincre** sa peur – **libérer** son énergie – **vanter** ses nombreuses qualités –
**réconforter** un ami – **franchir** un obstacle – **s'envoler** vers la victoire

• **Adverbes**
se servir **adroitement** de ses mains – répondre **clairement** aux questions –
évoluer **gracieusement** sur la piste – faire **consciencieusement** son travail

## Les termes péjoratifs

Ils expriment une **opinion négative**.

• **Adjectifs qualificatifs**
une réponse **affligeante** – un visage **décharné** – une défaite **humiliante** –
un démenti **cinglant** – une **triste** journée – un geste **brutal**

• **Noms**
Ce tableau est une vraie **croûte**. – la **menace** du réchauffement climatique –
commettre une **infraction** – être pris de **panique** – vivre un vrai **calvaire**

• **Verbes**
se **décourager** rapidement – **broyer** du noir – **négliger** sa tenue vesti-
mentaire – **épuiser** ses maigres ressources – **chanceler** sous les coups

• **Adverbes**
se servir **maladroitement** de ses mains – répondre **effrontément** aux
questions – être accueilli **fraîchement** – être **lourdement** pénalisé

• **Suffixes**
Un **avocaillon** est un mauvais avocat. – L'eau de l'étang, d'une couleur
**verdâtre**, n'incite pas à la baignade. – Désœuvré, Mickaël **traînasse**.

• **Niveaux de langue**
Quelle idée a-t-il eue de se **fagoter** de cette façon ?
Arrête de **jacasser**, tu ennuies tes camarades.
Cette personne ne fait jamais le ménage ; c'est une vraie **souillon**.

# RÉDIGER UN TEXTE ARGUMENTATIF

Dans un texte argumentatif, l'énonciateur prend position sur un sujet : il expose et justifie son opinion, il défend une cause ou il dénonce un fait.

## Chercher des idées

Tout d'abord, il s'agit de chercher tous les **arguments** qui vous permettront de soutenir tel ou tel avis, c'est-à-dire votre **thèse**.

### • Trouver des arguments
– Pour approfondir votre réflexion, vous pouvez **envisager un autre point de vue sur la question** et chercher les arguments que l'on pourrait vous opposer pour les **réfuter**, c'est-à-dire pour expliquer en quoi ils ne sont pas convaincants.
– Mais vous pouvez aussi faire des **concessions** à la position adverse pour, ensuite, développer tous vos arguments.
– D'une façon générale, **peser le pour et le contre** d'une question vous permettra d'aboutir à une **opinion nuancée**.

### • Étayer les arguments par des exemples
Vous devrez aussi chercher des **exemples qui illustrent vos arguments**.

### • Chercher à convaincre
– Il y a deux façons de chercher à convaincre : **construire un raisonnement rigoureux** ou **toucher la sensibilité du lecteur** par des images frappantes ou en l'interpellant, en le prenant à partie, en le faisant sourire, etc.
– Choisissez votre stratégie, elle aura des conséquences sur le ton de votre texte : il sera neutre si vous raisonnez, ironique, indigné ou émouvant si vous cherchez à troubler.

## Faire le plan

Le plan classique d'un texte argumentatif est le suivant :
– exposition de la thèse, de l'opinion sur telle ou telle question ;
– présentation des arguments pour la soutenir, chacun illustré d'un exemple.

## Rédiger

• Employez des mots de liaison pour souligner les enchaînements logiques de votre raisonnement ou les étapes de votre pensée : « en effet », « d'une part », « de plus », « en outre », « par ailleurs », « néanmoins », « par conséquent », etc. Cette progression sera aussi soulignée par des paragraphes.

• Pour marquer votre lecteur, utilisez des procédés de mise en relief et des figures de style (voir leçons 138 et 139), des formes de phrases emphatiques, des anaphores, des questions rhétoriques, des phrases interro-négatives, des contrastes saisissants, des gradations, des chutes, des énumérations, etc.

• Le temps utilisé est le plus souvent le présent.

• Il est important de se relire pour vérifier la cohérence du texte, les formulations et l'orthographe.

**vocabulaire**

# RÉDIGER UNE LETTRE

**Une lettre** est adressée par un expéditeur (ou destinateur) à un destinataire pour lu transmettre un message.

## Organiser sa rédaction

• **Respecter une présentation particulière**
– Pour une **lettre personnelle** (à un ami, un membre de sa famille, une connaissance) :

| | |
|---|---|
| ................., ................... | Le lieu et la date (le mois écrit en toutes lettres) |
| ................., | Une formule d'appel |
| ................................................................. | Le corps de la lettre : |
| ................................................................. | chaque paragraphe |
| ................................................................. | est précédé d'un alinéa. |
| ................................................................. | |
| ................., | Une formule d'adieu |
| ................... | Le prénom de l'expéditeur |

– Pour une **lettre officielle** (à une entreprise, un organisme, etc.), on ajoute **le nom et les coordonnées de l'expéditeur** en haut à gauche et **ceux du destinataire à droite**, sous la date.
On peut aussi ajouter l'**objet** (c'est-à-dire le sujet) de la lettre ou juste le nom du destinataire avant la formule d'appel. Par exemple : « Objet : demande de stage » ; « À l'attention de Monsieur Martin ».
On finit en mentionnant son prénom, son nom et l'on signe.
– Pensez à laisser des **marges** alignées à gauche aussi bien qu'à droite.

• **Quelques conseils d'écriture**
– En **début de lettre**, commencez par quelques phrases de **prise de contact** ou **faites le lien avec la dernière lettre reçue**. Il peut s'agir, en effet, d'une correspondance suivie. Vous pouvez alors faire des références à la lettre à laquelle vous répondez.
– Vous rendrez votre lettre vivante en **impliquant votre destinataire dans votre propos** comme s'il s'agissait d'un dialogue : interpellez-le, posez-lui des questions, etc.
– **Selon la relation entre l'expéditeur et le destinataire, les formules d'appel et d'adieu varient** : elles expriment le degré d'intimité des personnes. Dans les lettres personnelles, on utilisera « *Cher Simon* », « *Bien chers tous* », « *Je t'embrasse affectueusement* », etc.
Dans une lettre officielle, on utilisera « *Monsieur* », « *Je vous prie d'agréer mes salutations distinguées* », etc.
– Les **pronoms personnels** diffèrent selon que les personnes se tutoient ou se vouvoient.
– Enfin, le **temps** de référence est le **présent**.

# 45

# FAIRE UN RÉSUMÉ

Un résumé est le résultat d'une contraction de texte. Il s'agit de réduire un récit à ses événements les plus importants ou un texte documentaire à ses idées principales.

## Le résumé d'un texte narratif

• **Première étape : repérer les étapes du récit**
– Après avoir lu une ou deux fois le texte, vous **délimitez les principales étapes de l'histoire** en prenant appui sur les paragraphes et en encadrant les connecteurs temporels : *soudain, puis, ensuite, tout à coup*...
– Puis, **donnez un titre** à chacune de ces parties pour faire apparaître le plan.

• **Deuxième étape : rédiger**
– **Respectez l'ordre des actions**, les **temps employés** et le **narrateur** (récit à la première ou à la troisième personne).
– **Ne recopiez aucune phrase**, seulement les mots clés.

• **Troisième étape : se relire**
Comparez une dernière fois votre texte avec celui de l'auteur pour vérifier que vous n'avez pas oublié d'idée et vérifiez votre orthographe.

## Le résumé d'un texte documentaire

• **Première étape : repérer les idées clés et leur organisation**
– **Après avoir lu une ou deux fois le texte**, vous vous demanderez quelles sont les **informations les plus importantes** qu'il donne.
Puis **soulignez les mots clés ou les expressions clés**.
– Pour **repérer l'organisation** des idées, encadrez les mots de liaison.
– **Délimitez les étapes du texte** en vous aidant des paragraphes. Puis donnez-leur un titre pour faire apparaître le plan. Pour cela, aidez-vous de la première phrase de chaque paragraphe : en général, elle annonce son thème.

• **Deuxième étape : rédiger**
– Il faut **suivre l'ordre des idées** sans jamais ajouter aucune idée personnelle.
– Il faut laisser de côté les idées secondaires ou les exemples illustratifs.
– Il ne faut **recopier aucune phrase**, seuls les mots clés seront employés. C'est un exercice de réécriture : il faut **reformuler les idées**.
– Pour **conserver l'enchaînement des idées**, vous pouvez utiliser les mêmes mots de liaison.

• **Conseils d'écriture**
– Pour réduire le texte, vous pouvez utiliser des termes génériques :
« L'ours dévore des petits fruits rouges appelés myrtilles, des châtaignes et des glands. » **devient** « L'ours se nourrit de fruits et de féculents. »
– Il faut garder l'idée générale du texte sans entrer dans les détails :
« à l'époque où les arbres commencent à jaunir » **devient** « à l'automne »
– Les compléments du nom ou les propositions subordonnées relatives peuvent être transformés en adjectifs :
« les animaux qui mangent des insectes » **devient** « des insectivores »

• **Troisième étape :** se relire (voir ci-dessus)

# TABLEAUX DE CONJUGAISON TYPES

# Comment trouver
# la conjugaison d'un verbe ?

Grâce à l'**index des verbes** et aux **tableaux de conjugaison types**, vou pouvez conjuguer tous les verbes de la langue française.

• Pour cela, il vous suffit de rechercher par ordre alphabétique, dans l'inde (pages 251 à 313), le verbe que vous souhaitez conjuguer.

• Le numéro qui figure en face de ce verbe vous donnera le numéro d modèle de conjugaison type. Vous trouverez ce modèle de conjugaison dar les pages qui suivent (pages 165 à 250), les tableaux étant classés par numér•

• Vous appliquerez au verbe que vous voulez conjuguer les variations d radical et les terminaisons du verbe modèle.

• Les difficultés particulières de chaque conjugaison sont indiquées par le lettres en couleur.

---

Exemples :

**1.** Comment s'écrit le verbe *sortir* à la 2ᵉ personne du singulier du présent de l'impératif ?
Sortir a pour numéro de conjugaison **22**
(il se conjugue comme *dormir*).
À la 2ᵉ personne du singulier du présent
de l'impératif, le verbe modèle s'écrit *dors* ;
*sortir* s'écrira donc *sors*.

**2.** Quelle est la 3ᵉ personne du singulier
du présent du subjonctif du verbe *requérir* ?
*Requérir* a pour numéro de conjugaison **28**
(il se conjugue comme *acquérir*).
*Acquérir* fait qu'*il acquière* à la 3ᵉ personne
du singulier du présent du subjonctif ;
*requérir* fera donc qu'il *requière*.

# 1 AVOIR

*Avoir* est soit un verbe transitif *(ils ont quatre enfants)*, soit un auxiliaire utilisé dans la conjugaison des temps composés *(ils ont donné leur avis* : verbe *donner* au passé composé).

L'auxiliaire *avoir* sert à la conjugaison de la plupart des verbes à la voix active. C'est l'auxiliaire utilisé pour les temps composés de *avoir (j'ai eu)* et de *être (j'ai été)*.

*Ravoir* ne s'utilise qu'à l'infinitif.

## INDICATIF

| Présent | | Passé composé | | | Présent | | |
|---|---|---|---|---|---|---|---|
| j' | ai | j' | ai | eu | que j' | aie | |
| tu | as | tu | as | eu | que tu | aies | |
| il | a | il | a | eu | qu' il | ait | |
| ns | avons | ns | avons | eu | que ns | ayons | |
| vs | avez | vs | avez | eu | que vs | ayez | |
| ils | ont | ils | ont | eu | qu' ils | aient | |

## SUBJONCTIF (Présent shown above)

| Imparfait | | Plus-que parfait | | | Imparfait | | |
|---|---|---|---|---|---|---|---|
| j' | avais | j' | avais | eu | que j' | eusse | |
| tu | avais | tu | avais | eu | que tu | eusses | |
| il | avait | il | avait | eu | qu' il | eût | |
| ns | avions | ns | avions | eu | que ns | eussions | |
| vs | aviez | vs | aviez | eu | que vs | eussiez | |
| ils | avaient | ils | avaient | eu | qu' ils | eussent | |

| Passé simple | | Passé antérieur | | | Passé | | |
|---|---|---|---|---|---|---|---|
| j' | eus | j' | eus | eu | que j' | aie | eu |
| tu | eus | tu | eus | eu | que tu | aies | eu |
| il | eut | il | eut | eu | qu' il | ait | eu |
| ns | eûmes | ns | eûmes | eu | que ns | ayons | eu |
| vs | eûtes | vs | eûtes | eu | que vs | ayez | eu |
| ils | eurent | ils | eurent | eu | qu' ils | aient | eu |

| Futur simple | | Futur antérieur | | | Plus-que-parfait | | |
|---|---|---|---|---|---|---|---|
| j' | aurai | j' | aurai | eu | que j' | eusse | eu |
| tu | auras | tu | auras | eu | que tu | eusses | eu |
| il | aura | il | aura | eu | qu' il | eût | eu |
| ns | aurons | ns | aurons | eu | que ns | eussions | eu |
| vs | aurez | vs | aurez | eu | que vs | eussiez | eu |
| ils | auront | ils | auront | eu | qu' ils | eussent | eu |

## CONDITIONNEL

| Présent | | Passé 1re forme | | | Passé 2e forme | | |
|---|---|---|---|---|---|---|---|
| j' | aurais | j' | aurais | eu | j' | eusse | eu |
| tu | aurais | tu | aurais | eu | tu | eusses | eu |
| il | aurait | il | aurait | eu | il | eût | eu |
| ns | aurions | ns | aurions | eu | ns | eussions | eu |
| vs | auriez | vs | auriez | eu | vs | eussiez | eu |
| ils | auraient | ils | auraient | eu | ils | eussent | eu |

## IMPÉRATIF

| Présent | | | Passé | | |
|---|---|---|---|---|---|
| aie | ayons | ayez | aie eu | ayons eu | ayez eu |

## INFINITIF

| Présent | Passé |
|---|---|
| avoir | avoir eu |

## PARTICIPE

| Présent | Passé | Passé composé |
|---|---|---|
| ayant | eu, eue | ayant eu |

tableaux

165

# 2 ━━━━━ ÊTRE ━━━━━

*Être* est soit un verbe d'état *(ils sont frères)*, soit un auxiliaire utilisé dans la conju gaison des temps composés de certains verbes intransitifs *(ils sont arrivés :* verbe *arriver* au passé composé).

L'auxiliaire *être* sert à la conjugaison de quelques verbes à la voix active *(arriver* *rester, partir...)*, de tous les verbes pronominaux *(ils se sont donné la main)* et de tou les verbes à la voix passive *(ils sont suivis par un inconnu)*.

Le participe passé *été* est toujours invariable.

| INDICATIF | | | SUBJONCTIF | | |
|---|---|---|---|---|---|
| **Présent** | **Passé composé** | | **Présent** | | |
| je suis | j' ai | été | que je sois | | |
| tu es | tu as | été | que tu sois | | |
| il est | il a | été | qu' il soit | | |
| ns sommes | ns avons | été | que ns soyons | | |
| vs êtes | vs avez | été | que vs soyez | | |
| ils sont | ils ont | été | qu' ils soient | | |
| **Imparfait** | **Plus-que-parfait** | | **Imparfait** | | |
| j' étais | j' avais | été | que je fusse | | |
| tu étais | tu avais | été | que tu fusses | | |
| il était | il avait | été | qu' il fût | | |
| ns étions | ns avions | été | que ns fussions | | |
| vs étiez | vs aviez | été | que vs fussiez | | |
| ils étaient | ils avaient | été | qu' ils fussent | | |
| **Passé simple** | **Passé antérieur** | | **Passé** | | |
| je fus | j' eus | été | que j' aie | été | |
| tu fus | tu eus | été | que tu aies | été | |
| il fut | il eut | été | qu' il ait | été | |
| ns fûmes | ns eûmes | été | que ns ayons | été | |
| vs fûtes | vs eûtes | été | que vs ayez | été | |
| ils furent | ils eurent | été | qu' ils aient | été | |
| **Futur simple** | **Futur antérieur** | | **Plus-que-parfait** | | |
| je serai | j' aurai | été | que j' eusse | été | |
| tu seras | tu auras | été | que tu eusses | été | |
| il sera | il aura | été | qu' il eût | été | |
| ns serons | ns aurons | été | que ns eussions | été | |
| vs serez | vs aurez | été | que vs eussiez | été | |
| ils seront | ils auront | été | qu' ils eussent | été | |

| CONDITIONNEL | | | | | |
|---|---|---|---|---|---|
| **Présent** | **Passé 1re forme** | | **Passé 2e forme** | | |
| je serais | j' aurais | été | j' eusse | été | |
| tu serais | tu aurais | été | tu eusses | été | |
| il serait | il aurait | été | il eût | été | |
| ns serions | ns aurions | été | ns eussions | été | |
| vs seriez | vs auriez | été | vs eussiez | été | |
| ils seraient | ils auraient | été | ils eussent | été | |

| IMPÉRATIF | | | | |
|---|---|---|---|---|
| **Présent** | | | **Passé** | |
| sois | soyons | soyez | aie été | ayons été ayez été |

| INFINITIF | | PARTICIPE | | |
|---|---|---|---|---|
| **Présent** | **Passé** | **Présent** | **Passé** | **Passé composé** |
| être | avoir été | étant | été | ayant été |

Tous les verbes du 1er groupe ont les terminaisons du verbe modèle *chanter*.
Le radical *chant-* est utilisé pour tous les temps simples, sauf au futur simple et au présent du conditionnel, temps pour lesquels les formes se construisent sur le radical *chanter-*.
**Remarque :** la plupart des nouveaux verbes appartiennent au 1er groupe et se conjuguent sur le modèle de *chanter* (Ex. : *zapper, sponsoriser*).

## INDICATIF

| Présent | | Passé composé | | | Présent | | |
|---|---|---|---|---|---|---|---|
| je | chante | j' | ai | chanté | que je | chante | |
| tu | chantes | tu | as | chanté | que tu | chantes | |
| il | chante | il | a | chanté | qu' il | chante | |
| ns | chantons | ns | avons | chanté | que ns | chantions | |
| vs | chantez | vs | avez | chanté | que vs | chantiez | |
| ils | chantent | ils | ont | chanté | qu' ils | chantent | |

**SUBJONCTIF**

| Imparfait | | Plus-que-parfait | | | Imparfait | | |
|---|---|---|---|---|---|---|---|
| je | chantais | j' | avais | chanté | que je | chantasse | |
| tu | chantais | tu | avais | chanté | que tu | chantasses | |
| il | chantait | il | avait | chanté | qu' il | chantât | |
| ns | chantions | ns | avions | chanté | que ns | chantassions | |
| vs | chantiez | vs | aviez | chanté | que vs | chantassiez | |
| ils | chantaient | ils | avaient | chanté | qu' ils | chantassent | |

| Passé simple | | Passé antérieur | | | Passé | | |
|---|---|---|---|---|---|---|---|
| je | chantai | j' | eus | chanté | que j' | aie | chanté |
| tu | chantas | tu | eus | chanté | que tu | aies | chanté |
| il | chanta | il | eut | chanté | qu' il | ait | chanté |
| ns | chantâmes | ns | eûmes | chanté | que ns | ayons | chanté |
| vs | chantâtes | vs | eûtes | chanté | que vs | ayez | chanté |
| ils | chantèrent | ils | eurent | chanté | qu' ils | aient | chanté |

| Futur simple | | Futur antérieur | | | Plus-que-parfait | | |
|---|---|---|---|---|---|---|---|
| je | chanterai | j' | aurai | chanté | que j' | eusse | chanté |
| tu | chanteras | tu | auras | chanté | que tu | eusses | chanté |
| il | chantera | il | aura | chanté | qu' il | eût | chanté |
| ns | chanterons | ns | aurons | chanté | que ns | eussions | chanté |
| vs | chanterez | vs | aurez | chanté | que vs | eussiez | chanté |
| ils | chanteront | ils | auront | chanté | qu' ils | eussent | chanté |

## CONDITIONNEL

| Présent | | Passé 1re forme | | | Passé 2e forme | | |
|---|---|---|---|---|---|---|---|
| je | chanterais | j' | aurais | chanté | j' | eusse | chanté |
| tu | chanterais | tu | aurais | chanté | tu | eusses | chanté |
| il | chanterait | il | aurait | chanté | il | eût | chanté |
| ns | chanterions | ns | aurions | chanté | ns | eussions | chanté |
| vs | chanteriez | vs | auriez | chanté | vs | eussiez | chanté |
| ils | chanteraient | ils | auraient | chanté | ils | eussent | chanté |

## IMPÉRATIF

| Présent | | | Passé | | |
|---|---|---|---|---|---|
| chante | chantons | chantez | aie chanté | ayons chanté | ayez chanté |

## INFINITIF

| Présent | Passé |
|---|---|
| chanter | avoir chanté |

## PARTICIPE

| Présent | Passé | Passé composé |
|---|---|---|
| chantant | chanté, e | ayant chanté |

tableaux

# CRIER

Les verbes en *-ier* sont tout à fait réguliers. Ils s'écrivent avec deux *i* consécutifs aux deux premières personnes du pluriel de l'imparfait de l'indicatif et du présent du subjonctif (*nous criions, vous criiez*) : le premier pour le radical (*cri-*), le deuxième pour la terminaison (*-ions, -iez*).

On veillera à ne pas oublier le *e* muet du radical au futur simple et au présent du conditionnel (Ex. : *je lierai*, du verbe *lier*, 1ᵉʳ groupe, à bien distinguer de *je lirai*, du verbe *lire*, 3ᵉ groupe).

| INDICATIF | | SUBJONCTIF | |
|---|---|---|---|
| **Présent** | **Passé composé** | **Présent** | |
| je crie | j' ai crié | que je crie | |
| tu cries | tu as crié | que tu cries | |
| il crie | il a crié | qu' il crie | |
| ns crions | ns avons crié | que ns criions | |
| vs criez | vs avez crié | que vs criiez | |
| ils crient | ils ont crié | qu' ils crient | |
| **Imparfait** | **Plus-que-parfait** | **Imparfait** | |
| je criais | j' avais crié | que je criasse | |
| tu criais | tu avais crié | que tu criasses | |
| il criait | il avait crié | qu' il criât | |
| ns criions | ns avions crié | que ns criassions | |
| vs criiez | vs aviez crié | que vs criassiez | |
| ils criaient | ils avaient crié | qu' ils criassent | |
| **Passé simple** | **Passé antérieur** | **Passé** | |
| je criai | j' eus crié | que j' aie | crié |
| tu crias | tu eus crié | que tu aies | crié |
| il cria | il eut crié | qu' il ait | crié |
| ns criâmes | ns eûmes crié | que ns ayons | crié |
| vs criâtes | vs eûtes crié | que vs ayez | crié |
| ils crièrent | ils eurent crié | qu' ils aient | crié |
| **Futur simple** | **Futur antérieur** | **Plus-que-parfait** | |
| je crierai | j' aurai crié | que j' eusse | crié |
| tu crieras | tu auras crié | que tu eusses | crié |
| il criera | il aura crié | qu' il eût | crié |
| ns crierons | ns aurons crié | que ns eussions | crié |
| vs crierez | vs aurez crié | que vs eussiez | crié |
| ils crieront | ils auront crié | qu' ils eussent | crié |

| CONDITIONNEL | | |
|---|---|---|
| **Présent** | **Passé 1ʳᵉ forme** | **Passé 2ᵉ forme** |
| je crierais | j' aurais crié | j' eusse crié |
| tu crierais | tu aurais crié | tu eusses crié |
| il crierait | il aurait crié | il eût crié |
| ns crierions | ns aurions crié | ns eussions crié |
| vs crieriez | vs auriez crié | vs eussiez crié |
| ils crieraient | ils auraient crié | ils eussent crié |

| IMPÉRATIF | | | | |
|---|---|---|---|---|
| **Présent** | | | **Passé** | |
| crie | crions | criez | aie crié | ayons crié | ayez crié |

| INFINITIF | | PARTICIPE | | |
|---|---|---|---|---|
| **Présent** | **Passé** | **Présent** | **Passé** | **Passé composé** |
| crier | avoir crié | criant | crié, e | ayant crié |

Les verbes en -*éer* sont tout à fait réguliers. Ainsi, certaines formes s'écrivent avec le é qui termine le radical *(cré-)* immédiatement suivi d'un e de la terminaison (Ex. : *je crée, ils créent).*
Le participe passé masculin s'écrit avec deux é : *créé* ; le participe féminin avec deux é suivis d'un e : *créée.*
*Béer* s'écrit avec un seul é au participe passé : *bouche bée.*

## INDICATIF

| Présent | Passé composé | | SUBJONCTIF — Présent |
|---|---|---|---|
| je crée | j' ai | créé | que je crée |
| tu crées | tu as | créé | que tu crées |
| il crée | il a | créé | qu' il crée |
| ns créons | ns avons | créé | que ns créions |
| vs créez | vs avez | créé | que vs créiez |
| ils créent | ils ont | créé | qu' ils créent |

| Imparfait | Plus-que-parfait | | Imparfait |
|---|---|---|---|
| je créais | j' avais | créé | que je créasse |
| tu créais | tu avais | créé | que tu créasses |
| il créait | il avait | créé | qu' il créât |
| ns créions | ns avions | créé | que ns créassions |
| vs créiez | vs aviez | créé | que vs créassiez |
| ils créaient | ils avaient | créé | qu' ils créassent |

| Passé simple | Passé antérieur | | Passé |
|---|---|---|---|
| je créai | j' eus | créé | que j' aie créé |
| tu créas | tu eus | créé | que tu aies créé |
| il créa | il eut | créé | qu' il ait créé |
| ns créâmes | ns eûmes | créé | que ns ayons créé |
| vs créâtes | vs eûtes | créé | que vs ayez créé |
| ils créèrent | ils eurent | créé | qu' ils aient créé |

| Futur simple | Futur antérieur | | Plus-que-parfait |
|---|---|---|---|
| je créerai | j' aurai | créé | que j' eusse créé |
| tu créeras | tu auras | créé | que tu eusses créé |
| il créera | il aura | créé | qu' il eût créé |
| ns créerons | ns aurons | créé | que ns eussions créé |
| vs créerez | vs aurez | créé | que vs eussiez créé |
| ils créeront | ils auront | créé | qu' ils eussent créé |

## CONDITIONNEL

| Présent | Passé 1re forme | | Passé 2e forme | |
|---|---|---|---|---|
| je créerais | j' aurais | créé | j' eusse | créé |
| tu créerais | tu aurais | créé | tu eusses | créé |
| il créerait | il aurait | créé | il eût | créé |
| ns créerions | ns aurions | créé | ns eussions | créé |
| vs créeriez | vs auriez | créé | vs eussiez | créé |
| ils créeraient | ils auraient | créé | ils eussent | créé |

## IMPÉRATIF

| Présent | | | Passé | | |
|---|---|---|---|---|---|
| crée | créons | créez | aie créé | ayons créé | ayez créé |

## INFINITIF

| Présent | Passé |
|---|---|
| créer | avoir créé |

## PARTICIPE

| Présent | Passé | Passé composé |
|---|---|---|
| créant | créé, créée | ayant créé |

Les verbes en *-cer* sont tout à fait réguliers. Mais pour que le *c* garde le son [s] de l'infinitif, on met une cédille devant le *a* et le *o* des terminaisons (Ex. : *nous plaçons, je plaçais, vous plaçâtes, plaçant*).

| INDICATIF | | SUBJONCTIF |
|---|---|---|
| **Présent** | **Passé composé** | **Présent** |
| je place | j' ai placé | que je place |
| tu places | tu as placé | que tu places |
| il place | il a placé | qu' il place |
| ns plaçons | ns avons placé | que ns placions |
| vs placez | vs avez placé | que vs placiez |
| ils placent | ils ont placé | qu' ils placent |
| **Imparfait** | **Plus-que-parfait** | **Imparfait** |
| je plaçais | j' avais placé | que je plaçasse |
| tu plaçais | tu avais placé | que tu plaçasses |
| il plaçait | il avait placé | qu' il plaçât |
| ns placions | ns avions placé | que ns plaçassions |
| vs placiez | vs aviez placé | que vs plaçassiez |
| ils plaçaient | ils avaient placé | qu' ils plaçassent |
| **Passé simple** | **Passé antérieur** | **Passé** |
| je plaçai | j' eus placé | que j' aie placé |
| tu plaças | tu eus placé | que tu aies placé |
| il plaça | il eut placé | qu' il ait placé |
| ns plaçâmes | ns eûmes placé | que ns ayons placé |
| vs plaçâtes | vs eûtes placé | que vs ayez placé |
| ils placèrent | ils eurent placé | qu' ils aient placé |
| **Futur simple** | **Futur antérieur** | **Plus-que-parfait** |
| je placerai | j' aurai placé | que j' eusse placé |
| tu placeras | tu auras placé | que tu eusses placé |
| il placera | il aura placé | qu' il eût placé |
| ns placerons | ns aurons placé | que ns eussions placé |
| vs placerez | vs aurez placé | que vs eussiez placé |
| ils placeront | ils auront placé | qu' ils eussent placé |

| CONDITIONNEL | | |
|---|---|---|
| **Présent** | **Passé 1<sup>re</sup> forme** | **Passé 2<sup>e</sup> forme** |
| je placerais | j' aurais placé | j' eusse placé |
| tu placerais | tu aurais placé | tu eusses placé |
| il placerait | il aurait placé | il eût placé |
| ns placerions | ns aurions placé | ns eussions placé |
| vs placeriez | vs auriez placé | vs eussiez placé |
| ils placeraient | ils auraient placé | ils eussent placé |

| IMPÉRATIF | | |
|---|---|---|
| **Présent** | | **Passé** |
| place plaçons placez | | aie placé ayons placé ayez placé |

| INFINITIF | | PARTICIPE | | |
|---|---|---|---|---|
| **Présent** | **Passé** | **Présent** | **Passé** | **Passé composé** |
| placer | avoir placé | plaçant | placé, e | ayant placé |

Les verbes en -*ger* sont tout à fait réguliers. Mais pour que le *g* garde le son [ʒ] de l'infinitif, on met un *e* muet devant le *a* et le *o* des terminaisons (Ex. : *nous mangeons, je mangeais, mangeant*).
**Remarque :** pour les verbes en -*éger*, voir modèle **10**.

| INDICATIF | | | SUBJONCTIF | |
|---|---|---|---|---|
| **Présent** | **Passé composé** | | **Présent** | |
| je mange | j' ai | mangé | que je mange | |
| tu manges | tu as | mangé | que tu manges | |
| il mange | il a | mangé | qu' il mange | |
| ns mangeons | ns avons | mangé | que ns mangions | |
| vs mangez | vs avez | mangé | que vs mangiez | |
| ils mangent | ils ont | mangé | qu' ils mangent | |
| **Imparfait** | **Plus-que-parfait** | | **Imparfait** | |
| je mangeais | j' avais | mangé | que je mangeasse | |
| tu mangeais | tu avais | mangé | que tu mangeasses | |
| il mangeait | il avait | mangé | qu' il mangeât | |
| ns mangions | ns avions | mangé | que ns mangeassions | |
| vs mangiez | vs aviez | mangé | que vs mangeassiez | |
| ils mangeaient | ils avaient | mangé | qu' ils mangeassent | |
| **Passé simple** | **Passé antérieur** | | **Passé** | |
| je mangeai | j' eus | mangé | que j' aie | mangé |
| tu mangeas | tu eus | mangé | que tu aies | mangé |
| il mangea | il eut | mangé | qu' il ait | mangé |
| ns mangeâmes | ns eûmes | mangé | que ns ayons | mangé |
| vs mangeâtes | vs eûtes | mangé | que vs ayez | mangé |
| ils mangèrent | ils eurent | mangé | qu' ils aient | mangé |
| **Futur simple** | **Futur antérieur** | | **Plus-que-parfait** | |
| je mangerai | j' aurai | mangé | que j' eusse | mangé |
| tu mangeras | tu auras | mangé | que tu eusses | mangé |
| il mangera | il aura | mangé | qu' il eût | mangé |
| ns mangerons | ns aurons | mangé | que ns eussions | mangé |
| vs mangerez | vs aurez | mangé | que vs eussiez | mangé |
| ils mangeront | ils auront | mangé | qu' ils eussent | mangé |

| CONDITIONNEL | | | | |
|---|---|---|---|---|
| **Présent** | **Passé 1<sup>re</sup> forme** | | **Passé 2<sup>e</sup> forme** | |
| je mangerais | j' aurais | mangé | j' eusse | mangé |
| tu mangerais | tu aurais | mangé | tu eusses | mangé |
| il mangerait | il aurait | mangé | il eût | mangé |
| ns mangerions | ns aurions | mangé | ns eussions | mangé |
| vs mangeriez | vs auriez | mangé | vs eussiez | mangé |
| ils mangeraient | ils auraient | mangé | ils eussent | mangé |

| IMPÉRATIF | | | | |
|---|---|---|---|---|
| **Présent** | | | **Passé** | |
| mange | mangeons | mangez | aie mangé ayons mangé ayez mangé | |

| INFINITIF | | PARTICIPE | | |
|---|---|---|---|---|
| **Présent** | **Passé** | **Présent** | **Passé** | **Passé composé** |
| manger | avoir mangé | mangeant | mangé, e | ayant mangé |

tableaux

Les verbes en *-guer* gardent le *u* qui suit le *g* dans toute la conjugaison, même devant *a* et *o*, car il appartient au radical (Ex. : *nous naviguons, il navigua*).

## INDICATIF

| Présent | Passé composé | | SUBJONCTIF |
|---|---|---|---|

### Présent

| Présent | Passé composé | | | Présent | |
|---|---|---|---|---|---|
| je navigue | j' | ai | navigué | que je | navigue |
| tu navigues | tu | as | navigué | que tu | navigues |
| il navigue | il | a | navigué | qu' il | navigue |
| ns naviguons | ns | avons | navigué | que ns | naviguions |
| vs naviguez | vs | avez | navigué | que vs | naviguiez |
| ils naviguent | ils | ont | navigué | qu' ils | naviguent |

### Imparfait / Plus-que-parfait / Imparfait

| Imparfait | Plus-que-parfait | | | Imparfait | |
|---|---|---|---|---|---|
| je naviguais | j' | avais | navigué | que je | naviguasse |
| tu naviguais | tu | avais | navigué | que tu | naviguasses |
| il naviguait | il | avait | navigué | qu' il | naviguât |
| ns naviguions | ns | avions | navigué | que ns | naviguassions |
| vs naviguiez | vs | aviez | navigué | que vs | naviguassiez |
| ils naviguaient | ils | avaient | navigué | qu' ils | naviguassent |

### Passé simple / Passé antérieur / Passé

| Passé simple | Passé antérieur | | | Passé | | |
|---|---|---|---|---|---|---|
| je naviguai | j' | eus | navigué | que j' | aie | navigué |
| tu naviguas | tu | eus | navigué | que tu | aies | navigué |
| il navigua | il | eut | navigué | qu' il | ait | navigué |
| ns naviguâmes | ns | eûmes | navigué | que ns | ayons | navigué |
| vs naviguâtes | vs | eûtes | navigué | que vs | ayez | navigué |
| ils naviguèrent | ils | eurent | navigué | qu' ils | aient | navigué |

### Futur simple / Futur antérieur / Plus-que-parfait

| Futur simple | Futur antérieur | | | Plus-que-parfait | | |
|---|---|---|---|---|---|---|
| je naviguerai | j' | aurai | navigué | que j' | eusse | navigué |
| tu navigueras | tu | auras | navigué | que tu | eusses | navigué |
| il naviguera | il | aura | navigué | qu' il | eût | navigué |
| ns naviguerons | ns | aurons | navigué | que ns | eussions | navigué |
| vs naviguerez | vs | aurez | navigué | que vs | eussiez | navigué |
| ils navigueront | ils | auront | navigué | qu' ils | eussent | navigué |

## CONDITIONNEL

### Présent / Passé 1ʳᵉ forme / Passé 2ᵉ forme

| Présent | Passé 1ʳᵉ forme | | | Passé 2ᵉ forme | | |
|---|---|---|---|---|---|---|
| je naviguerais | j' | aurais | navigué | j' | eusse | navigué |
| tu naviguerais | tu | aurais | navigué | tu | eusses | navigué |
| il naviguerait | il | aurait | navigué | il | eût | navigué |
| ns naviguerions | ns | aurions | navigué | ns | eussions | navigué |
| vs navigueriez | vs | auriez | navigué | vs | eussiez | navigué |
| ils navigueraient | ils | auraient | navigué | ils | eussent | navigué |

## IMPÉRATIF

| Présent | | | Passé | | |
|---|---|---|---|---|---|
| navigue | naviguons | naviguez | aie navigué | ayons navigué | ayez navigué |

## INFINITIF / PARTICIPE

| INFINITIF | | PARTICIPE | | |
|---|---|---|---|---|
| Présent | Passé | Présent | Passé | Passé composé |
| naviguer | avoir navigué | naviguant | navigué, e | ayant navigué |

Les verbes qui ont un é en avant-dernière syllabe changent ce é fermé [e] en è ouvert [ɛ] lorsque la terminaison contient un e muet (Ex. : *je cède, ils cèdent*). Mais au futur simple et au présent du conditionnel, le é de l'infinitif se maintient à toutes les personnes (Ex. : *je céderai, nous céderions*).

**Remarque :** par souci de cohérence, les rectifications orthographiques de 1990 préconisent toutefois les graphies en è au lieu de é à toutes les personnes du futur simple et du conditionnel présent (Ex. : *je cèderai* comme on écrit *je lèverai*).

## INDICATIF

| Présent | Passé composé | | 
|---|---|---|
| je cède | j' ai cédé | |
| tu cèdes | tu as cédé | |
| il cède | il a cédé | |
| ns cédons | ns avons cédé | |
| vs cédez | vs avez cédé | |
| ils cèdent | ils ont cédé | |

| Imparfait | Plus-que-parfait | |
|---|---|---|
| je cédais | j' avais cédé | |
| tu cédais | tu avais cédé | |
| il cédait | il avait cédé | |
| ns cédions | ns avions cédé | |
| vs cédiez | vs aviez cédé | |
| ils cédaient | ils avaient cédé | |

| Passé simple | Passé antérieur | |
|---|---|---|
| je cédai | j' eus cédé | |
| tu cédas | tu eus cédé | |
| il céda | il eut cédé | |
| ns cédâmes | ns eûmes cédé | |
| vs cédâtes | vs eûtes cédé | |
| ils cédèrent | ils eurent cédé | |

| Futur simple | | Futur antérieur | |
|---|---|---|---|
| je céderai | (cèderai) | j' aurai cédé | |
| tu céderas | (cèderas) | tu auras cédé | |
| il cédera | (cèdera) | il aura cédé | |
| ns céderons | (cèderons) | ns aurons cédé | |
| vs céderez | (cèderez) | vs aurez cédé | |
| ils céderont | (cèderont) | ils auront cédé | |

## SUBJONCTIF

| Présent | |
|---|---|
| que je cède | |
| que tu cèdes | |
| qu' il cède | |
| que ns cédions | |
| que vs cédiez | |
| qu' ils cèdent | |

| Imparfait | |
|---|---|
| que je cédasse | |
| que tu cédasses | |
| qu' il cédât | |
| que ns cédassions | |
| que vs cédassiez | |
| qu' ils cédassent | |

| Passé | |
|---|---|
| que j' aie cédé |
| que tu aies cédé |
| qu' il ait cédé |
| que ns ayons cédé |
| que vs ayez cédé |
| qu' ils aient cédé |

| Plus-que-parfait | |
|---|---|
| que j' eusse cédé |
| que tu eusses cédé |
| qu' il eût cédé |
| que ns eussions cédé |
| que vs eussiez cédé |
| qu' ils eussent cédé |

## CONDITIONNEL

| Présent | | Passé 1re forme | | Passé 2e forme | |
|---|---|---|---|---|---|
| je céderais | (cèderais) | j' aurais cédé | j' eusse cédé | |
| tu céderais | (cèderais) | tu aurais cédé | tu eusses cédé | |
| il céderait | (cèderait) | il aurait cédé | il eût cédé | |
| ns céderions | (cèderions) | ns aurions cédé | ns eussions cédé | |
| vs céderiez | (cèderiez) | vs auriez cédé | vs eussiez cédé | |
| ils céderaient | (cèderaient) | ils auraient cédé | ils eussent cédé | |

## IMPÉRATIF

| Présent | | | Passé | | |
|---|---|---|---|---|---|
| cède | cédons | cédez | aie cédé | ayons cédé | ayez cédé |

## INFINITIF

| Présent | Passé |
|---|---|
| céder | avoir cédé |

## PARTICIPE

| Présent | Passé | Passé composé |
|---|---|---|
| cédant | cédé, e | ayant cédé |

tableaux

# 10 ASSIÉGER 1er GROUPE

Les verbes en *-éger* se conjuguent comme le verbe *manger* (voir modèle **7**) pour l'alternance *g/ge* et comme le verbe *céder* (voir modèle **9**) pour l'alternance *é/è*.

## INDICATIF

| Présent | | Passé composé | | | Présent (SUBJONCTIF) | | |
|---|---|---|---|---|---|---|---|
| j' | assiège | j' | ai | assiégé | que j' | assiège | |
| tu | assièges | tu | as | assiégé | que tu | assièges | |
| il | assiège | il | a | assiégé | qu' il | assiège | |
| ns | assiégeons | ns | avons | assiégé | que ns | assiégions | |
| vs | assiégez | vs | avez | assiégé | que vs | assiégiez | |
| ils | assiègent | ils | ont | assiégé | qu' ils | assiègent | |

### SUBJONCTIF

| Imparfait | | Plus-que-parfait | | | Imparfait | | |
|---|---|---|---|---|---|---|---|
| j' | assiégeais | j' | avais | assiégé | que j' | assiégeasse | |
| tu | assiégeais | tu | avais | assiégé | que tu | assiégeasses | |
| il | assiégeait | il | avait | assiégé | qu' il | assiégeât | |
| ns | assiégions | ns | avions | assiégé | que ns | assiégeassions | |
| vs | assiégiez | vs | aviez | assiégé | que vs | assiégeassiez | |
| ils | assiégeaient | ils | avaient | assiégé | qu' ils | assiégeassent | |

| Passé simple | | Passé antérieur | | | Passé | | |
|---|---|---|---|---|---|---|---|
| j' | assiégeai | j' | eus | assiégé | que j' | aie | assiégé |
| tu | assiégeas | tu | eus | assiégé | que tu | aies | assiégé |
| il | assiégea | il | eut | assiégé | qu' il | ait | assiégé |
| ns | assiégeâmes | ns | eûmes | assiégé | que ns | ayons | assiégé |
| vs | assiégeâtes | vs | eûtes | assiégé | que vs | ayez | assiégé |
| ils | assiégèrent | ils | eurent | assiégé | qu' ils | aient | assiégé |

| Futur simple | | | Futur antérieur | | | Plus-que-parfait | | |
|---|---|---|---|---|---|---|---|---|
| j' | assiégerai | (assiègerai) | j' | aurai | assiégé | que j' | eusse | assiégé |
| tu | assiégeras | (assiègeras) | tu | auras | assiégé | que tu | eusses | assiégé |
| il | assiégera | (assiègera) | il | aura | assiégé | qu' il | eût | assiégé |
| ns | assiégerons | (assiègerons) | ns | aurons | assiégé | que ns | eussions | assiégé |
| vs | assiégerez | (assiègerez) | vs | aurez | assiégé | que vs | eussiez | assiégé |
| ils | assiégeront | (assiègeront) | ils | auront | assiégé | qu' ils | eussent | assiégé |

## CONDITIONNEL

| Présent | | | Passé 1re forme | | | Passé 2e forme | | |
|---|---|---|---|---|---|---|---|---|
| j' | assiégerais | (assiègerais) | j' | aurais | assiégé | j' | eusse | assiégé |
| tu | assiégerais | (assiègerais) | tu | aurais | assiégé | tu | eusses | assiégé |
| il | assiégerait | (assiègerait) | il | aurait | assiégé | il | eût | assiégé |
| ns | assiégerions | (assiègerions) | ns | aurions | assiégé | ns | eussions | assiégé |
| vs | assiégeriez | (assiègeriez) | vs | auriez | assiégé | vs | eussiez | assiégé |
| ils | assiégeraient | (assiègeraient) | ils | auraient | assiégé | ils | eussent | assiégé |

## IMPÉRATIF

| Présent | | | Passé | | |
|---|---|---|---|---|---|
| assiège | assiégeons | assiégez | aie assiégé | ayons assiégé | ayez assiégé |

## INFINITIF / PARTICIPE

| Présent | Passé | Présent | Passé | Passé composé |
|---|---|---|---|---|
| assiéger | avoir assiégé | assiégeant | assiégé, e | ayant assiégé |

Les verbes qui ont un *e* muet dans l'avant-dernière syllabe de l'infinitif changent ce *e* en *è* ouvert [ɛ] lorsque la syllabe qui suit contient un *e* muet (Ex. : *je lève, ils lèvent, nous lèverons*).

## INDICATIF

| Présent | | Passé composé | | |
|---|---|---|---|---|
| je | lève | j' | ai | levé |
| tu | lèves | tu | as | levé |
| il | lève | il | a | levé |
| ns | levons | ns | avons | levé |
| vs | levez | vs | avez | levé |
| ils | lèvent | ils | ont | levé |

| Imparfait | | Plus-que-parfait | | |
|---|---|---|---|---|
| je | levais | j' | avais | levé |
| tu | levais | tu | avais | levé |
| il | levait | il | avait | levé |
| ns | levions | ns | avions | levé |
| vs | leviez | vs | aviez | levé |
| ils | levaient | ils | avaient | levé |

| Passé simple | | Passé antérieur | | |
|---|---|---|---|---|
| je | levai | j' | eus | levé |
| tu | levas | tu | eus | levé |
| il | leva | il | eut | levé |
| ns | levâmes | ns | eûmes | levé |
| vs | levâtes | vs | eûtes | levé |
| ils | levèrent | ils | eurent | levé |

| Futur simple | | Futur antérieur | | |
|---|---|---|---|---|
| je | lèverai | j' | aurai | levé |
| tu | lèveras | tu | auras | levé |
| il | lèvera | il | aura | levé |
| ns | lèverons | ns | aurons | levé |
| vs | lèverez | vs | aurez | levé |
| ils | lèveront | ils | auront | levé |

## SUBJONCTIF

| Présent | | |
|---|---|---|
| que je | lève | |
| que tu | lèves | |
| qu' il | lève | |
| que ns | levions | |
| que vs | leviez | |
| qu' ils | lèvent | |

| Imparfait | | |
|---|---|---|
| que je | levasse | |
| que tu | levasses | |
| qu' il | levât | |
| que ns | levassions | |
| que vs | levassiez | |
| qu' ils | levassent | |

| Passé | | |
|---|---|---|
| que j' | aie | levé |
| que tu | aies | levé |
| qu' il | ait | levé |
| que ns | ayons | levé |
| que vs | ayez | levé |
| qu' ils | aient | levé |

| Plus-que-parfait | | |
|---|---|---|
| que j' | eusse | levé |
| que tu | eusses | levé |
| qu' il | eût | levé |
| que ns | eussions | levé |
| que vs | eussiez | levé |
| qu' ils | eussent | levé |

## CONDITIONNEL

| Présent | | Passé 1<sup>re</sup> forme | | | Passé 2<sup>e</sup> forme | | |
|---|---|---|---|---|---|---|---|
| je | lèverais | j' | aurais | levé | j' | eusse | levé |
| tu | lèverais | tu | aurais | levé | tu | eusses | levé |
| il | lèverait | il | aurait | levé | il | eût | levé |
| ns | lèverions | ns | aurions | levé | ns | eussions | levé |
| vs | lèveriez | vs | auriez | levé | vs | eussiez | levé |
| ils | lèveraient | ils | auraient | levé | ils | eussent | levé |

## IMPÉRATIF

| Présent | | | Passé | | |
|---|---|---|---|---|---|
| lève | levons | levez | aie levé | ayons levé | ayez levé |

## INFINITIF

| Présent | Passé |
|---|---|
| lever | avoir levé |

## PARTICIPE

| Présent | Passé | Passé composé |
|---|---|---|
| levant | levé, e | ayant levé |

*tableaux*

# 12 ▬▬▬▬ APPELER 1<sup>er</sup> GROUPE

La plupart des verbes en *-eler* doublent le *l* devant un *e* muet (Ex. : *j'appelle, vous appellerez, ils appelleraient*).
**Remarque** : quelques verbes en *-eler* ne doublent pas le *l*, mais prennent un accent grave. Voir modèle **13**.

| INDICATIF | | | SUBJONCTIF | | |
|---|---|---|---|---|---|
| **Présent** | **Passé composé** | | **Présent** | | |
| j' appelle | j' ai | appelé | que j' appelle | | |
| tu appelles | tu as | appelé | que tu appelles | | |
| il appelle | il a | appelé | qu' il appelle | | |
| ns appelons | ns avons | appelé | que ns appelions | | |
| vs appelez | vs avez | appelé | que vs appeliez | | |
| ils appellent | ils ont | appelé | qu' ils appellent | | |
| **Imparfait** | **Plus-que-parfait** | | **Imparfait** | | |
| j' appelais | j' avais | appelé | que j' appelasse | | |
| tu appelais | tu avais | appelé | que tu appelasses | | |
| il appelait | il avait | appelé | qu' il appelât | | |
| ns appelions | ns avions | appelé | que ns appelassions | | |
| vs appeliez | vs aviez | appelé | que vs appelassiez | | |
| ils appelaient | ils avaient | appelé | qu' ils appelassent | | |
| **Passé simple** | **Passé antérieur** | | **Passé** | | |
| j' appelai | j' eus | appelé | que j' aie | appelé | |
| tu appelas | tu eus | appelé | que tu aies | appelé | |
| il appela | il eut | appelé | qu' il ait | appelé | |
| ns appelâmes | ns eûmes | appelé | que ns ayons | appelé | |
| vs appelâtes | vs eûtes | appelé | que vs ayez | appelé | |
| ils appelèrent | ils eurent | appelé | qu' ils aient | appelé | |
| **Futur simple** | **Futur antérieur** | | **Plus-que-parfait** | | |
| j' appellerai | j' aurai | appelé | que j' eusse | appelé | |
| tu appelleras | tu auras | appelé | que tu eusses | appelé | |
| il appellera | il aura | appelé | qu' il eût | appelé | |
| ns appellerons | ns aurons | appelé | que ns eussions | appelé | |
| vs appellerez | vs aurez | appelé | que vs eussiez | appelé | |
| ils appelleront | ils auront | appelé | qu' ils eussent | appelé | |

| CONDITIONNEL | | | | | |
|---|---|---|---|---|---|
| **Présent** | **Passé 1<sup>re</sup> forme** | | **Passé 2<sup>e</sup> forme** | | |
| j' appellerais | j' aurais | appelé | j' eusse | appelé | |
| tu appellerais | tu aurais | appelé | tu eusses | appelé | |
| il appellerait | il aurait | appelé | il eût | appelé | |
| ns appellerions | ns aurions | appelé | ns eussions | appelé | |
| vs appelleriez | vs auriez | appelé | vs eussiez | appelé | |
| ils appelleraient | ils auraient | appelé | ils eussent | appelé | |

| IMPÉRATIF | | |
|---|---|---|
| **Présent** | | **Passé** |
| appelle appelons appelez | | aie appelé ayons appelé ayez appelé |

| INFINITIF | | PARTICIPE | | |
|---|---|---|---|---|
| **Présent** | **Passé** | **Présent** | **Passé** | **Passé composé** |
| appeler | avoir appelé | appelant | appelé, e | ayant appelé |

# 13 GELER 1<sup>er</sup>

GELER **1ᵉʳ GROUPE**

Quelques verbes en -*eler* ne doublent pas le *l* devant un *e* muet ; on change simplement le *e* qui précède le *l* en *è*.
Ainsi se conjuguent *celer, ciseler, démanteler, écarteler, geler, marteler, modeler, peler* et les verbes de leur famille.

| INDICATIF | | SUBJONCTIF | |
|---|---|---|---|

**Présent**
je gèle
tu gèles
il gèle
ns gelons
vs gelez
ils gèlent

**Passé composé**
j' ai gelé
tu as gelé
il a gelé
ns avons gelé
vs avez gelé
ils ont gelé

**Présent**
que je gèle
que tu gèles
qu' il gèle
que ns gelions
que vs geliez
qu' ils gèlent

**Imparfait**
je gelais
tu gelais
il gelait
ns gelions
vs geliez
ils gelaient

**Plus-que-parfait**
j' avais gelé
tu avais gelé
il avait gelé
ns avions gelé
vs aviez gelé
ils avaient gelé

**Imparfait**
que je gelasse
que tu gelasses
qu' il gelât
que ns gelassions
que vs gelassiez
qu' ils gelassent

**Passé simple**
je gelai
tu gelas
il gela
ns gelâmes
vs gelâtes
ils gelèrent

**Passé antérieur**
j' eus gelé
tu eus gelé
il eut gelé
ns eûmes gelé
vs eûtes gelé
ils eurent gelé

**Passé**
que j' aie gelé
que tu aies gelé
qu' il ait gelé
que ns ayons gelé
que vs ayez gelé
qu' ils aient gelé

**Futur simple**
je gèlerai
tu gèleras
il gèlera
ns gèlerons
vs gèlerez
ils gèleront

**Futur antérieur**
j' aurai gelé
tu auras gelé
il aura gelé
ns aurons gelé
vs aurez gelé
ils auront gelé

**Plus-que-parfait**
que j' eusse gelé
que tu eusses gelé
qu' il eût gelé
que ns eussions gelé
que vs eussiez gelé
qu' ils eussent gelé

## CONDITIONNEL

**Présent**
je gèlerais
tu gèlerais
il gèlerait
ns gèlerions
vs gèleriez
ils gèleraient

**Passé 1ʳᵉ forme**
j' aurais gelé
tu aurais gelé
il aurait gelé
ns aurions gelé
vs auriez gelé
ils auraient gelé

**Passé 2ᵉ forme**
j' eusse gelé
tu eusses gelé
il eût gelé
ns eussions gelé
vs eussiez gelé
ils eussent gelé

## IMPÉRATIF

**Présent**
gèle   gelons   gelez

**Passé**
aie gelé   ayons gelé   ayez gelé

## INFINITIF

**Présent** geler   **Passé** avoir gelé

## PARTICIPE

**Présent** gelant   **Passé** gelé, e   **Passé composé** ayant gelé

tableaux

77

La plupart des verbes en -*eter* doublent le *t* devant un *e* muet (Ex. : *je jette, vous jetterez, tu jetterais*).
**Remarque** : quelques verbes en -*eter* ne doublent pas le *t*, mais prennent un accent grave. Voir modèle **15**.

| INDICATIF | | | | SUBJONCTIF | |
|---|---|---|---|---|---|
| **Présent** | | **Passé composé** | | **Présent** | |
| je | jette | j' | ai jeté | que je | jette |
| tu | jettes | tu | as jeté | que tu | jettes |
| il | jette | il | a jeté | qu' il | jette |
| ns | jetons | ns | avons jeté | que ns | jetions |
| vs | jetez | vs | avez jeté | que vs | jetiez |
| ils | jettent | ils | ont jeté | qu' ils | jettent |
| **Imparfait** | | **Plus-que-parfait** | | **Imparfait** | |
| je | jetais | j' | avais jeté | que je | jetasse |
| tu | jetais | tu | avais jeté | que tu | jetasses |
| il | jetait | il | avait jeté | qu' il | jetât |
| ns | jetions | ns | avions jeté | que ns | jetassions |
| vs | jetiez | vs | aviez jeté | que vs | jetassiez |
| ils | jetaient | ils | avaient jeté | qu' ils | jetassent |
| **Passé simple** | | **Passé antérieur** | | **Passé** | |
| je | jetai | j' | eus jeté | que j' | aie jeté |
| tu | jetas | tu | eus jeté | que tu | aies jeté |
| il | jeta | il | eut jeté | qu' il | ait jeté |
| ns | jetâmes | ns | eûmes jeté | que ns | ayons jeté |
| vs | jetâtes | vs | eûtes jeté | que vs | ayez jeté |
| ils | jetèrent | ils | eurent jeté | qu' ils | aient jeté |
| **Futur simple** | | **Futur antérieur** | | **Plus-que-parfait** | |
| je | jetterai | j' | aurai jeté | que j' | eusse jeté |
| tu | jetteras | tu | auras jeté | que tu | eusses jeté |
| il | jettera | il | aura jeté | qu' il | eût jeté |
| ns | jetterons | ns | aurons jeté | que ns | eussions jeté |
| vs | jetterez | vs | aurez jeté | que vs | eussiez jeté |
| ils | jetteront | ils | auront jeté | qu' ils | eussent jeté |

| CONDITIONNEL | | | | | |
|---|---|---|---|---|---|
| **Présent** | | **Passé 1re forme** | | **Passé 2e forme** | |
| je | jetterais | j' | aurais jeté | j' | eusse jeté |
| tu | jetterais | tu | aurais jeté | tu | eusses jeté |
| il | jetterait | il | aurait jeté | il | eût jeté |
| ns | jetterions | ns | aurions jeté | ns | eussions jeté |
| vs | jetteriez | vs | auriez jeté | vs | eussiez jeté |
| ils | jetteraient | ils | auraient jeté | ils | eussent jeté |

| IMPÉRATIF | | | | | |
|---|---|---|---|---|---|
| **Présent** | | | **Passé** | | |
| jette | jetons | jetez | aie jeté | ayons jeté | ayez jeté |

| INFINITIF | | PARTICIPE | | |
|---|---|---|---|---|
| **Présent** | **Passé** | **Présent** | **Passé** | **Passé composé** |
| jeter | avoir jeté | jetant | jeté, e | ayant jeté |

## ACHETER

Quelques verbes en -eter ne doublent pas le t devant un e muet ; on change simplement le e qui précède le t en è.

Ainsi se conjuguent *acheter, corseter, crocheter, fileter, fureter, haleter* et les verbes de leur famille.

## INDICATIF

| Présent | | Passé composé | | |
|---|---|---|---|---|
| j' | achète | j' | ai | acheté |
| tu | achètes | tu | as | acheté |
| il | achète | il | a | acheté |
| ns | achetons | ns | avons | acheté |
| vs | achetez | vs | avez | acheté |
| ils | achètent | ils | ont | acheté |

| Imparfait | | Plus-que-parfait | | |
|---|---|---|---|---|
| j' | achetais | j' | avais | acheté |
| tu | achetais | tu | avais | acheté |
| il | achetait | il | avait | acheté |
| ns | achetions | ns | avions | acheté |
| vs | achetiez | vs | aviez | acheté |
| ils | achetaient | ils | avaient | acheté |

| Passé simple | | Passé antérieur | | |
|---|---|---|---|---|
| j' | achetai | j' | eus | acheté |
| tu | achetas | tu | eus | acheté |
| il | acheta | il | eut | acheté |
| ns | achetâmes | ns | eûmes | acheté |
| vs | achetâtes | vs | eûtes | acheté |
| ils | achetèrent | ils | eurent | acheté |

| Futur simple | | Futur antérieur | | |
|---|---|---|---|---|
| j' | achèterai | j' | aurai | acheté |
| tu | achèteras | tu | auras | acheté |
| il | achètera | il | aura | acheté |
| ns | achèterons | ns | aurons | acheté |
| vs | achèterez | vs | aurez | acheté |
| ils | achèteront | ils | auront | acheté |

## SUBJONCTIF

| Présent | | |
|---|---|---|
| que j' | achète | |
| que tu | achètes | |
| qu' il | achète | |
| que ns | achetions | |
| que vs | achetiez | |
| qu' ils | achètent | |

| Imparfait | | |
|---|---|---|
| que j' | achetasse | |
| que tu | achetasses | |
| qu' il | achetât | |
| que ns | achetassions | |
| que vs | achetassiez | |
| qu' ils | achetassent | |

| Passé | | |
|---|---|---|
| que j' | aie | acheté |
| que tu | aies | acheté |
| qu' il | ait | acheté |
| que ns | ayons | acheté |
| que vs | ayez | acheté |
| qu' ils | aient | acheté |

| Plus-que-parfait | | |
|---|---|---|
| que j' | eusse | acheté |
| que tu | eusses | acheté |
| qu' il | eût | acheté |
| que ns | eussions | acheté |
| que vs | eussiez | acheté |
| qu' ils | eussent | acheté |

## CONDITIONNEL

| Présent | | Passé 1<sup>re</sup> forme | | | Passé 2<sup>e</sup> forme | | |
|---|---|---|---|---|---|---|---|
| j' | achèterais | j' | aurais | acheté | j' | eusse | acheté |
| tu | achèterais | tu | aurais | acheté | tu | eusses | acheté |
| il | achèterait | il | aurait | acheté | il | eût | acheté |
| ns | achèterions | ns | aurions | acheté | ns | eussions | acheté |
| vs | achèteriez | vs | auriez | acheté | vs | eussiez | acheté |
| ils | achèteraient | ils | auraient | acheté | ils | eussent | acheté |

## IMPÉRATIF

| Présent | | | Passé | | |
|---|---|---|---|---|---|
| achète | achetons | achetez | aie acheté | ayons acheté | ayez acheté |

## INFINITIF

| Présent | Passé |
|---|---|
| acheter | avoir acheté |

## PARTICIPE

| Présent | Passé | Passé composé |
|---|---|---|
| achetant | acheté, e | ayant acheté |

tableaux

**PAYER**

Les verbes en -*ayer* changent le *y* de l'infinitif en *i* devant un *e* muet. Dans ce cas, le son [ j ] ne se fait pas entendre (Ex. : *je paie, ils paient, tu paieras*).

**Remarques : 1.** Les verbes en -*ayer* peuvent conserver le *y* dans toute la conjugaison même devant un *e* muet (Ex. : *je paye*) ; mais il est préférable d'aligner la conjugaison de tous les verbes en -*yer* sur le même modèle. **2.** Ne pas oublier le *i* de la terminaison qui suit le *y* du radical aux deux premières personnes du pluriel à l'imparfait de l'indicatif et au présent du subjonctif (Ex. : *nous payions*).

## INDICATIF

| Présent | | Passé composé | | |
|---|---|---|---|---|
| je | paie | j' | ai | payé |
| tu | paies | tu | as | payé |
| il | paie | il | a | payé |
| ns | payons | ns | avons | payé |
| vs | payez | vs | avez | payé |
| ils | paient | ils | ont | payé |

| Imparfait | | Plus-que-parfait | | |
|---|---|---|---|---|
| je | payais | j' | avais | payé |
| tu | payais | tu | avais | payé |
| il | payait | il | avait | payé |
| ns | payions | ns | avions | payé |
| vs | payiez | vs | aviez | payé |
| ils | payaient | ils | avaient | payé |

| Passé simple | | Passé antérieur | | |
|---|---|---|---|---|
| je | payai | j' | eus | payé |
| tu | payas | tu | eus | payé |
| il | paya | il | eut | payé |
| ns | payâmes | ns | eûmes | payé |
| vs | payâtes | vs | eûtes | payé |
| ils | payèrent | ils | eurent | payé |

| Futur simple | | Futur antérieur | | |
|---|---|---|---|---|
| je | paierai | j' | aurai | payé |
| tu | paieras | tu | auras | payé |
| il | paiera | il | aura | payé |
| ns | paierons | ns | aurons | payé |
| vs | paierez | vs | aurez | payé |
| ils | paieront | ils | auront | payé |

## SUBJONCTIF

| Présent | | |
|---|---|---|
| que je | paie | |
| que tu | paies | |
| qu' il | paie | |
| que ns | payions | |
| que vs | payiez | |
| qu' ils | paient | |

| Imparfait | | |
|---|---|---|
| que je | payasse | |
| que tu | payasses | |
| qu' il | payât | |
| que ns | payassions | |
| que vs | payassiez | |
| qu' ils | payassent | |

| Passé | | |
|---|---|---|
| que j' | aie | payé |
| que tu | aies | payé |
| qu' il | ait | payé |
| que ns | ayons | payé |
| que vs | ayez | payé |
| qu' ils | aient | payé |

| Plus-que-parfait | | |
|---|---|---|
| que j' | eusse | payé |
| que tu | eusses | payé |
| qu' il | eût | payé |
| que ns | eussions | payé |
| que vs | eussiez | payé |
| qu' ils | eussent | payé |

## CONDITIONNEL

| Présent | | Passé 1ʳᵉ forme | | | Passé 2ᵉ forme | | |
|---|---|---|---|---|---|---|---|
| je | paierais | j' | aurais | payé | j' | eusse | payé |
| tu | paierais | tu | aurais | payé | tu | eusses | payé |
| il | paierait | il | aurait | payé | il | eût | payé |
| ns | paierions | ns | aurions | payé | ns | eussions | payé |
| vs | paieriez | vs | auriez | payé | vs | eussiez | payé |
| ils | paieraient | ils | auraient | payé | ils | eussent | payé |

## IMPÉRATIF

| Présent | | | Passé | | |
|---|---|---|---|---|---|
| paie | payons | payez | aie payé | ayons payé | ayez payé |

## INFINITIF

| Présent | Passé |
|---|---|
| payer | avoir payé |

## PARTICIPE

| Présent | Passé | Passé composé |
|---|---|---|
| payant | payé, e | ayant payé |

## ESSUYER

Les verbes en -*uyer* changent le *y* de l'infinitif en *i* devant un *e* muet. Dans ce cas, le son [ j ] ne se fait pas entendre (Ex. : *j'essuie, tu essuieras*).

**Remarque :** ne pas oublier le *i* de la terminaison qui suit le *y* du radical aux deux premières personnes du pluriel à l'imparfait de l'indicatif et au présent du subjonctif (Ex. : *nous essuyions, vous essuyiez*).

## INDICATIF / SUBJONCTIF

| Présent | | Passé composé | | | Présent | | |
|---|---|---|---|---|---|---|---|
| j' | essuie | j' | ai | essuyé | que j' | essuie | |
| tu | essuies | tu | as | essuyé | que tu | essuies | |
| il | essuie | il | a | essuyé | qu' il | essuie | |
| ns | essuyons | ns | avons | essuyé | que ns | essuyions | |
| vs | essuyez | vs | avez | essuyé | que vs | essuyiez | |
| ils | essuient | ils | ont | essuyé | qu' ils | essuient | |
| **Imparfait** | | **Plus-que-parfait** | | | **Imparfait** | | |
| j' | essuyais | j' | avais | essuyé | que j' | essuyasse | |
| tu | essuyais | tu | avais | essuyé | que tu | essuyasses | |
| il | essuyait | il | avait | essuyé | qu' il | essuyât | |
| ns | essuyions | ns | avions | essuyé | que ns | essuyassions | |
| vs | essuyiez | vs | aviez | essuyé | que vs | essuyassiez | |
| ils | essuyaient | ils | avaient | essuyé | qu' ils | essuyassent | |
| **Passé simple** | | **Passé antérieur** | | | **Passé** | | |
| j' | essuyai | j' | eus | essuyé | que j' | aie | essuyé |
| tu | essuyas | tu | eus | essuyé | que tu | aies | essuyé |
| il | essuya | il | eut | essuyé | qu' il | ait | essuyé |
| ns | essuyâmes | ns | eûmes | essuyé | que ns | ayons | essuyé |
| vs | essuyâtes | vs | eûtes | essuyé | que vs | ayez | essuyé |
| ils | essuyèrent | ils | eurent | essuyé | qu' ils | aient | essuyé |
| **Futur simple** | | **Futur antérieur** | | | **Plus-que-parfait** | | |
| j' | essuierai | j' | aurai | essuyé | que j' | eusse | essuyé |
| tu | essuieras | tu | auras | essuyé | que tu | eusses | essuyé |
| il | essuiera | il | aura | essuyé | qu' il | eût | essuyé |
| ns | essuierons | ns | aurons | essuyé | que ns | eussions | essuyé |
| vs | essuierez | vs | aurez | essuyé | que vs | eussiez | essuyé |
| ils | essuieront | ils | auront | essuyé | qu' ils | eussent | essuyé |

## CONDITIONNEL

| Présent | | Passé 1ʳᵉ forme | | | Passé 2ᵉ forme | | |
|---|---|---|---|---|---|---|---|
| j' | essuierais | j' | aurais | essuyé | j' | eusse | essuyé |
| tu | essuierais | tu | aurais | essuyé | tu | eusses | essuyé |
| il | essuierait | il | aurait | essuyé | il | eût | essuyé |
| ns | essuierions | ns | aurions | essuyé | ns | eussions | essuyé |
| vs | essuieriez | vs | auriez | essuyé | vs | eussiez | essuyé |
| ils | essuieraient | ils | auraient | essuyé | ils | eussent | essuyé |

## IMPÉRATIF

| Présent | | | Passé | | |
|---|---|---|---|---|---|
| essuie | essuyons | essuyez | aie essuyé | ayons essuyé | ayez essuyé |

## INFINITIF / PARTICIPE

| Présent | Passé | Présent | Passé | Passé composé |
|---|---|---|---|---|
| essuyer | avoir essuyé | essuyant | essuyé, e | ayant essuyé |

tableaux

Les verbes en -oyer changent le y de l'infinitif en i devant un e muet. Dans ce cas, le son [j] ne se fait pas entendre (Ex. : j'emploierais, ils emploient).
**Remarques : 1.** Ne pas oublier le i de la terminaison qui suit le y du radical aux deux premières personnes du pluriel à l'imparfait de l'indicatif et au présent du subjonctif (Ex. : nous employions, vous employiez.) **2.** Envoyer est irrégulier. Voir modèle **19.**

| INDICATIF | | | | SUBJONCTIF | |
|---|---|---|---|---|---|
| **Présent** | | **Passé composé** | | **Présent** | |
| j' emploie | | j' ai | employé | que j' emploie | |
| tu emploies | | tu as | employé | que tu emploies | |
| il emploie | | il a | employé | qu' il emploie | |
| ns employons | | ns avons | employé | que ns employions | |
| vs employez | | vs avez | employé | que vs employiez | |
| ils emploient | | ils ont | employé | qu' ils emploient | |
| **Imparfait** | | **Plus-que-parfait** | | **Imparfait** | |
| j' employais | | j' avais | employé | que j' employasse | |
| tu employais | | tu avais | employé | que tu employasses | |
| il employait | | il avait | employé | qu' il employât | |
| ns employions | | ns avions | employé | que ns employassions | |
| vs employiez | | vs aviez | employé | que vs employassiez | |
| ils employaient | | ils avaient | employé | qu' ils employassent | |
| **Passé simple** | | **Passé antérieur** | | **Passé** | |
| j' employai | | j' eus | employé | que j' aie | employé |
| tu employas | | tu eus | employé | que tu aies | employé |
| il employa | | il eut | employé | qu' il ait | employé |
| ns employâmes | | ns eûmes | employé | que ns ayons | employé |
| vs employâtes | | vs eûtes | employé | que vs ayez | employé |
| ils employèrent | | ils eurent | employé | qu' ils aient | employé |
| **Futur simple** | | **Futur antérieur** | | **Plus-que-parfait** | |
| j' emploierai | | j' aurai | employé | que j' eusse | employé |
| tu emploieras | | tu auras | employé | que tu eusses | employé |
| il emploiera | | il aura | employé | qu' il eût | employé |
| ns emploierons | | ns aurons | employé | que ns eussions | employé |
| vs emploierez | | vs aurez | employé | que vs eussiez | employé |
| ils emploieront | | ils auront | employé | qu' ils eussent | employé |

| CONDITIONNEL | | | | | |
|---|---|---|---|---|---|
| **Présent** | | **Passé 1ʳᵉ forme** | | **Passé 2ᵉ forme** | |
| j' emploierais | | j' aurais | employé | j' eusse | employé |
| tu emploierais | | tu aurais | employé | tu eusses | employé |
| il emploierait | | il aurait | employé | il eût | employé |
| ns emploierions | | ns aurions | employé | ns eussions | employé |
| vs emploieriez | | vs auriez | employé | vs eussiez | employé |
| ils emploieraient | | ils auraient | employé | ils eussent | employé |

| IMPÉRATIF | | | |
|---|---|---|---|
| **Présent** | | **Passé** | |
| emploie  employons  employez | | aie employé  ayons employé  ayez employé | |

| INFINITIF | | PARTICIPE | | |
|---|---|---|---|---|
| **Présent** | **Passé** | **Présent** | **Passé** | **Passé composé** |
| employer | avoir employé | employant | employé, e | ayant employé |

*Envoyer* et *renvoyer* sont irréguliers au futur simple et au présent du conditionnel. Les terminaisons s'ajoutent non pas au radical de l'infinitif, mais à un autre radical : *enverr-* et *renverr-*). Pour les autres temps, ils se conjuguent comme *employer* (voir modèle **18**).

**Remarque** : ne pas oublier le *i* de la terminaison qui suit le *y* du radical aux deux premières personnes du pluriel à l'imparfait de l'indicatif et au présent du subjonctif (Ex. : *nous envoyions, vous envoyiez*).

## INDICATIF

| Présent | | Passé composé | | |
|---|---|---|---|---|
| j' | envoie | j' | ai | envoyé |
| tu | envoies | tu | as | envoyé |
| il | envoie | il | a | envoyé |
| ns | envoyons | ns | avons | envoyé |
| vs | envoyez | vs | avez | envoyé |
| ils | envoient | ils | ont | envoyé |

| Imparfait | | Plus-que-parfait | | |
|---|---|---|---|---|
| j' | envoyais | j' | avais | envoyé |
| tu | envoyais | tu | avais | envoyé |
| il | envoyait | il | avait | envoyé |
| ns | envoyions | ns | avions | envoyé |
| vs | envoyiez | vs | aviez | envoyé |
| ils | envoyaient | ils | avaient | envoyé |

| Passé simple | | Passé antérieur | | |
|---|---|---|---|---|
| j' | envoyai | j' | eus | envoyé |
| tu | envoyas | tu | eus | envoyé |
| il | envoya | il | eut | envoyé |
| ns | envoyâmes | ns | eûmes | envoyé |
| vs | envoyâtes | vs | eûtes | envoyé |
| ils | envoyèrent | ils | eurent | envoyé |

| Futur simple | | Futur antérieur | | |
|---|---|---|---|---|
| j' | enverrai | j' | aurai | envoyé |
| tu | enverras | tu | auras | envoyé |
| il | enverra | il | aura | envoyé |
| ns | enverrons | ns | aurons | envoyé |
| vs | enverrez | vs | aurez | envoyé |
| ils | enverront | ils | auront | envoyé |

## SUBJONCTIF

| Présent | | |
|---|---|---|
| que j' | envoie | |
| que tu | envoies | |
| qu' il | envoie | |
| que ns | envoyions | |
| que vs | envoyiez | |
| qu' ils | envoient | |

| Imparfait | | |
|---|---|---|
| que j' | envoyasse | |
| que tu | envoyasses | |
| qu' il | envoyât | |
| que ns | envoyassions | |
| que vs | envoyassiez | |
| qu' ils | envoyassent | |

| Passé | | |
|---|---|---|
| que j' | aie | envoyé |
| que tu | aies | envoyé |
| qu' il | ait | envoyé |
| que ns | ayons | envoyé |
| que vs | ayez | envoyé |
| qu' ils | aient | envoyé |

| Plus-que-parfait | | |
|---|---|---|
| que j' | eusse | envoyé |
| que tu | eusses | envoyé |
| qu' il | eût | envoyé |
| que ns | eussions | envoyé |
| que vs | eussiez | envoyé |
| qu' ils | eussent | envoyé |

## CONDITIONNEL

| Présent | | Passé 1<sup>re</sup> forme | | | Passé 2<sup>e</sup> forme | | |
|---|---|---|---|---|---|---|---|
| j' | enverrais | j' | aurais | envoyé | j' | eusse | envoyé |
| tu | enverrais | tu | aurais | envoyé | tu | eusses | envoyé |
| il | enverrait | il | aurait | envoyé | il | eût | envoyé |
| ns | enverrions | ns | aurions | envoyé | ns | eussions | envoyé |
| vs | enverriez | vs | auriez | envoyé | vs | eussiez | envoyé |
| ils | enverraient | ils | auraient | envoyé | ils | eussent | envoyé |

## IMPÉRATIF

| Présent | | | Passé | | |
|---|---|---|---|---|---|
| envoie | envoyons | envoyez | aie envoyé | ayons envoyé | ayez envoyé |

## INFINITIF

| Présent | Passé |
|---|---|
| envoyer | avoir envoyé |

## PARTICIPE

| Présent | Passé | Passé composé |
|---|---|---|
| envoyant | envoyé, e | ayant envoyé |

tableaux

Tous les verbes du 2ᵉ groupe ont les mêmes terminaisons que le verbe modèle *finir*. On intercale *-iss-* entre le radical et la terminaison pour certaines formes (Ex. : *nous finissons, je finissais, finissant*).

**Remarque** : bien qu'ayant un infinitif en *-re*, *bruire* et *maudire* se conjuguent comme *finir*. *Bruire* ne s'emploie qu'à la 3ᵉ personne *(il bruit, elle bruissent)*. Le participe passé de *maudire* s'écrit avec un *t* : *maudit* (voir modèle **74**).

## INDICATIF

| Présent | | Passé composé | | | Présent (SUBJONCTIF) | | |
|---|---|---|---|---|---|---|---|
| je | finis | j' | ai | fini | que je | finisse | |
| tu | finis | tu | as | fini | que tu | finisses | |
| il | finit | il | a | fini | qu' il | finisse | |
| ns | finissons | ns | avons | fini | que ns | finissions | |
| vs | finissez | vs | avez | fini | que vs | finissiez | |
| ils | finissent | ils | ont | fini | qu' ils | finissent | |

**Imparfait** / **Plus-que-parfait** / **Imparfait (subj.)**

| je | finissais | j' | avais | fini | que je | finisse | |
|---|---|---|---|---|---|---|---|
| tu | finissais | tu | avais | fini | que tu | finisses | |
| il | finissait | il | avait | fini | qu' il | finît | |
| ns | finissions | ns | avions | fini | que ns | finissions | |
| vs | finissiez | vs | aviez | fini | que vs | finissiez | |
| ils | finissaient | ils | avaient | fini | qu' ils | finissent | |

**Passé simple** / **Passé antérieur** / **Passé (subj.)**

| je | finis | j' | eus | fini | que j' | aie | fini |
|---|---|---|---|---|---|---|---|
| tu | finis | tu | eus | fini | que tu | aies | fini |
| il | finit | il | eut | fini | qu' il | ait | fini |
| ns | finîmes | ns | eûmes | fini | que ns | ayons | fini |
| vs | finîtes | vs | eûtes | fini | que vs | ayez | fini |
| ils | finirent | ils | eurent | fini | qu' ils | aient | fini |

**Futur simple** / **Futur antérieur** / **Plus-que-parfait (subj.)**

| je | finirai | j' | aurai | fini | que j' | eusse | fini |
|---|---|---|---|---|---|---|---|
| tu | finiras | tu | auras | fini | que tu | eusses | fini |
| il | finira | il | aura | fini | qu' il | eût | fini |
| ns | finirons | ns | aurons | fini | que ns | eussions | fini |
| vs | finirez | vs | aurez | fini | que vs | eussiez | fini |
| ils | finiront | ils | auront | fini | qu' ils | eussent | fini |

## CONDITIONNEL

| Présent | | Passé 1ʳᵉ forme | | | Passé 2ᵉ forme | | |
|---|---|---|---|---|---|---|---|
| je | finirais | j' | aurais | fini | j' | eusse | fini |
| tu | finirais | tu | aurais | fini | tu | eusses | fini |
| il | finirait | il | aurait | fini | il | eût | fini |
| ns | finirions | ns | aurions | fini | ns | eussions | fini |
| vs | finiriez | vs | auriez | fini | vs | eussiez | fini |
| ils | finiraient | ils | auraient | fini | ils | eussent | fini |

## IMPÉRATIF

| Présent | | | Passé | | |
|---|---|---|---|---|---|
| finis | finissons | finissez | aie fini | ayons fini | ayez fini |

## INFINITIF / PARTICIPE

| Présent | Passé | Présent | Passé | Passé composé |
|---|---|---|---|---|
| finir | avoir fini | finissant | fini, e | ayant fini |

*Haïr* garde le tréma dans toute sa conjugaison, sauf aux personnes du singulier du présent de l'indicatif et de l'impératif : *je hais, tu hais, il hait, hais*. C'est le seul verbe du 2ᵉ groupe dont le passé simple singulier se distingue du présent de l'indicatif singulier, à la fois par la graphie – présence d'un tréma au passé simple – et la prononciation. La présence du tréma étant incompatible avec celle de l'accent circonflexe, on écrit *nous haïmes, vous haïtes* aux deux premières personnes du pluriel du passé simple et *qu'il haït* à la 3ᵉ personne du singulier de l'imparfait du subjonctif.

| INDICATIF | | | SUBJONCTIF | | |
|---|---|---|---|---|---|
| **Présent** | **Passé composé** | | **Présent** | | |
| je hais | j' ai | haï | que je | haïsse | |
| tu hais | tu as | haï | que tu | haïsses | |
| il hait | il a | haï | qu' il | haïsse | |
| ns haïssons | ns avons | haï | que ns | haïssions | |
| vs haïssez | vs avez | haï | que vs | haïssiez | |
| ils haïssent | ils ont | haï | qu' ils | haïssent | |
| **Imparfait** | **Plus-que-parfait** | | **Imparfait** | | |
| je haïssais | j' avais | haï | que je | haïsse | |
| tu haïssais | tu avais | haï | que tu | haïsses | |
| il haïssait | il avait | haï | qu' il | haït | |
| ns haïssions | ns avions | haï | que ns | haïssions | |
| vs haïssiez | vs aviez | haï | que vs | haïssiez | |
| ils haïssaient | ils avaient | haï | qu' ils | haïssent | |
| **Passé simple** | **Passé antérieur** | | **Passé** | | |
| je haïs | j' eus | haï | que j' | aie | haï |
| tu haïs | tu eus | haï | que tu | aies | haï |
| il haït | il eut | haï | qu' il | ait | haï |
| ns haïmes | ns eûmes | haï | que ns | ayons | haï |
| vs haïtes | vs eûtes | haï | que vs | ayez | haï |
| ils haïrent | ils eurent | haï | qu' ils | aient | haï |
| **Futur simple** | **Futur antérieur** | | **Plus-que-parfait** | | |
| je haïrai | j' aurai | haï | que j' | eusse | haï |
| tu haïras | tu auras | haï | que tu | eusses | haï |
| il haïra | il aura | haï | qu' il | eût | haï |
| ns haïrons | ns aurons | haï | que ns | eussions | haï |
| vs haïrez | vs aurez | haï | que vs | eussiez | haï |
| ils haïront | ils auront | haï | qu' ils | eussent | haï |

| CONDITIONNEL | | | | | |
|---|---|---|---|---|---|
| **Présent** | **Passé 1ʳᵉ forme** | | **Passé 2ᵉ forme** | | |
| je haïrais | j' aurais | haï | j' | eusse | haï |
| tu haïrais | tu aurais | haï | tu | eusses | haï |
| il haïrait | il aurait | haï | il | eût | haï |
| ns haïrions | ns aurions | haï | ns | eussions | haï |
| vs haïriez | vs auriez | haï | vs | eussiez | haï |
| ils haïraient | ils auraient | haï | ils | eussent | haï |

| IMPÉRATIF | | | | | |
|---|---|---|---|---|---|
| **Présent** | | | **Passé** | | |
| hais | haïssons | haïssez | aie haï | ayons haï | ayez haï |

| INFINITIF | | PARTICIPE | | |
|---|---|---|---|---|
| **Présent** | **Passé** | **Présent** | **Passé** | **Passé composé** |
| haïr | avoir haï | haïssant | haï, haïe | ayant haï |

tableaux

# 22 DORMIR

Les verbes qui se conjuguent comme *dormir* perdent la consonne finale du radical de l'infinitif aux personnes du singulier du présent de l'indicatif et de l'impératif : *je dors, tu dors, il dort, dors.* Cette consonne est présente à toutes les autres formes.

**Remarque :** le participe *dormi* est invariable, mais les autres participes s'accordent (*partis, desservie,* etc.).

| INDICATIF | | SUBJONCTIF | |
|---|---|---|---|

**Présent**

je dors
tu dors
il dort
ns dormons
vs dormez
ils dorment

**Passé composé**

j' ai dormi
tu as dormi
il a dormi
ns avons dormi
vs avez dormi
ils ont dormi

**Présent**

que je dorme
que tu dormes
qu' il dorme
que ns dormions
que vs dormiez
qu' ils dorment

**Imparfait**

je dormais
tu dormais
il dormait
ns dormions
vs dormiez
ils dormaient

**Plus-que-parfait**

j' avais dormi
tu avais dormi
il avait dormi
ns avions dormi
vs aviez dormi
ils avaient dormi

**Imparfait**

que je dormisse
que tu dormisses
qu' il dormît
que ns dormissions
que vs dormissiez
qu' ils dormissent

**Passé simple**

je dormis
tu dormis
il dormit
ns dormîmes
vs dormîtes
ils dormirent

**Passé antérieur**

j' eus dormi
tu eus dormi
il eut dormi
ns eûmes dormi
vs eûtes dormi
ils eurent dormi

**Passé**

que j' aie dormi
que tu aies dormi
qu' il ait dormi
que ns ayons dormi
que vs ayez dormi
qu' ils aient dormi

**Futur simple**

je dormirai
tu dormiras
il dormira
ns dormirons
vs dormirez
ils dormiront

**Futur antérieur**

j' aurai dormi
tu auras dormi
il aura dormi
ns aurons dormi
vs aurez dormi
ils auront dormi

**Plus-que-parfait**

que j' eusse dormi
que tu eusses dormi
qu' il eût dormi
que ns eussions dormi
que vs eussiez dormi
qu' ils eussent dormi

## CONDITIONNEL

**Présent**

je dormirais
tu dormirais
il dormirait
ns dormirions
vs dormiriez
ils dormiraient

**Passé 1ʳᵉ forme**

j' aurais dormi
tu aurais dormi
il aurait dormi
ns aurions dormi
vs auriez dormi
ils auraient dormi

**Passé 2ᵉ forme**

j' eusse dormi
tu eusses dormi
il eût dormi
ns eussions dormi
vs eussiez dormi
ils eussent dormi

## IMPÉRATIF

**Présent**

dors dormons dormez

**Passé**

aie dormi ayons dormi ayez dormi

| INFINITIF | | PARTICIPE | | |
|---|---|---|---|---|

**Présent** dormir **Passé** avoir dormi

**Présent** dormant **Passé** dormi **Passé composé** ayant dormi

Il est recommandé d'appliquer à *vêtir* (*dévêtir* et *revêtir*) ce modèle de conjugaison, même si on le rencontre chez certains auteurs conjugué comme un verbe du 2ᵉ groupe.

## INDICATIF

| Présent | | Passé composé | | |
|---|---|---|---|---|
| je | vêts | j' | ai | vêtu |
| tu | vêts | tu | as | vêtu |
| il | vêt | il | a | vêtu |
| ns | vêtons | ns | avons | vêtu |
| vs | vêtez | vs | avez | vêtu |
| ils | vêtent | ils | ont | vêtu |

| Imparfait | | Plus-que-parfait | | |
|---|---|---|---|---|
| je | vêtais | j' | avais | vêtu |
| tu | vêtais | tu | avais | vêtu |
| il | vêtait | il | avait | vêtu |
| ns | vêtions | ns | avions | vêtu |
| vs | vêtiez | vs | aviez | vêtu |
| ils | vêtaient | ils | avaient | vêtu |

| Passé simple | | Passé antérieur | | |
|---|---|---|---|---|
| je | vêtis | j' | eus | vêtu |
| tu | vêtis | tu | eus | vêtu |
| il | vêtit | il | eut | vêtu |
| ns | vêtîmes | ns | eûmes | vêtu |
| vs | vêtîtes | vs | eûtes | vêtu |
| ils | vêtirent | ils | eurent | vêtu |

| Futur simple | | Futur antérieur | | |
|---|---|---|---|---|
| je | vêtirai | j' | aurai | vêtu |
| tu | vêtiras | tu | auras | vêtu |
| il | vêtira | il | aura | vêtu |
| ns | vêtirons | ns | aurons | vêtu |
| vs | vêtirez | vs | aurez | vêtu |
| ils | vêtiront | ils | auront | vêtu |

## SUBJONCTIF

| Présent | | |
|---|---|---|
| que je | vête | |
| que tu | vêtes | |
| qu' il | vête | |
| que ns | vêtions | |
| que vs | vêtiez | |
| qu' ils | vêtent | |

| Imparfait | | |
|---|---|---|
| que je | vêtisse | |
| que tu | vêtisses | |
| qu' il | vêtît | |
| que ns | vêtissions | |
| que vs | vêtissiez | |
| qu' ils | vêtissent | |

| Passé | | |
|---|---|---|
| que j' | aie | vêtu |
| que tu | aies | vêtu |
| qu' il | ait | vêtu |
| que ns | ayons | vêtu |
| que vs | ayez | vêtu |
| qu' ils | aient | vêtu |

| Plus-que-parfait | | |
|---|---|---|
| que j' | eusse | vêtu |
| que tu | eusses | vêtu |
| qu' il | eût | vêtu |
| que ns | eussions | vêtu |
| que vs | eussiez | vêtu |
| qu' ils | eussent | vêtu |

## CONDITIONNEL

| Présent | | Passé 1ʳᵉ forme | | | Passé 2ᵉ forme | | |
|---|---|---|---|---|---|---|---|
| je | vêtirais | j' | aurais | vêtu | j' | eusse | vêtu |
| tu | vêtirais | tu | aurais | vêtu | tu | eusses | vêtu |
| il | vêtirait | il | aurait | vêtu | il | eût | vêtu |
| ns | vêtirions | ns | aurions | vêtu | ns | eussions | vêtu |
| vs | vêtiriez | vs | auriez | vêtu | vs | eussiez | vêtu |
| ils | vêtiraient | ils | auraient | vêtu | ils | eussent | vêtu |

## IMPÉRATIF

| Présent | | | Passé | | |
|---|---|---|---|---|---|
| vêts | vêtons | vêtez | aie vêtu | ayons vêtu | ayez vêtu |

## INFINITIF

| Présent | Passé |
|---|---|
| vêtir | avoir vêtu |

## PARTICIPE

| Présent | Passé | Passé composé |
|---|---|---|
| vêtant | vêtu, e | ayant vêtu |

tableaux

# 24 ━━━━ BOUILLIR 3ᵉ GROUPE

Le verbe *bouillir* perd *-ill-* [j] aux personnes du singulier du présent de l'indicatif et de l'impératif : *je bous, tu bous, il bout, bous.* On retrouve *-ill-* à toutes les autres formes.

| INDICATIF | | | | SUBJONCTIF | | |
|---|---|---|---|---|---|---|
| **Présent** | | **Passé composé** | | **Présent** | | |
| je | **bous** | j' | ai bouilli | que | je | bouille |
| tu | **bous** | tu | as bouilli | que | tu | bouilles |
| il | **bout** | il | a bouilli | qu' | il | bouille |
| ns | bouillons | ns | avons bouilli | que | ns | bouillions |
| vs | bouillez | vs | avez bouilli | que | vs | bouilliez |
| ils | bouillent | ils | ont bouilli | qu' | ils | bouillent |
| **Imparfait** | | **Plus-que-parfait** | | **Imparfait** | | |
| je | bouillais | j' | avais bouilli | que | je | bouillisse |
| tu | bouillais | tu | avais bouilli | que | tu | bouillisses |
| il | bouillait | il | avait bouilli | qu' | il | bouillît |
| ns | bouillions | ns | avions bouilli | que | ns | bouillissions |
| vs | bouilliez | vs | aviez bouilli | que | vs | bouillissiez |
| ils | bouillaient | ils | avaient bouilli | qu' | ils | bouillissent |
| **Passé simple** | | **Passé antérieur** | | **Passé** | | |
| je | bouillis | j' | eus bouilli | que | j' | aie bouilli |
| tu | bouillis | tu | eus bouilli | que | tu | aies bouilli |
| il | bouillit | il | eut bouilli | qu' | il | ait bouilli |
| ns | bouillîmes | ns | eûmes bouilli | que | ns | ayons bouilli |
| vs | bouillîtes | vs | eûtes bouilli | que | vs | ayez bouilli |
| ils | bouillirent | ils | eurent bouilli | qu' | ils | aient bouilli |
| **Futur simple** | | **Futur antérieur** | | **Plus-que-parfait** | | |
| je | bouillirai | j' | aurai bouilli | que | j' | eusse bouilli |
| tu | bouilliras | tu | auras bouilli | que | tu | eusses bouilli |
| il | bouillira | il | aura bouilli | qu' | il | eût bouilli |
| ns | bouillirons | ns | aurons bouilli | que | ns | eussions bouilli |
| vs | bouillirez | vs | aurez bouilli | que | vs | eussiez bouilli |
| ils | bouilliront | ils | auront bouilli | qu' | ils | eussent bouilli |

| CONDITIONNEL | | | | | |
|---|---|---|---|---|---|
| **Présent** | | **Passé 1ʳᵉ forme** | | **Passé 2ᵉ forme** | |
| je | bouillirais | j' | aurais bouilli | j' | eusse bouilli |
| tu | bouillirais | tu | aurais bouilli | tu | eusses bouilli |
| il | bouillirait | il | aurait bouilli | il | eût bouilli |
| ns | bouillirions | ns | aurions bouilli | ns | eussions bouilli |
| vs | bouilliriez | vs | auriez bouilli | vs | eussiez bouilli |
| ils | bouilliraient | ils | auraient bouilli | ils | eussent bouilli |

| IMPÉRATIF | | | | |
|---|---|---|---|---|
| **Présent** | | | **Passé** | |
| **bous** | bouillons | bouillez | aie bouilli | ayons bouilli ayez bouilli |

| INFINITIF | | PARTICIPE | | |
|---|---|---|---|---|
| **Présent** | **Passé** | **Présent** | **Passé** | **Passé composé** |
| bouillir | avoir bouilli | bouillant | bouilli, e | ayant bouilli |

# 25 ▰▰▰▰  COURIR  3ᵉ GROUPE

Les verbes qui se conjuguent sur ce modèle ont la particularité de former leur futur simple et leur présent du conditionnel sur le radical *courr-*, et non sur celui de l'infinitif (Ex. : *je* **courr**ai, *vous* **courr**iez).
Tous les verbes de la famille de *courir* (*parcourir, encourir*, etc.) se conjuguent sur ce modèle.
Attention aux formes du singulier du présent de l'indicatif et du présent du subjonctif qui sont homophones, mais avec des terminaisons différentes.

## INDICATIF / SUBJONCTIF

| INDICATIF | | SUBJONCTIF |
|---|---|---|
| **Présent** | **Passé composé** | **Présent** |
| je cours | j' ai couru | que je coure |
| tu cours | tu as couru | que tu coures |
| il court | il a couru | qu' il coure |
| ns courons | ns avons couru | que ns courions |
| vs courez | vs avez couru | que vs couriez |
| ils courent | ils ont couru | qu' ils courent |
| **Imparfait** | **Plus-que-parfait** | **Imparfait** |
| je courais | j' avais couru | que je courusse |
| tu courais | tu avais couru | que tu courusses |
| il courait | il avait couru | qu' il courût |
| ns courions | ns avions couru | que ns courussions |
| vs couriez | vs aviez couru | que vs courussiez |
| ils couraient | ils avaient couru | qu' ils courussent |
| **Passé simple** | **Passé antérieur** | **Passé** |
| je courus | j' eus couru | que j' aie couru |
| tu courus | tu eus couru | que tu aies couru |
| il courut | il eut couru | qu' il ait couru |
| ns courûmes | ns eûmes couru | que ns ayons couru |
| vs courûtes | vs eûtes couru | que vs ayez couru |
| ils coururent | ils eurent couru | qu' ils aient couru |
| **Futur simple** | **Futur antérieur** | **Plus-que-parfait** |
| je courrai | j' aurai couru | que j' eusse couru |
| tu courras | tu auras couru | que tu eusses couru |
| il courra | il aura couru | qu' il eût couru |
| ns courrons | ns aurons couru | que ns eussions couru |
| vs courrez | vs aurez couru | que vs eussiez couru |
| ils courront | ils auront couru | qu' ils eussent couru |

## CONDITIONNEL

| Présent | Passé 1ʳᵉ forme | Passé 2ᵉ forme |
|---|---|---|
| je courrais | j' aurais couru | j' eusse couru |
| tu courrais | tu aurais couru | tu eusses couru |
| il courrait | il aurait couru | il eût couru |
| ns courrions | ns aurions couru | ns eussions couru |
| vs courriez | vs auriez couru | vs eussiez couru |
| ils courraient | ils auraient couru | ils eussent couru |

## IMPÉRATIF

| Présent | Passé |
|---|---|
| cours courons courez | aie couru ayons couru ayez couru |

## INFINITIF / PARTICIPE

| INFINITIF | | PARTICIPE | | |
|---|---|---|---|---|
| Présent | Passé | Présent | Passé | Passé composé |
| courir | avoir couru | courant | couru, e | ayant couru |

Le verbe *mourir* a la particularité de former son futur simple et son présent du conditionnel sur le radical *mourr-*, et non sur celui de l'infinitif (Ex. : je **mourr**ais, ils **mourr**ont). Au présent de l'indicatif, du subjonctif et de l'impératif, l'alternance des sons *eu/o* [œ/u] se fait selon que la terminaison est muette ou non (Ex. : je m**eu**rs, nous m**ou**rons). **Remarques : 1.** *Mourir* est le seul verbe à se conjuguer ainsi. **2.** Aux formes composées, il s'emploie toujours avec l'auxiliaire *être* ; participe passé : *mort*.

## INDICATIF — SUBJONCTIF

| Présent | Passé composé | Présent |
|---|---|---|
| je meurs | je suis mort | que je meure |
| tu meurs | tu es mort | que tu meures |
| il meurt | il est mort | qu' il meure |
| ns mourons | ns sommes morts | que ns mourions |
| vs mourez | vs êtes morts | que vs mouriez |
| ils meurent | ils sont morts | qu' ils meurent |

| Imparfait | Plus-que-parfait | Imparfait |
|---|---|---|
| je mourais | j' étais mort | que je mourusse |
| tu mourais | tu étais mort | que tu mourusses |
| il mourait | il était mort | qu' il mourût |
| ns mourions | ns étions morts | que ns mourussions |
| vs mouriez | vs étiez morts | que vs mourussiez |
| ils mouraient | ils étaient morts | qu' ils mourussent |

| Passé simple | Passé antérieur | Passé |
|---|---|---|
| je mourus | je fus mort | que je sois mort |
| tu mourus | tu fus mort | que tu sois mort |
| il mourut | il fut mort | qu' il soit mort |
| ns mourûmes | ns fûmes morts | que ns soyons morts |
| vs mourûtes | vs fûtes morts | que vs soyez morts |
| ils moururent | ils furent morts | qu' ils soient morts |

| Futur simple | Futur antérieur | Plus-que-parfait |
|---|---|---|
| je mourrai | je serai mort | que je fusse mort |
| tu mourras | tu seras mort | que tu fusses mort |
| il mourra | il sera mort | qu' il fût mort |
| ns mourrons | ns serons morts | que ns fussions morts |
| vs mourrez | vs serez morts | que vs fussiez morts |
| ils mourront | ils seront morts | qu' ils fussent morts |

## CONDITIONNEL

| Présent | Passé 1ʳᵉ forme | Passé 2ᵉ forme |
|---|---|---|
| je mourrais | je serais mort | je fusse mort |
| tu mourrais | tu serais mort | tu fusses mort |
| il mourrait | il serait mort | il fût mort |
| ns mourrions | ns serions morts | ns fussions morts |
| vs mourriez | vs seriez morts | vs fussiez morts |
| ils mourraient | ils seraient morts | ils fussent morts |

## IMPÉRATIF

| Présent | | | Passé | | |
|---|---|---|---|---|---|
| meurs | mourons | mourez | sois mort | soyons morts | soyez morts |

## INFINITIF — PARTICIPE

| Présent | Passé | Présent | Passé | Passé composé |
|---|---|---|---|---|
| mourir | être mort | mourant | mort, te | étant mort |

Tous les verbes en -enir sont de la famille de venir ou de tenir et se conjuguent sur ce modèle.

Aux deux premières personnes du pluriel du passé simple, ne pas oublier l'accent circonflexe sur le i bien qu'il soit placé devant deux consonnes.

Remarque : advenir ne s'emploie qu'à la 3ᵉ personne du singulier et du pluriel.

| INDICATIF | | SUBJONCTIF | |
|---|---|---|---|
| **Présent** | **Passé composé** | **Présent** | |
| je viens | je suis venu | que je vienne | |
| tu viens | tu es venu | que tu viennes | |
| il vient | il est venu | qu' il vienne | |
| ns venons | ns sommes venus | que ns venions | |
| vs venez | vs êtes venus | que vs veniez | |
| ils viennent | ils sont venus | qu' ils viennent | |
| **Imparfait** | **Plus-que-parfait** | **Imparfait** | |
| je venais | j' étais venu | que je vinsse | |
| tu venais | tu étais venu | que tu vinsses | |
| il venait | il était venu | qu' il vînt | |
| ns venions | ns étions venus | que ns vinssions | |
| vs veniez | vs étiez venus | que vs vinssiez | |
| ils venaient | ils étaient venus | qu' ils vinssent | |
| **Passé simple** | **Passé antérieur** | **Passé** | |
| je vins | je fus venu | que je sois venu | |
| tu vins | tu fus venu | que tu sois venu | |
| il vint | il fut venu | qu' il soit venu | |
| ns vînmes | ns fûmes venus | que ns soyons venus | |
| vs vîntes | vs fûtes venus | que vs soyez venus | |
| ils vinrent | ils furent venus | qu' ils soient venus | |
| **Futur simple** | **Futur antérieur** | **Plus-que-parfait** | |
| je viendrai | je serai venu | que je fusse venu | |
| tu viendras | tu seras venu | que tu fusses venu | |
| il viendra | il sera venu | qu' il fût venu | |
| ns viendrons | ns serons venus | que ns fussions venus | |
| vs viendrez | vs serez venus | que vs fussiez venus | |
| ils viendront | ils seront venus | qu' ils fussent venus | |

| CONDITIONNEL | | |
|---|---|---|
| **Présent** | **Passé 1ʳᵉ forme** | **Passé 2ᵉ forme** |
| je viendrais | je serais venu | je fusse venu |
| tu viendrais | tu serais venu | tu fusses venu |
| il viendrait | il serait venu | il fût venu |
| ns viendrions | ns serions venus | ns fussions venus |
| vs viendriez | vs seriez venus | vs fussiez venus |
| ils viendraient | ils seraient venus | ils fussent venus |

| IMPÉRATIF | | | |
|---|---|---|---|
| **Présent** | | | **Passé** |
| viens | venons | venez | sois venu soyons venus soyez venus |

| INFINITIF | | PARTICIPE | | |
|---|---|---|---|---|
| **Présent** | **Passé** | **Présent** | **Passé** | **Passé composé** |
| venir | être venu | venant | venu, e | étant venu |

tableaux

Les formes dont les terminaisons sont muettes se construisent sur le radica
-quier- (Ex. : j'acquiers, ils acquièrent, qu'il acquière) ; celles dont les terminaison
s'entendent se construisent sur le radical -quér- (Ex. : nous acquérons, j'acquerrai).
Les verbes se conjuguant sur ce modèle sont conquérir, s'enquérir et requérir.
Ne pas confondre le participe passé acquis (souvent employé comme adjectif : u
avantage acquis) avec le substantif verbal acquit (par acquit de conscience, pou
acquit).

## INDICATIF / SUBJONCTIF

| Présent | | Passé composé | | | Présent | | |
|---|---|---|---|---|---|---|---|
| j' | acquiers | j' | ai | acquis | que | j' | acquière |
| tu | acquiers | tu | as | acquis | que | tu | acquières |
| il | acquiert | il | a | acquis | qu' | il | acquière |
| ns | acquérons | ns | avons | acquis | que | ns | acquérions |
| vs | acquérez | vs | avez | acquis | que | vs | acquériez |
| ils | acquièrent | ils | ont | acquis | qu' | ils | acquièrent |

| Imparfait | | Plus-que-parfait | | | Imparfait | | |
|---|---|---|---|---|---|---|---|
| j' | acquérais | j' | avais | acquis | que | j' | acquisse |
| tu | acquérais | tu | avais | acquis | que | tu | acquisses |
| il | acquérait | il | avait | acquis | qu' | il | acquît |
| ns | acquérions | ns | avions | acquis | que | ns | acquissions |
| vs | acquériez | vs | aviez | acquis | que | vs | acquissiez |
| ils | acquéraient | ils | avaient | acquis | qu' | ils | acquissent |

| Passé simple | | Passé antérieur | | | Passé | | | |
|---|---|---|---|---|---|---|---|---|
| j' | acquis | j' | eus | acquis | que | j' | aie | acquis |
| tu | acquis | tu | eus | acquis | que | tu | aies | acquis |
| il | acquit | il | eut | acquis | qu' | il | ait | acquis |
| ns | acquîmes | ns | eûmes | acquis | que | ns | ayons | acquis |
| vs | acquîtes | vs | eûtes | acquis | que | vs | ayez | acquis |
| ils | acquirent | ils | eurent | acquis | qu' | ils | aient | acquis |

| Futur simple | | Futur antérieur | | | Plus-que-parfait | | | |
|---|---|---|---|---|---|---|---|---|
| j' | acquerrai | j' | aurai | acquis | que | j' | eusse | acquis |
| tu | acquerras | tu | auras | acquis | que | tu | eusses | acquis |
| il | acquerra | il | aura | acquis | qu' | il | eût | acquis |
| ns | acquerrons | ns | aurons | acquis | que | ns | eussions | acquis |
| vs | acquerrez | vs | aurez | acquis | que | vs | eussiez | acquis |
| ils | acquerront | ils | auront | acquis | qu' | ils | eussent | acquis |

## CONDITIONNEL

| Présent | | Passé 1ʳᵉ forme | | | Passé 2ᵉ forme | | |
|---|---|---|---|---|---|---|---|
| j' | acquerrais | j' | aurais | acquis | j' | eusse | acquis |
| tu | acquerrais | tu | aurais | acquis | tu | eusses | acquis |
| il | acquerrait | il | aurait | acquis | il | eût | acquis |
| ns | acquerrions | ns | aurions | acquis | ns | eussions | acquis |
| vs | acquerriez | vs | auriez | acquis | vs | eussiez | acquis |
| ils | acquerraient | ils | auraient | acquis | ils | eussent | acquis |

## IMPÉRATIF

| Présent | | | Passé | | |
|---|---|---|---|---|---|
| acquiers | acquérons | acquérez | aie acquis | ayons acquis | ayez acquis |

## INFINITIF / PARTICIPE

| Présent | Passé | Présent | Passé | Passé composé |
|---|---|---|---|---|
| acquérir | avoir acquis | acquérant | acquis, se | ayant acquis |

Les verbes qui se conjuguent sur ce modèle ont des terminaisons en -e au singulier du présent de l'indicatif et du présent de l'impératif, comme les verbes du 1ᵉʳ groupe. Se conjuguent sur ce modèle *ouvrir, entrouvrir, rouvrir, couvrir, recouvrir, découvrir, redécouvrir* et *souffrir.*
À noter la forme particulière du participe passé : *offert.*

| INDICATIF | | | SUBJONCTIF | | |
|---|---|---|---|---|---|
| **Présent** | **Passé composé** | | **Présent** | | |
| j' offre | j' ai | offert | que j' | offre | |
| tu offres | tu as | offert | que tu | offres | |
| il offre | il a | offert | qu' il | offre | |
| ns offrons | ns avons | offert | que ns | offrions | |
| vs offrez | vs avez | offert | que vs | offriez | |
| ils offrent | ils ont | offert | qu' ils | offrent | |
| **Imparfait** | **Plus-que-parfait** | | **Imparfait** | | |
| j' offrais | j' avais | offert | que j' | offrisse | |
| tu offrais | tu avais | offert | que tu | offrisses | |
| il offrait | il avait | offert | qu' il | offrît | |
| ns offrions | ns avions | offert | que ns | offrissions | |
| vs offriez | vs aviez | offert | que vs | offrissiez | |
| ils offraient | ils avaient | offert | qu' ils | offrissent | |
| **Passé simple** | **Passé antérieur** | | **Passé** | | |
| j' offris | j' eus | offert | que j' | aie | offert |
| tu offris | tu eus | offert | que tu | aies | offert |
| il offrit | il eut | offert | qu' il | ait | offert |
| ns offrîmes | ns eûmes | offert | que ns | ayons | offert |
| vs offrîtes | vs eûtes | offert | que vs | ayez | offert |
| ils offrirent | ils eurent | offert | qu' ils | aient | offert |
| **Futur simple** | **Futur antérieur** | | **Plus-que-parfait** | | |
| j' offrirai | j' aurai | offert | que j' | eusse | offert |
| tu offriras | tu auras | offert | que tu | eusses | offert |
| il offrira | il aura | offert | qu' il | eût | offert |
| ns offrirons | ns aurons | offert | que ns | eussions | offert |
| vs offrirez | vs aurez | offert | que vs | eussiez | offert |
| ils offriront | ils auront | offert | qu' ils | eussent | offert |

| CONDITIONNEL | | | | | |
|---|---|---|---|---|---|
| **Présent** | **Passé 1ʳᵉ forme** | | **Passé 2ᵉ forme** | | |
| j' offrirais | j' aurais | offert | j' eusse | offert | |
| tu offrirais | tu aurais | offert | tu eusses | offert | |
| il offrirait | il aurait | offert | il eût | offert | |
| ns offririons | ns aurions | offert | ns eussions | offert | |
| vs offririez | vs auriez | offert | vs eussiez | offert | |
| ils offriraient | ils auraient | offert | ils eussent | offert | |

| IMPÉRATIF | | |
|---|---|---|
| **Présent** | | **Passé** |
| offre offrons offrez | | aie offert ayons offert ayez offert |

| INFINITIF | | PARTICIPE | | |
|---|---|---|---|---|
| **Présent** | **Passé** | **Présent** | **Passé** | **Passé composé** |
| offrir | avoir offert | offrant | offert, te | ayant offert |

*tableaux*

Se conjuguent sur ce modèle *accueillir* et *recueillir*.

Ces verbes ont des terminaisons en -e au singulier du présent de l'indicatif et d présent de l'impératif, comme les verbes du 1ᵉʳ groupe.

Le futur simple et le présent du conditionnel sont formés sur un radical en - *(je cueillerai)* et non sur la forme de l'infinitif.

## INDICATIF | SUBJONCTIF

| Présent | Passé composé | Présent |
|---|---|---|
| je cueille | j' ai cueilli | que je cueille |
| tu cueilles | tu as cueilli | que tu cueilles |
| il cueille | il a cueilli | qu' il cueille |
| ns cueillons | ns avons cueilli | que ns cueillions |
| vs cueillez | vs avez cueilli | que vs cueilliez |
| ils cueillent | ils ont cueilli | qu' ils cueillent |

| Imparfait | Plus-que-parfait | Imparfait |
|---|---|---|
| je cueillais | j' avais cueilli | que je cueillisse |
| tu cueillais | tu avais cueilli | que tu cueillisses |
| il cueillait | il avait cueilli | qu' il cueillît |
| ns cueillions | ns avions cueilli | que ns cueillissions |
| vs cueilliez | vs aviez cueilli | que vs cueillissiez |
| ils cueillaient | ils avaient cueilli | qu' ils cueillissent |

| Passé simple | Passé antérieur | Passé |
|---|---|---|
| je cueillis | j' eus cueilli | que j' aie cueilli |
| tu cueillis | tu eus cueilli | que tu aies cueilli |
| il cueillit | il eut cueilli | qu' il ait cueilli |
| ns cueillîmes | ns eûmes cueilli | que ns ayons cueilli |
| vs cueillîtes | vs eûtes cueilli | que vs ayez cueilli |
| ils cueillirent | ils eurent cueilli | qu' ils aient cueilli |

| Futur simple | Futur antérieur | Plus-que-parfait |
|---|---|---|
| je cueillerai | j' aurai cueilli | que j' eusse cueilli |
| tu cueilleras | tu auras cueilli | que tu eusses cueilli |
| il cueillera | il aura cueilli | qu' il eût cueilli |
| ns cueillerons | ns aurons cueilli | que ns eussions cueilli |
| vs cueillerez | vs aurez cueilli | que vs eussiez cueilli |
| ils cueilleront | ils auront cueilli | qu' ils eussent cueilli |

## CONDITIONNEL

| Présent | Passé 1ʳᵉ forme | Passé 2ᵉ forme |
|---|---|---|
| je cueillerais | j' aurais cueilli | j' eusse cueilli |
| tu cueillerais | tu aurais cueilli | tu eusses cueilli |
| il cueillerait | il aurait cueilli | il eût cueilli |
| ns cueillerions | ns aurions cueilli | ns eussions cueilli |
| vs cueilleriez | vs auriez cueilli | vs eussiez cueilli |
| ils cueilleraient | ils auraient cueilli | ils eussent cueilli |

## IMPÉRATIF

| Présent | | | Passé | | |
|---|---|---|---|---|---|
| cueille | cueillons | cueillez | aie cueilli | ayons cueilli | ayez cueilli |

## INFINITIF | PARTICIPE

| Présent | Passé | Présent | Passé | Passé composé |
|---|---|---|---|---|
| cueillir | avoir cueilli | cueillant | cueilli, e | ayant cueilli |

Se conjuguent sur ce modèle *tressaillir*, *saillir* (au sens de « dépasser ») et *défaillir*.
Ces verbes ont la même conjugaison que *cueillir* (voir modèle **30**), sauf au futur
simple et au présent du conditionnel qui sont en *-i* (Ex. : *j'assaillirai*, *je tressaillirai*).

## INDICATIF

| Présent | | Passé composé | | |
|---|---|---|---|---|
| j' | assaille | j' | ai | assailli |
| tu | assailles | tu | as | assailli |
| il | assaille | il | a | assailli |
| ns | assaillons | ns | avons | assailli |
| vs | assaillez | vs | avez | assailli |
| ils | assaillent | ils | ont | assailli |

| Imparfait | | Plus-que-parfait | | |
|---|---|---|---|---|
| j' | assaillais | j' | avais | assailli |
| tu | assaillais | tu | avais | assailli |
| il | assaillait | il | avait | assailli |
| ns | assaillions | ns | avions | assailli |
| vs | assailliez | vs | aviez | assailli |
| ils | assaillaient | ils | avaient | assailli |

| Passé simple | | Passé antérieur | | |
|---|---|---|---|---|
| j' | assaillis | j' | eus | assailli |
| tu | assaillis | tu | eus | assailli |
| il | assaillit | il | eut | assailli |
| ns | assaillîmes | ns | eûmes | assailli |
| vs | assaillîtes | vs | eûtes | assailli |
| ils | assaillirent | ils | eurent | assailli |

| Futur simple | | Futur antérieur | | |
|---|---|---|---|---|
| j' | assaillirai | j' | aurai | assailli |
| tu | assailliras | tu | auras | assailli |
| il | assaillira | il | aura | assailli |
| ns | assaillirons | ns | aurons | assailli |
| vs | assaillirez | vs | aurez | assailli |
| ils | assailliront | ils | auront | assailli |

## SUBJONCTIF

| Présent | | |
|---|---|---|
| que j' | assaille | |
| que tu | assailles | |
| qu' il | assaille | |
| que ns | assaillions | |
| que vs | assailliez | |
| qu' ils | assaillent | |

| Imparfait | | |
|---|---|---|
| que j' | assaillisse | |
| que tu | assaillisses | |
| qu' il | assaillît | |
| que ns | assaillissions | |
| que vs | assaillissiez | |
| qu' ils | assaillissent | |

| Passé | | |
|---|---|---|
| que j' | aie | assailli |
| que tu | aies | assailli |
| qu' il | ait | assailli |
| que ns | ayons | assailli |
| que vs | ayez | assailli |
| qu' ils | aient | assailli |

| Plus-que-parfait | | |
|---|---|---|
| que j' | eusse | assailli |
| que tu | eusses | assailli |
| qu' il | eût | assailli |
| que ns | eussions | assailli |
| que vs | eussiez | assailli |
| qu' ils | eussent | assailli |

## CONDITIONNEL

| Présent | | Passé 1ʳᵉ forme | | Passé 2ᵉ forme | |
|---|---|---|---|---|---|
| j' | assaillirais | j' | aurais assailli | j' | eusse assailli |
| tu | assaillirais | tu | aurais assailli | tu | eusses assailli |
| il | assaillirait | il | aurait assailli | il | eût assailli |
| ns | assaillirions | ns | aurions assailli | ns | eussions assailli |
| vs | assailliriez | vs | auriez assailli | vs | eussiez assailli |
| ils | assailliraient | ils | auraient assailli | ils | eussent assailli |

## IMPÉRATIF

| Présent | | | Passé | | |
|---|---|---|---|---|---|
| assaille | assaillons | assaillez | aie assailli | ayons assailli | ayez assailli |

## INFINITIF

| Présent | Passé |
|---|---|
| assaillir | avoir assailli |

## PARTICIPE

| Présent | Passé | Passé composé |
|---|---|---|
| assaillant | assailli, e | ayant assailli |

tableaux

La conjugaison d'origine du 3ᵉ groupe *(je faux, tu faux, nous faillons, vous faillez...)* n'est plus employée aujourd'hui. Ce verbe se conjugue désormais comme un verbe du 2ᵉ groupe.
Le présent et l'imparfait de l'indicatif, le présent du subjonctif et l'impératif ne sont guère utilisés.
Le participe passé *failli* est invariable.

| INDICATIF | | | | | SUBJONCTIF | | |
|---|---|---|---|---|---|---|---|
| **Présent** | | **Passé composé** | | | **Présent** | | |
| je faillis | | j' | ai | failli | que je | faillisse | |
| tu faillis | | tu | as | failli | que tu | faillisses | |
| il faillit | | il | a | failli | qu' il | faillisse | |
| ns faillissons | | ns | avons | failli | que ns | faillissions | |
| vs faillissez | | vs | avez | failli | que vs | faillissiez | |
| ils faillissent | | ils | ont | failli | qu' ils | faillissent | |
| **Imparfait** | | **Plus-que-parfait** | | | **Imparfait** | | |
| je faillissais | | j' | avais | failli | que je | faillisse | |
| tu faillissais | | tu | avais | failli | que tu | faillisses | |
| il faillissait | | il | avait | failli | qu' il | faillît | |
| ns faillissions | | ns | avions | failli | que ns | faillissions | |
| vs faillissiez | | vs | aviez | failli | que vs | faillissiez | |
| ils faillissaient | | ils | avaient | failli | qu' ils | faillissent | |
| **Passé simple** | | **Passé antérieur** | | | **Passé** | | |
| je faillis | | j' | eus | failli | que j' | aie | failli |
| tu faillis | | tu | eus | failli | que tu | aies | failli |
| il faillit | | il | eut | failli | qu' il | ait | failli |
| ns faillîmes | | ns | eûmes | failli | que ns | ayons | failli |
| vs faillîtes | | vs | eûtes | failli | que vs | ayez | failli |
| ils faillirent | | ils | eurent | failli | qu' ils | aient | failli |
| **Futur simple** | | **Futur antérieur** | | | **Plus-que-parfait** | | |
| je faillirai | | j' | aurai | failli | que j' | eusse | failli |
| tu failliras | | tu | auras | failli | que tu | eusses | failli |
| il faillira | | il | aura | failli | qu' il | eût | failli |
| ns faillirons | | ns | aurons | failli | que ns | eussions | failli |
| vs faillirez | | vs | aurez | failli | que vs | eussiez | failli |
| ils failliront | | ils | auront | failli | qu' ils | eussent | failli |

| CONDITIONNEL | | | | | |
|---|---|---|---|---|---|
| **Présent** | | **Passé 1ʳᵉ forme** | | **Passé 2ᵉ forme** | |
| je faillirais | | j' aurais failli | | j' eusse failli | |
| tu faillirais | | tu aurais failli | | tu eusses failli | |
| il faillirait | | il aurait failli | | il eût failli | |
| ns faillirions | | ns aurions failli | | ns eussions failli | |
| vs failliriez | | vs auriez failli | | vs eussiez failli | |
| ils failliraient | | ils auraient failli | | ils eussent failli | |

| IMPÉRATIF | | | | |
|---|---|---|---|---|
| **Présent** | | | **Passé** | |
| faillis | faillissons | faillissez | aie failli | ayons failli | ayez failli |

| INFINITIF | | PARTICIPE | | |
|---|---|---|---|---|
| **Présent** | **Passé** | **Présent** | **Passé** | **Passé composé** |
| faillir | avoir failli | faillissant | failli | ayant failli |

# 33 ██ FUIR 3e GROUPE

Seul le verbe *s'enfuir* se conjugue sur ce modèle.
Attention à la 3e personne du passé simple qui a bien une terminaison en -*it* comme les verbes du 3e groupe et non en -*a* comme ceux du 1er groupe.
Aux deux premières personnes du pluriel de l'imparfait de l'indicatif et du présent du subjonctif, ne pas oublier le *i* après le *y*.

## INDICATIF

| Présent | | Passé composé | | |
|---|---|---|---|---|
| je | fuis | j' | ai | fui |
| tu | fuis | tu | as | fui |
| il | fuit | il | a | fui |
| ns | fuyons | ns | avons | fui |
| vs | fuyez | vs | avez | fui |
| ils | fuient | ils | ont | fui |

| Imparfait | | Plus-que-parfait | | |
|---|---|---|---|---|
| je | fuyais | j' | avais | fui |
| tu | fuyais | tu | avais | fui |
| il | fuyait | il | avait | fui |
| ns | fuyions | ns | avions | fui |
| vs | fuyiez | vs | aviez | fui |
| ils | fuyaient | ils | avaient | fui |

| Passé simple | | Passé antérieur | | |
|---|---|---|---|---|
| je | fuis | j' | eus | fui |
| tu | fuis | tu | eus | fui |
| il | fuit | il | eut | fui |
| ns | fuîmes | ns | eûmes | fui |
| vs | fuîtes | vs | eûtes | fui |
| ils | fuirent | ils | eurent | fui |

| Futur simple | | Futur antérieur | | |
|---|---|---|---|---|
| je | fuirai | j' | aurai | fui |
| tu | fuiras | tu | auras | fui |
| il | fuira | il | aura | fui |
| ns | fuirons | ns | aurons | fui |
| vs | fuirez | vs | aurez | fui |
| ils | fuiront | ils | auront | fui |

## SUBJONCTIF

| Présent | | |
|---|---|---|
| que je | fuie | |
| que tu | fuies | |
| qu' il | fuie | |
| que ns | fuyions | |
| que vs | fuyiez | |
| qu' ils | fuient | |

| Imparfait | | |
|---|---|---|
| que je | fuisse | |
| que tu | fuisses | |
| qu' il | fuît | |
| que ns | fuissions | |
| que vs | fuissiez | |
| qu' ils | fuissent | |

| Passé | | |
|---|---|---|
| que j' | aie | fui |
| que tu | aies | fui |
| qu' il | ait | fui |
| que ns | ayons | fui |
| que vs | ayez | fui |
| qu' ils | aient | fui |

| Plus-que-parfait | | |
|---|---|---|
| que j' | eusse | fui |
| que tu | eusses | fui |
| qu' il | eût | fui |
| que ns | eussions | fui |
| que vs | eussiez | fui |
| qu' ils | eussent | fui |

## CONDITIONNEL

| Présent | | Passé 1re forme | | | Passé 2e forme | | |
|---|---|---|---|---|---|---|---|
| je | fuirais | j' | aurais | fui | j' | eusse | fui |
| tu | fuirais | tu | aurais | fui | tu | eusses | fui |
| il | fuirait | il | aurait | fui | il | eût | fui |
| ns | fuirions | ns | aurions | fui | ns | eussions | fui |
| vs | fuiriez | vs | auriez | fui | vs | eussiez | fui |
| ils | fuiraient | ils | auraient | fui | ils | eussent | fui |

## IMPÉRATIF

| Présent | | | Passé | | |
|---|---|---|---|---|---|
| fuis | fuyons | fuyez | aie fui | ayons fui | ayez fui |

## INFINITIF

| Présent | Passé |
|---|---|
| fuir | avoir fui |

## PARTICIPE

| Présent | Passé | Passé composé |
|---|---|---|
| fuyant | fui, e | ayant fui |

*tableaux*

Le verbe *gésir* ne se conjugue qu'au présent et à l'imparfait de l'indicatif. On trouve également le participe présent et l'infinitif. L'emploi le plus connu du verbe est dans l'expression *ci-gît*.

**Remarque :** afin d'harmoniser l'usage de l'accent circonflexe dans la conjugaison, les rectifications de l'orthographe de 1990 proposent de supprimer l'accent circonflexe sur le *i* à la 3ᵉ personne du singulier de l'indicatif.

| INDICATIF | | SUBJONCTIF |
|---|---|---|
| **Présent** | **Passé composé** | *inusité* |
| je gis | *inusité* | |
| tu gis | | |
| il gît | | |
| ns gisons | | |
| vs gisez | | |
| ils gisent | | |
| **Imparfait** | **Plus-que-parfait** | |
| je gisais | *inusité* | |
| tu gisais | | |
| il gisait | | |
| ns gisions | | |
| vs gisiez | | |
| ils gisaient | | |
| **Passé simple** | **Passé antérieur** | |
| *inusité* | *inusité* | |
| **Futur simple** | **Futur antérieur** | |
| *inusité* | *inusité* | |

| CONDITIONNEL |
|---|
| *inusité* |

| IMPÉRATIF |
|---|
| *inusité* |

| INFINITIF | | PARTICIPE | | |
|---|---|---|---|---|
| **Présent** | **Passé** | **Présent** | **Passé** | **Passé composé** |
| gésir | *inusité* | gisant | *inusité* | *inusité* |

# 35 ══ OUÏR ═══ 3ᵉ GROUPE

Le verbe *ouïr* n'est plus en usage (sauf dans un registre quelque peu affecté...) ; il est désormais remplacé par le verbe *entendre*.
Seuls subsistent parfois les temps composés utilisés avec l'infinitif *dire* : *j'ai ouï dire*.
À noter l'expression *par ouï-dire*.

## INDICATIF

| Présent | | Passé composé | | |
|---|---|---|---|---|
| j' | ois | j' | ai | ouï |
| tu | ois | tu | as | ouï |
| il | oit | il | a | ouï |
| ns | oyons | ns | avons | ouï |
| vs | oyez | vs | avez | ouï |
| ils | oient | ils | ont | ouï |

| Imparfait | | Plus-que-parfait | | |
|---|---|---|---|---|
| j' | oyais | j' | avais | ouï |
| tu | oyais | tu | avais | ouï |
| il | oyait | il | avait | ouï |
| ns | oyions | ns | avions | ouï |
| vs | oyiez | vs | aviez | ouï |
| ils | oyaient | ils | avaient | ouï |

| Passé simple | | Passé antérieur | | |
|---|---|---|---|---|
| j' | ouïs | j' | eus | ouï |
| tu | ouïs | tu | eus | ouï |
| il | ouït | il | eut | ouï |
| ns | ouïmes | ns | eûmes | ouï |
| vs | ouïtes | vs | eûtes | ouï |
| ils | ouïrent | ils | eurent | ouï |

| Futur simple | | Futur antérieur | | |
|---|---|---|---|---|
| j' | ouïrai | j' | aurai | ouï |
| tu | ouïras | tu | auras | ouï |
| il | ouïra | il | aura | ouï |
| ns | ouïrons | ns | aurons | ouï |
| vs | ouïrez | vs | aurez | ouï |
| ils | ouïront | ils | auront | ouï |

## SUBJONCTIF

| Présent | | |
|---|---|---|
| que j' | oie | |
| que tu | oies | |
| qu' il | oie | |
| que ns | oyions | |
| que vs | oyiez | |
| qu' ils | oient | |

| Imparfait | | |
|---|---|---|
| que j' | ouïsse | |
| que tu | ouïsses | |
| qu' il | ouït | |
| que ns | ouïssions | |
| que vs | ouïssiez | |
| qu' ils | ouïssent | |

| Passé | | |
|---|---|---|
| que j' | aie | ouï |
| que tu | aies | ouï |
| qu' il | ait | ouï |
| que ns | ayons | ouï |
| que vs | ayez | ouï |
| qu' ils | aient | ouï |

| Plus-que-parfait | | |
|---|---|---|
| que j' | eusse | ouï |
| que tu | eusses | ouï |
| qu' il | eût | ouï |
| que ns | eussions | ouï |
| que vs | eussiez | ouï |
| qu' ils | eussent | ouï |

## CONDITIONNEL

| Présent | | Passé 1ʳᵉ forme | | | Passé 2ᵉ forme | | |
|---|---|---|---|---|---|---|---|
| j' | ouïrais | j' | aurais | ouï | j' | eusse | ouï |
| tu | ouïrais | tu | aurais | ouï | tu | eusses | ouï |
| il | ouïrait | il | aurait | ouï | il | eût | ouï |
| ns | ouïrions | ns | aurions | ouï | ns | eussions | ouï |
| vs | ouïriez | vs | auriez | ouï | vs | eussiez | ouï |
| ils | ouïraient | ils | auraient | ouï | ils | eussent | ouï |

## IMPÉRATIF

| Présent | | | Passé | | |
|---|---|---|---|---|---|
| ois | oyons | oyez | aie ouï | ayons ouï | ayez ouï |

## INFINITIF

| Présent | Passé |
|---|---|
| ouïr | avoir ouï |

## PARTICIPE

| Présent | Passé | Passé composé |
|---|---|---|
| oyant | ouï, ouïe | ayant ouï |

tableaux

199

# RECEVOIR

Ainsi se conjuguent tous les verbes dont l'infinitif se termine par -cevoir. Ils prennent une cédille devant u et o pour que le c garde sa valeur de [s]. (Ex. : *je reçois, je reçus*)

| INDICATIF | | | | SUBJONCTIF | | |
|---|---|---|---|---|---|---|
| **Présent** | | | | **Présent** | | |
| je | reçois | | | que je | reçoive | |
| tu | reçois | | | que tu | reçoives | |
| il | reçoit | | | qu' il | reçoive | |
| ns | recevons | | | que ns | recevions | |
| vs | recevez | | | que vs | receviez | |
| ils | reçoivent | | | qu' ils | reçoivent | |
| **Imparfait** | | | | **Imparfait** | | |
| je | recevais | | | que je | reçusse | |
| tu | recevais | | | que tu | reçusses | |
| il | recevait | | | qu' il | reçût | |
| ns | recevions | | | que ns | reçussions | |
| vs | receviez | | | que vs | reçussiez | |
| ils | recevaient | | | qu' ils | reçussent | |
| **Passé simple** | | | | **Passé** | | |
| je | reçus | | | que j' | aie | reçu |
| tu | reçus | | | que tu | aies | reçu |
| il | reçut | | | qu' il | ait | reçu |
| ns | reçûmes | | | que ns | ayons | reçu |
| vs | reçûtes | | | que vs | ayez | reçu |
| ils | reçurent | | | qu' ils | aient | reçu |
| **Futur simple** | | | | **Plus-que-parfait** | | |
| je | recevrai | | | que j' | eusse | reçu |
| tu | recevras | | | que tu | eusses | reçu |
| il | recevra | | | qu' il | eût | reçu |
| ns | recevrons | | | que ns | eussions | reçu |
| vs | recevrez | | | que vs | eussiez | reçu |
| ils | recevront | | | qu' ils | eussent | reçu |

Passé composé:

| | | |
|---|---|---|
| j' | ai | reçu |
| tu | as | reçu |
| il | a | reçu |
| ns | avons | reçu |
| vs | avez | reçu |
| ils | ont | reçu |

Plus-que-parfait:

| | | |
|---|---|---|
| j' | avais | reçu |
| tu | avais | reçu |
| il | avait | reçu |
| ns | avions | reçu |
| vs | aviez | reçu |
| ils | avaient | reçu |

Passé antérieur:

| | | |
|---|---|---|
| j' | eus | reçu |
| tu | eus | reçu |
| il | eut | reçu |
| ns | eûmes | reçu |
| vs | eûtes | reçu |
| ils | eurent | reçu |

Futur antérieur:

| | | |
|---|---|---|
| j' | aurai | reçu |
| tu | auras | reçu |
| il | aura | reçu |
| ns | aurons | reçu |
| vs | aurez | reçu |
| ils | auront | reçu |

## CONDITIONNEL

| **Présent** | | **Passé 1ʳᵉ forme** | | | **Passé 2ᵉ forme** | | |
|---|---|---|---|---|---|---|---|
| je | recevrais | j' | aurais | reçu | j' | eusse | reçu |
| tu | recevrais | tu | aurais | reçu | tu | eusses | reçu |
| il | recevrait | il | aurait | reçu | il | eût | reçu |
| ns | recevrions | ns | aurions | reçu | ns | eussions | reçu |
| vs | recevriez | vs | auriez | reçu | vs | eussiez | reçu |
| ils | recevraient | ils | auraient | reçu | ils | eussent | reçu |

## IMPÉRATIF

| **Présent** | | | **Passé** | | |
|---|---|---|---|---|---|
| reçois | recevons | recevez | aie reçu | ayons reçu | ayez reçu |

## INFINITIF

| **Présent** | **Passé** |
|---|---|
| recevoir | avoir reçu |

## PARTICIPE

| **Présent** | **Passé** | **Passé composé** |
|---|---|---|
| recevant | reçu, e | ayant reçu |

Ainsi se conjuguent *entrevoir* et *revoir*.

**Remarques : 1.** *Prévoir* a une conjugaison différente de *voir* au futur simple et au présent du conditionnel (voir modèle **38**). **2.** Ne pas oublier le *i* de la terminaison qui suit le *y* du radical aux deux premières personnes du pluriel de l'imparfait de l'indicatif et du présent du subjonctif *(nous voyions, vous voyiez)*. **3.** À la 3ᵉ personne du pluriel du présent de l'indicatif et du présent du subjonctif, on doit placer un *i* et non un *y* ; erreur très fréquente, surtout à l'oral.

## INDICATIF

| Présent | | Passé composé | | | Présent (SUBJONCTIF) | | |
|---|---|---|---|---|---|---|---|
| je | vois | j' | ai | vu | que je | voie | |
| tu | vois | tu | as | vu | que tu | voies | |
| il | voit | il | a | vu | qu' il | voie | |
| ns | voyons | ns | avons | vu | que ns | voyions | |
| vs | voyez | vs | avez | vu | que vs | voyiez | |
| ils | voient | ils | ont | vu | qu' ils | voient | |

| Imparfait | | Plus-que-parfait | | | Imparfait | | |
|---|---|---|---|---|---|---|---|
| je | voyais | j' | avais | vu | que je | visse | |
| tu | voyais | tu | avais | vu | que tu | visses | |
| il | voyait | il | avait | vu | qu' il | vît | |
| ns | voyions | ns | avions | vu | que ns | vissions | |
| vs | voyiez | vs | aviez | vu | que vs | vissiez | |
| ils | voyaient | ils | avaient | vu | qu' ils | vissent | |

| Passé simple | | Passé antérieur | | | Passé | | |
|---|---|---|---|---|---|---|---|
| je | vis | j' | eus | vu | que j' | aie | vu |
| tu | vis | tu | eus | vu | que tu | aies | vu |
| il | vit | il | eut | vu | qu' il | ait | vu |
| ns | vîmes | ns | eûmes | vu | que ns | ayons | vu |
| vs | vîtes | vs | eûtes | vu | que vs | ayez | vu |
| ils | virent | ils | eurent | vu | qu' ils | aient | vu |

| Futur simple | | Futur antérieur | | | Plus-que-parfait | | |
|---|---|---|---|---|---|---|---|
| je | verrai | j' | aurai | vu | que j' | eusse | vu |
| tu | verras | tu | auras | vu | que tu | eusses | vu |
| il | verra | il | aura | vu | qu' il | eût | vu |
| ns | verrons | ns | aurons | vu | que ns | eussions | vu |
| vs | verrez | vs | aurez | vu | que vs | eussiez | vu |
| ils | verront | ils | auront | vu | qu' ils | eussent | vu |

## CONDITIONNEL

| Présent | | Passé 1ʳᵉ forme | | | Passé 2ᵉ forme | | |
|---|---|---|---|---|---|---|---|
| je | verrais | j' | aurais | vu | j' | eusse | vu |
| tu | verrais | tu | aurais | vu | tu | eusses | vu |
| il | verrait | il | aurait | vu | il | eût | vu |
| ns | verrions | ns | aurions | vu | ns | eussions | vu |
| vs | verriez | vs | auriez | vu | vs | eussiez | vu |
| ils | verraient | ils | auraient | vu | ils | eussent | vu |

## IMPÉRATIF

| Présent | | | Passé | | |
|---|---|---|---|---|---|
| vois | voyons | voyez | aie vu | ayons vu | ayez vu |

## INFINITIF

| Présent | Passé |
|---|---|
| voir | avoir vu |

## PARTICIPE

| Présent | Passé | Passé composé |
|---|---|---|
| voyant | vu, e | ayant vu |

tableaux

*Prévoir* a la même conjugaison que *voir* (voir modèle **37**) sauf au futur simple e▪
au présent du conditionnel.
Aux deux premières personnes du pluriel de l'imparfait de l'indicatif et du présent du
subjonctif, ne pas oublier le *i* après le *y*.

## INDICATIF

| Présent | Passé composé | | Présent (SUBJONCTIF) | |
|---|---|---|---|---|
| je prévois | j' ai | prévu | que je prévoie | |
| tu prévois | tu as | prévu | que tu prévoies | |
| il prévoit | il a | prévu | qu' il prévoie | |
| ns prévoyons | ns avons | prévu | que ns prévoyions | |
| vs prévoyez | vs avez | prévu | que vs prévoyiez | |
| ils prévoient | ils ont | prévu | qu' ils prévoient | |
| **Imparfait** | **Plus-que-parfait** | | **Imparfait** | |
| je prévoyais | j' avais | prévu | que je prévisse | |
| tu prévoyais | tu avais | prévu | que tu prévisses | |
| il prévoyait | il avait | prévu | qu' il prévît | |
| ns prévoyions | ns avions | prévu | que ns prévissions | |
| vs prévoyiez | vs aviez | prévu | que vs prévissiez | |
| ils prévoyaient | ils avaient | prévu | qu' ils prévissent | |
| **Passé simple** | **Passé antérieur** | | **Passé** | |
| je prévis | j' eus | prévu | que j' aie | prévu |
| tu prévis | tu eus | prévu | que tu aies | prévu |
| il prévit | il eut | prévu | qu' il ait | prévu |
| ns prévîmes | ns eûmes | prévu | que ns ayons | prévu |
| vs prévîtes | vs eûtes | prévu | que vs ayez | prévu |
| ils prévirent | ils eurent | prévu | qu' ils aient | prévu |
| **Futur simple** | **Futur antérieur** | | **Plus-que-parfait** | |
| je prévoirai | j' aurai | prévu | que j' eusse | prévu |
| tu prévoiras | tu auras | prévu | que tu eusses | prévu |
| il prévoira | il aura | prévu | qu' il eût | prévu |
| ns prévoirons | ns aurons | prévu | que ns eussions | prévu |
| vs prévoirez | vs aurez | prévu | que vs eussiez | prévu |
| ils prévoiront | ils auront | prévu | qu' ils eussent | prévu |

## CONDITIONNEL

| Présent | Passé 1ʳᵉ forme | | Passé 2ᵉ forme | |
|---|---|---|---|---|
| je prévoirais | j' aurais | prévu | j' eusse | prévu |
| tu prévoirais | tu aurais | prévu | tu eusses | prévu |
| il prévoirait | il aurait | prévu | il eût | prévu |
| ns prévoirions | ns aurions | prévu | ns eussions | prévu |
| vs prévoiriez | vs auriez | prévu | vs eussiez | prévu |
| ils prévoiraient | ils auraient | prévu | ils eussent | prévu |

## IMPÉRATIF

| Présent | | | Passé | | |
|---|---|---|---|---|---|
| prévois | prévoyons | prévoyez | aie prévu | ayons prévu | ayez prévu |

## INFINITIF / PARTICIPE

| Présent | Passé | Présent | Passé | Passé composé |
|---|---|---|---|---|
| prévoir | avoir prévu | prévoyant | prévu, e | ayant prévu |

*Pourvoir* a la même conjugaison que *prévoir* (voir modèle **38**) sauf au passé simple et à l'imparfait du subjonctif qui sont en -*u*- et non en -*i*-.
Même si des grammaires et des dictionnaires mentionnent le verbe *dépourvoir* (se conjuguant sur le modèle de *pourvoir*), il est désormais inusité ; seul le participe passé *dépourvu* est attesté.

## INDICATIF | SUBJONCTIF

| **Présent** | | **Passé composé** | | | **Présent** | | |
|---|---|---|---|---|---|---|---|
| je | pourvois | j' | ai | pourvu | que je | pourvoie | |
| tu | pourvois | tu | as | pourvu | que tu | pourvoies | |
| il | pourvoit | il | a | pourvu | qu' il | pourvoie | |
| ns | pourvoyons | ns | avons | pourvu | que ns | pourvoyions | |
| vs | pourvoyez | vs | avez | pourvu | que vs | pourvoyiez | |
| ils | pourvoient | ils | ont | pourvu | qu' ils | pourvoient | |
| **Imparfait** | | **Plus-que-parfait** | | | **Imparfait** | | |
| je | pourvoyais | j' | avais | pourvu | que je | pourvusse | |
| tu | pourvoyais | tu | avais | pourvu | que tu | pourvusses | |
| il | pourvoyait | il | avait | pourvu | qu' il | pourvût | |
| ns | pourvoyions | ns | avions | pourvu | que ns | pourvussions | |
| vs | pourvoyiez | vs | aviez | pourvu | que vs | pourvussiez | |
| ils | pourvoyaient | ils | avaient | pourvu | qu' ils | pourvussent | |
| **Passé simple** | | **Passé antérieur** | | | **Passé** | | |
| je | pourvus | j' | eus | pourvu | que j' | aie | pourvu |
| tu | pourvus | tu | eus | pourvu | que tu | aies | pourvu |
| il | pourvut | il | eut | pourvu | qu' il | ait | pourvu |
| ns | pourvûmes | ns | eûmes | pourvu | que ns | ayons | pourvu |
| vs | pourvûtes | vs | eûtes | pourvu | que vs | ayez | pourvu |
| ils | pourvurent | ils | eurent | pourvu | qu' ils | aient | pourvu |
| **Futur simple** | | **Futur antérieur** | | | **Plus-que-parfait** | | |
| je | pourvoirai | j' | aurai | pourvu | que j' | eusse | pourvu |
| tu | pourvoiras | tu | auras | pourvu | que tu | eusses | pourvu |
| il | pourvoira | il | aura | pourvu | qu' il | eût | pourvu |
| ns | pourvoirons | ns | aurons | pourvu | que ns | eussions | pourvu |
| vs | pourvoirez | vs | aurez | pourvu | que vs | eussiez | pourvu |
| ils | pourvoiront | ils | auront | pourvu | qu' ils | eussent | pourvu |

## CONDITIONNEL

| **Présent** | | **Passé 1<sup>re</sup> forme** | | | **Passé 2<sup>e</sup> forme** | | |
|---|---|---|---|---|---|---|---|
| je | pourvoirais | j' | aurais | pourvu | j' | eusse | pourvu |
| tu | pourvoirais | tu | aurais | pourvu | tu | eusses | pourvu |
| il | pourvoirait | il | aurait | pourvu | il | eût | pourvu |
| ns | pourvoirions | ns | aurions | pourvu | ns | eussions | pourvu |
| vs | pourvoiriez | vs | auriez | pourvu | vs | eussiez | pourvu |
| ils | pourvoiraient | ils | auraient | pourvu | ils | eussent | pourvu |

## IMPÉRATIF

| **Présent** | | | **Passé** | | |
|---|---|---|---|---|---|
| pourvois | pourvoyons | pourvoyez | aie pourvu | ayons pourvu | ayez pourvu |

## INFINITIF | PARTICIPE

| **Présent** | **Passé** | **Présent** | **Passé** | **Passé composé** |
|---|---|---|---|---|
| pourvoir | avoir pourvu | pourvoyant | pourvu, e | ayant pourvu |

tableaux

La conjugaison en -oi-/-oy- est moins fréquente à l'écrit que la conjugaison en -ie-/-ey-
**Remarques : 1.** L'infinitif est la seule forme présentant le e muet. Aussi les rectifications de l'orthographe de 1990 préconisent-elles la graphie *assoir*. **2.** Le verbe
*surseoir* n'a qu'une seule conjugaison en -oi-/-oy- (voir modèle **41**). **3.** *Seoir* au sens
de « convenir » et *messeoir* n'ont qu'une conjugaison en -ie-/-ey- mais seulement à
la 3ᵉ personne du présent de l'indicatif, du subjonctif et du conditionnel, ainsi qu'à
l'imparfait de l'indicatif et au futur simple.

## INDICATIF

| Présent | *ou* | | Passé composé | |
|---|---|---|---|---|
| j' | assieds | assois | j' | ai | assis |
| tu | assieds | assois | tu | as | assis |
| il | assied | assoit | il | a | assis |
| ns | asseyons | assoyons | ns | avons | assis |
| vs | asseyez | assoyez | vs | avez | assis |
| ils | asseyent | assoient | ils | ont | assis |

| Imparfait | *ou* | | Plus-que-parfait | |
|---|---|---|---|---|
| j' | asseyais | assoyais | j' | avais | assis |
| tu | asseyais | assoyais | tu | avais | assis |
| il | asseyait | assoyait | il | avait | assis |
| ns | asseyions | assoyions | ns | avions | assis |
| vs | asseyiez | assoyiez | vs | aviez | assis |
| ils | asseyaient | assoyaient | ils | avaient | assis |

| Passé simple | | Passé antérieur | |
|---|---|---|---|
| j' | assis | j' | eus | assis |
| tu | assis | tu | eus | assis |
| il | assit | il | eut | assis |
| ns | assîmes | ns | eûmes | assis |
| vs | assîtes | vs | eûtes | assis |
| ils | assirent | ils | eurent | assis |

| Futur simple | *ou* | Futur antérieur | |
|---|---|---|---|
| j' | assiérai | assoirai | j' | aurai | assis |
| tu | assiéras | assoiras | tu | auras | assis |
| il | assiéra | assoira | il | aura | assis |
| ns | assiérons | assoirons | ns | aurons | assis |
| vs | assiérez | assoirez | vs | aurez | assis |
| ils | assiéront | assoiront | ils | auront | assis |

## SUBJONCTIF

| Présent | | *ou* | |
|---|---|---|---|
| que | j' | asseye | assoie |
| que | tu | asseyes | assoies |
| qu' | il | asseye | assoie |
| que | ns | asseyions | assoyions |
| que | vs | asseyiez | assoyiez |
| qu' | ils | asseyent | assoient |

| Imparfait | | |
|---|---|---|
| que | j' | assisse |
| que | tu | assisses |
| qu' | il | assît |
| que | ns | assissions |
| que | vs | assissiez |
| qu' | ils | assissent |

| Passé | | | |
|---|---|---|---|
| que | j' | aie | assis |
| que | tu | aies | assis |
| qu' | il | ait | assis |
| que | ns | ayons | assis |
| que | vs | ayez | assis |
| qu' | ils | aient | assis |

| Plus-que-parfait | | | |
|---|---|---|---|
| que | j' | eusse | assis |
| que | tu | eusses | assis |
| qu' | il | eût | assis |
| que | ns | eussions | assis |
| que | vs | eussiez | assis |
| qu' | ils | eussent | assis |

## CONDITIONNEL

| Présent | *ou* | | Passé 1ʳᵉ forme | | Passé 2ᵉ forme | |
|---|---|---|---|---|---|---|
| j' | assiérais | assoirais | j' | aurais | assis | j' | eusse | assis |
| tu | assiérais | assoirais | tu | aurais | assis | tu | eusses | assis |
| il | assiérait | assoirait | il | aurait | assis | il | eût | assis |
| ns | assiérions | assoirions | ns | aurions | assis | ns | eussions | assis |
| vs | assiériez | assoiriez | vs | auriez | assis | vs | eussiez | assis |
| ils | assiéraient | assoiraient | ils | auraient | assis | ils | eussent | assis |

## IMPÉRATIF

| Présent | | | Passé | | |
|---|---|---|---|---|---|
| assieds | asseyons | asseyez | aie assis | ayons assis | ayez assis |
| *ou* assois | *ou* assoyons | *ou* assoyez | | | |

## INFINITIF

| Présent | Passé |
|---|---|
| asseoir | avoir assis |

## PARTICIPE

| Présent | Passé | Passé composé |
|---|---|---|
| asseyant | assis, se | ayant assis |
| *ou* assoyant | | |

Le *e* de l'infinitif disparaît dans la conjugaison sauf au futur simple et au présent du conditionnel.

**Remarque** : les rectifications de l'orthographe de 1990 conseillent l'emploi des graphies sans *e* (Ex. : *je sursoirai, sursoir*).

| INDICATIF | | | SUBJONCTIF | | |
|---|---|---|---|---|---|
| **Présent** | **Passé composé** | | **Présent** | | |
| je sursois | j' ai | sursis | que je | sursoie | |
| tu sursois | tu as | sursis | que tu | sursoies | |
| il sursoit | il a | sursis | qu' il | sursoie | |
| ns sursoyons | ns avons | sursis | que ns | sursoyions | |
| vs sursoyez | vs avez | sursis | que vs | sursoyiez | |
| ils sursoient | ils ont | sursis | qu' ils | sursoient | |
| **Imparfait** | **Plus-que-parfait** | | **Imparfait** | | |
| je sursoyais | j' avais | sursis | que je | sursisse | |
| tu sursoyais | tu avais | sursis | que tu | sursisses | |
| il sursoyait | il avait | sursis | qu' il | sursît | |
| ns sursoyions | ns avions | sursis | que ns | sursissions | |
| vs sursoyiez | vs aviez | sursis | que vs | sursissiez | |
| ils sursoyaient | ils avaient | sursis | qu' ils | sursissent | |
| **Passé simple** | **Passé antérieur** | | **Passé** | | |
| je sursis | j' eus | sursis | que j' | aie | sursis |
| tu sursis | tu eus | sursis | que tu | aies | sursis |
| il sursit | il eut | sursis | qu' il | ait | sursis |
| ns sursîmes | ns eûmes | sursis | que ns | ayons | sursis |
| vs sursîtes | vs eûtes | sursis | que vs | ayez | sursis |
| ils sursirent | ils eurent | sursis | qu' ils | aient | sursis |
| **Futur simple** | **Futur antérieur** | | **Plus-que-parfait** | | |
| je surseoirai | j' aurai | sursis | que j' | eusse | sursis |
| tu surseoiras | tu auras | sursis | que tu | eusses | sursis |
| il surseoira | il aura | sursis | qu' il | eût | sursis |
| ns surseoirons | ns aurons | sursis | que ns | eussions | sursis |
| vs surseoirez | vs aurez | sursis | que vs | eussiez | sursis |
| ils surseoiront | ils auront | sursis | qu' ils | eussent | sursis |

| CONDITIONNEL | | | | | |
|---|---|---|---|---|---|
| **Présent** | **Passé 1ʳᵉ forme** | | **Passé 2ᵉ forme** | | |
| je surseoirais | j' aurais | sursis | j' | eusse | sursis |
| tu surseoirais | tu aurais | sursis | tu | eusses | sursis |
| il surseoirait | il aurait | sursis | il | eût | sursis |
| ns surseoirions | ns aurions | sursis | ns | eussions | sursis |
| vs surseoiriez | vs auriez | sursis | vs | eussiez | sursis |
| ils surseoiraient | ils auraient | sursis | ils | eussent | sursis |

| IMPÉRATIF | | | | |
|---|---|---|---|---|
| **Présent** | | | **Passé** | |
| sursois | sursoyons | sursoyez | aie sursis | ayons sursis ayez sursis |

| INFINITIF | | PARTICIPE | | |
|---|---|---|---|---|
| **Présent** | **Passé** | **Présent** | **Passé** | **Passé composé** |
| surseoir | avoir sursis | sursoyant | sursis, se | ayant sursis |

*Savoir* est le seul verbe à se conjuguer ainsi.

**Remarque : 1.** L'emploi de l'expression *je ne sache pa*s où le subjonctif est employé sans *que* est en recul devant *que je sache*. **2.** Ne pas confondre les formes du futur simple et du présent du conditionnel avec celles, presque homophones, du verbe *être* (*je serai, tu serais*).

| INDICATIF | | | | SUBJONCTIF | | | |
|---|---|---|---|---|---|---|---|
| **Présent** | | | **Passé composé** | | **Présent** | | |
| je | sais | j' | ai | su | que je | sache | |
| tu | sais | tu | as | su | que tu | saches | |
| il | sait | il | a | su | qu' il | sache | |
| ns | savons | ns | avons | su | que ns | sachions | |
| vs | savez | vs | avez | su | que vs | sachiez | |
| ils | savent | ils | ont | su | qu' ils | sachent | |
| **Imparfait** | | | **Plus-que-parfait** | | **Imparfait** | | |
| je | savais | j' | avais | su | que je | susse | |
| tu | savais | tu | avais | su | que tu | susses | |
| il | savait | il | avait | su | qu' il | sût | |
| ns | savions | ns | avions | su | que ns | sussions | |
| vs | saviez | vs | aviez | su | que vs | sussiez | |
| ils | savaient | ils | avaient | su | qu' ils | sussent | |
| **Passé simple** | | | **Passé antérieur** | | **Passé** | | |
| je | sus | j' | eus | su | que j' | aie | su |
| tu | sus | tu | eus | su | que tu | aies | su |
| il | sut | il | eut | su | qu' il | ait | su |
| ns | sûmes | ns | eûmes | su | que ns | ayons | su |
| vs | sûtes | vs | eûtes | su | que vs | ayez | su |
| ils | surent | ils | eurent | su | qu' ils | aient | su |
| **Futur simple** | | | **Futur antérieur** | | **Plus-que-parfait** | | |
| je | saurai | j' | aurai | su | que j' | eusse | su |
| tu | sauras | tu | auras | su | que tu | eusses | su |
| il | saura | il | aura | su | qu' il | eût | su |
| ns | saurons | ns | aurons | su | que ns | eussions | su |
| vs | saurez | vs | aurez | su | que vs | eussiez | su |
| ils | sauront | ils | auront | su | qu' ils | eussent | su |

| CONDITIONNEL | | | | | |
|---|---|---|---|---|---|
| **Présent** | | **Passé 1ʳᵉ forme** | | **Passé 2ᵉ forme** | |
| je | saurais | j' | aurais su | j' | eusse su |
| tu | saurais | tu | aurais su | tu | eusses su |
| il | saurait | il | aurait su | il | eût su |
| ns | saurions | ns | aurions su | ns | eussions su |
| vs | sauriez | vs | auriez su | vs | eussiez su |
| ils | sauraient | ils | auraient su | ils | eussent su |

| IMPÉRATIF | | | | | |
|---|---|---|---|---|---|
| **Présent** | | | **Passé** | | |
| sache | sachons | sachez | aie su | ayons su | ayez su |

| INFINITIF | | PARTICIPE | | |
|---|---|---|---|---|
| **Présent** | **Passé** | **Présent** | **Passé** | **Passé composé** |
| savoir | avoir su | sachant | su, e | ayant su |

L'accent circonflexe sur le *u* du participe passé disparaît au féminin et au pluriel : *dû, due, dus, dues*.
Seul le verbe *redevoir* se conjugue sur ce modèle.
**Remarque :** le participe passé *redû* n'ayant pas d'homonyme, les rectifications de l'orthographe de 1990 proposent la suppression de l'accent circonflexe : *redu*.

## INDICATIF

| Présent | Passé composé | | 
|---|---|---|
| je dois | j' ai | dû |
| tu dois | tu as | dû |
| il doit | il a | dû |
| ns devons | ns avons | dû |
| vs devez | vs avez | dû |
| ils doivent | ils ont | dû |

| Imparfait | Plus-que-parfait | |
|---|---|---|
| je devais | j' avais | dû |
| tu devais | tu avais | dû |
| il devait | il avait | dû |
| ns devions | ns avions | dû |
| vs deviez | vs aviez | dû |
| ils devaient | ils avaient | dû |

| Passé simple | Passé antérieur | |
|---|---|---|
| je dus | j' eus | dû |
| tu dus | tu eus | dû |
| il dut | il eut | dû |
| ns dûmes | ns eûmes | dû |
| vs dûtes | vs eûtes | dû |
| ils durent | ils eurent | dû |

| Futur simple | Futur antérieur | |
|---|---|---|
| je devrai | j' aurai | dû |
| tu devras | tu auras | dû |
| il devra | il aura | dû |
| ns devrons | ns aurons | dû |
| vs devrez | vs aurez | dû |
| ils devront | ils auront | dû |

## SUBJONCTIF

| Présent |
|---|
| que je doive |
| que tu doives |
| qu' il doive |
| que ns devions |
| que vs deviez |
| qu' ils doivent |

| Imparfait |
|---|
| que je dusse |
| que tu dusses |
| qu' il dût |
| que ns dussions |
| que vs dussiez |
| qu' ils dussent |

| Passé | |
|---|---|
| que j' aie | dû |
| que tu aies | dû |
| qu' il ait | dû |
| que ns ayons | dû |
| que vs ayez | dû |
| qu' ils aient | dû |

| Plus-que-parfait | |
|---|---|
| que j' eusse | dû |
| que tu eusses | dû |
| qu' il eût | dû |
| que ns eussions | dû |
| que vs eussiez | dû |
| qu' ils eussent | dû |

## CONDITIONNEL

| Présent | Passé 1ʳᵉ forme | | Passé 2ᵉ forme | |
|---|---|---|---|---|
| je devrais | j' aurais | dû | j' eusse | dû |
| tu devrais | tu aurais | dû | tu eusses | dû |
| il devrait | il aurait | dû | il eût | dû |
| ns devrions | ns aurions | dû | ns eussions | dû |
| vs devriez | vs auriez | dû | vs eussiez | dû |
| ils devraient | ils auraient | dû | ils eussent | dû |

## IMPÉRATIF

*inusité*

## INFINITIF

| Présent | Passé |
|---|---|
| devoir | avoir dû |

## PARTICIPE

| Présent | Passé | Passé composé |
|---|---|---|
| devant | dû, due | ayant dû |

tableaux

Au présent de l'indicatif, *je peux* est plus courant, *je puis* plus littéraire. Lorsque le pronom sujet est inversé, seul *puis-je* est possible.

Au présent du subjonctif, lorsque le pronom sujet est inversé, on a *puissé-je*.

Le participe passé *pu* est toujours invariable et ne prend pas d'accent circonflexe.

**Remarque :** noter les terminaisons du présent de l'indicatif en *-x* et non en *-s* comme les verbes du 3ᵉ groupe.

| INDICATIF | | SUBJONCTIF |
|---|---|---|
| **Présent** *ou* **Passé composé** | | **Présent** |
| je peux  je puis | j' ai pu | que je puisse |
| tu peux | tu as pu | que tu puisses |
| il peut | il a pu | qu' il puisse |
| ns pouvons | ns avons pu | que ns puissions |
| vs pouvez | vs avez pu | que vs puissiez |
| ils peuvent | ils ont pu | qu' ils puissent |
| **Imparfait** | **Plus-que-parfait** | **Imparfait** |
| je pouvais | j' avais pu | que je pusse |
| tu pouvais | tu avais pu | que tu pusses |
| il pouvait | il avait pu | qu' il pût |
| ns pouvions | ns avions pu | que ns pussions |
| vs pouviez | vs aviez pu | que vs pussiez |
| ils pouvaient | ils avaient pu | qu' ils pussent |
| **Passé simple** | **Passé antérieur** | **Passé** |
| je pus | j' eus pu | que j' aie pu |
| tu pus | tu eus pu | que tu aies pu |
| il put | il eut pu | qu' il ait pu |
| ns pûmes | ns eûmes pu | que ns ayons pu |
| vs pûtes | vs eûtes pu | que vs ayez pu |
| ils purent | ils eurent pu | qu' ils aient pu |
| **Futur simple** | **Futur antérieur** | **Plus-que-parfait** |
| je pourrai | j' aurai pu | que j' eusse pu |
| tu pourras | tu auras pu | que tu eusses pu |
| il pourra | il aura pu | qu' il eût pu |
| ns pourrons | ns aurons pu | que ns eussions pu |
| vs pourrez | vs aurez pu | que vs eussiez pu |
| ils pourront | ils auront pu | qu' ils eussent pu |

| CONDITIONNEL | | |
|---|---|---|
| **Présent** | **Passé 1ʳᵉ forme** | **Passé 2ᵉ forme** |
| je pourrais | j' aurais pu | j' eusse pu |
| tu pourrais | tu aurais pu | tu eusses pu |
| il pourrait | il aurait pu | il eût pu |
| ns pourrions | ns aurions pu | ns eussions pu |
| vs pourriez | vs auriez pu | vs eussiez pu |
| ils pourraient | ils auraient pu | ils eussent pu |

| IMPÉRATIF |
|---|
| *inusité* |

| INFINITIF | | PARTICIPE | | |
|---|---|---|---|---|
| **Présent** | **Passé** | **Présent** | **Passé** | **Passé composé** |
| pouvoir | avoir pu | pouvant | pu | ayant pu |

Le présent de l'impératif est rare en dehors des expressions *ne m'en veux pas, ne m'en voulez pas* que l'on trouve aussi sous la forme *ne m'en veuille pas, ne m'en veuillez pas*. La 2ᵉ personne du pluriel du présent de l'impératif est employée couramment dans les formules de politesse *(veuillez agréer, veuillez recevoir...)*.
Le participe passé du verbe *s'en vouloir (ils s'en sont voulu)* demeure invariable.
**Remarque :** noter les terminaisons du présent de l'indicatif en -*x* et non en -*s* comme les verbes du 3ᵉ groupe.

## INDICATIF | SUBJONCTIF

| Présent | | Passé composé | | | Présent | | |
|---|---|---|---|---|---|---|---|
| je | veux | j' | ai | voulu | que je | veuille | |
| tu | veux | tu | as | voulu | que tu | veuilles | |
| il | veut | il | a | voulu | qu' il | veuille | |
| ns | voulons | ns | avons | voulu | que ns | voulions | |
| vs | voulez | vs | avez | voulu | que vs | vouliez | |
| ils | veulent | ils | ont | voulu | qu' ils | veuillent | |

| Imparfait | | Plus-que-parfait | | | Imparfait | | |
|---|---|---|---|---|---|---|---|
| je | voulais | j' | avais | voulu | que je | voulusse | |
| tu | voulais | tu | avais | voulu | que tu | voulusses | |
| il | voulait | il | avait | voulu | qu' il | voulût | |
| ns | voulions | ns | avions | voulu | que ns | voulussions | |
| vs | vouliez | vs | aviez | voulu | que vs | voulussiez | |
| ils | voulaient | ils | avaient | voulu | qu' ils | voulussent | |

| Passé simple | | Passé antérieur | | | Passé | | |
|---|---|---|---|---|---|---|---|
| je | voulus | j' | eus | voulu | que j' | aie | voulu |
| tu | voulus | tu | eus | voulu | que tu | aies | voulu |
| il | voulut | il | eut | voulu | qu' il | ait | voulu |
| ns | voulûmes | ns | eûmes | voulu | que ns | ayons | voulu |
| vs | voulûtes | vs | eûtes | voulu | que vs | ayez | voulu |
| ils | voulurent | ils | eurent | voulu | qu' ils | aient | voulu |

| Futur simple | | Futur antérieur | | | Plus-que-parfait | | |
|---|---|---|---|---|---|---|---|
| je | voudrai | j' | aurai | voulu | que j' | eusse | voulu |
| tu | voudras | tu | auras | voulu | que tu | eusses | voulu |
| il | voudra | il | aura | voulu | qu' il | eût | voulu |
| ns | voudrons | ns | aurons | voulu | que ns | eussions | voulu |
| vs | voudrez | vs | aurez | voulu | que vs | eussiez | voulu |
| ils | voudront | ils | auront | voulu | qu' ils | eussent | voulu |

## CONDITIONNEL

| Présent | | Passé 1ʳᵉ forme | | | Passé 2ᵉ forme | | |
|---|---|---|---|---|---|---|---|
| je | voudrais | j' | aurais | voulu | j' | eusse | voulu |
| tu | voudrais | tu | aurais | voulu | tu | eusses | voulu |
| il | voudrait | il | aurait | voulu | il | eût | voulu |
| ns | voudrions | ns | aurions | voulu | ns | eussions | voulu |
| vs | voudriez | vs | auriez | voulu | vs | eussiez | voulu |
| ils | voudraient | ils | auraient | voulu | ils | eussent | voulu |

## IMPÉRATIF

| Présent | | | Passé | | |
|---|---|---|---|---|---|
| veux | voulons | voulez | aie voulu | ayons voulu | ayez voulu |
| *ou* veuille | | *ou* veuillez | | | |

## INFINITIF | PARTICIPE

| Présent | Passé | Présent | Passé | Passé composé |
|---|---|---|---|---|
| vouloir | avoir voulu | voulant | voulu, e | ayant voulu |

*tableaux*

L'impératif est rare.
Ainsi se conjuguent *équivaloir* et *revaloir*.
**Remarques : 1.** Noter les terminaisons du présent de l'indicatif en -x et non en -s comme les verbes du 3ᵉ groupe. **2.** *Prévaloir* est différent de *valoir* au présent du subjonctif (voir modèle **47**).

## INDICATIF

| Présent | Passé composé | |
|---|---|---|
| je vaux | j' ai | valu |
| tu vaux | tu as | valu |
| il vaut | il a | valu |
| ns valons | ns avons | valu |
| vs valez | vs avez | valu |
| ils valent | ils ont | valu |

| Imparfait | Plus-que-parfait | |
|---|---|---|
| je valais | j' avais | valu |
| tu valais | tu avais | valu |
| il valait | il avait | valu |
| ns valions | ns avions | valu |
| vs valiez | vs aviez | valu |
| ils valaient | ils avaient | valu |

| Passé simple | Passé antérieur | |
|---|---|---|
| je valus | j' eus | valu |
| tu valus | tu eus | valu |
| il valut | il eut | valu |
| ns valûmes | ns eûmes | valu |
| vs valûtes | vs eûtes | valu |
| ils valurent | ils eurent | valu |

| Futur simple | Futur antérieur | |
|---|---|---|
| je vaudrai | j' aurai | valu |
| tu vaudras | tu auras | valu |
| il vaudra | il aura | valu |
| ns vaudrons | ns aurons | valu |
| vs vaudrez | vs aurez | valu |
| ils vaudront | ils auront | valu |

## SUBJONCTIF

| Présent | |
|---|---|
| que je vaille | |
| que tu vailles | |
| qu' il vaille | |
| que ns valions | |
| que vs valiez | |
| qu' ils vaillent | |

| Imparfait | |
|---|---|
| que je valusse | |
| que tu valusses | |
| qu' il valût | |
| que ns valussions | |
| que vs valussiez | |
| qu' ils valussent | |

| Passé | | |
|---|---|---|
| que j' aie | valu |
| que tu aies | valu |
| qu' il ait | valu |
| que ns ayons | valu |
| que vs ayez | valu |
| qu' ils aient | valu |

| Plus-que-parfait | | |
|---|---|---|
| que j' eusse | valu |
| que tu eusses | valu |
| qu' il eût | valu |
| que ns eussions | valu |
| que vs eussiez | valu |
| qu' ils eussent | valu |

## CONDITIONNEL

| Présent | Passé 1ʳᵉ forme | | Passé 2ᵉ forme | |
|---|---|---|---|---|
| je vaudrais | j' aurais | valu | j' eusse | valu |
| tu vaudrais | tu aurais | valu | tu eusses | valu |
| il vaudrait | il aurait | valu | il eût | valu |
| ns vaudrions | ns aurions | valu | ns eussions | valu |
| vs vaudriez | vs auriez | valu | vs eussiez | valu |
| ils vaudraient | ils auraient | valu | ils eussent | valu |

## IMPÉRATIF

| Présent | | | Passé | | |
|---|---|---|---|---|---|
| vaux | valons | valez | aie valu | ayons valu | ayez valu |

## INFINITIF

| Présent | Passé |
|---|---|
| valoir | avoir valu |

## PARTICIPE

| Présent | Passé | Passé composé |
|---|---|---|
| valant | valu, e | ayant valu |

*Prévaloir* se distingue de *valoir* uniquement au présent du subjonctif.

| INDICATIF | | SUBJONCTIF | |
|---|---|---|---|
| **Présent** | **Passé composé** | **Présent** | |
| je prévaux | j' ai prévalu | que je prévale | |
| tu prévaux | tu as prévalu | que tu prévales | |
| il prévaut | il a prévalu | qu' il prévale | |
| ns prévalons | ns avons prévalu | que ns prévalions | |
| vs prévalez | vs avez prévalu | que vs prévaliez | |
| ils prévalent | ils ont prévalu | qu' ils prévalent | |
| **Imparfait** | **Plus-que-parfait** | **Imparfait** | |
| je prévalais | j' avais prévalu | que je prévalusse | |
| tu prévalais | tu avais prévalu | que tu prévalusses | |
| il prévalait | il avait prévalu | qu' il prévalût | |
| ns prévalions | ns avions prévalu | que ns prévalussions | |
| vs prévaliez | vs aviez prévalu | que vs prévalussiez | |
| ils prévalaient | ils avaient prévalu | qu' ils prévalussent | |
| **Passé simple** | **Passé antérieur** | **Passé** | |
| je prévalus | j' eus prévalu | que j' aie prévalu |
| tu prévalus | tu eus prévalu | que tu aies prévalu |
| il prévalut | il eut prévalu | qu' il ait prévalu |
| ns prévalûmes | ns eûmes prévalu | que ns ayons prévalu |
| vs prévalûtes | vs eûtes prévalu | que vs ayez prévalu |
| ils prévalurent | ils eurent prévalu | qu' ils aient prévalu |
| **Futur simple** | **Futur antérieur** | **Plus-que-parfait** | |
| je prévaudrai | j' aurai prévalu | que j' eusse prévalu |
| tu prévaudras | tu auras prévalu | que tu eusses prévalu |
| il prévaudra | il aura prévalu | qu' il eût prévalu |
| ns prévaudrons | ns aurons prévalu | que ns eussions prévalu |
| vs prévaudrez | vs aurez prévalu | que vs eussiez prévalu |
| ils prévaudront | ils auront prévalu | qu' ils eussent prévalu |

| CONDITIONNEL | | |
|---|---|---|
| **Présent** | **Passé 1ʳᵉ forme** | **Passé 2ᵉ forme** |
| je prévaudrais | j' aurais prévalu | j' eusse prévalu |
| tu prévaudrais | tu aurais prévalu | tu eusses prévalu |
| il prévaudrait | il aurait prévalu | il eût prévalu |
| ns prévaudrions | ns aurions prévalu | ns eussions prévalu |
| vs prévaudriez | vs auriez prévalu | vs eussiez prévalu |
| ils prévaudraient | ils auraient prévalu | ils eussent prévalu |

| IMPÉRATIF | | | |
|---|---|---|---|
| **Présent** | | | **Passé** |
| prévaux | prévalons | prévalez | aie prévalu   ayons prévalu   ayez prévalu |

| INFINITIF | | PARTICIPE | | |
|---|---|---|---|---|
| **Présent** | **Passé** | **Présent** | **Passé** | **Passé composé** |
| prévaloir | avoir prévalu | prévalant | prévalu, e | ayant prévalu |

tableaux

L'accent circonflexe sur le *u* du participe passé disparaît au féminin et au pluriel : *mû, mue, mus, mues*. Ainsi se conjuguent *émouvoir* et *promouvoir*, mais leur participe passé ne prend pas d'accent circonflexe : *ému, promu*.

Les rectifications de l'orthographe de 1990 acceptent la suppression de l'accent circonflexe sur le participe passé masculin singulier : *mu*.

**Remarque** : en raison de leur conjugaison irrégulière, *émouvoir* et *promouvoir* sont souvent en concurrence avec *émotionner* et *promotionner*.

## INDICATIF

| Présent | Passé composé | | SUBJONCTIF — Présent | |
|---|---|---|---|---|
| je meus | j' ai | mû | que je | meuve |
| tu meus | tu as | mû | que tu | meuves |
| il meut | il a | mû | qu' il | meuve |
| ns mouvons | ns avons | mû | que ns | mouvions |
| vs mouvez | vs avez | mû | que vs | mouviez |
| ils meuvent | ils ont | mû | qu' ils | meuvent |

| Imparfait | Plus-que-parfait | | Imparfait | |
|---|---|---|---|---|
| je mouvais | j' avais | mû | que je | musse |
| tu mouvais | tu avais | mû | que tu | musses |
| il mouvait | il avait | mû | qu' il | mût |
| ns mouvions | ns avions | mû | que ns | mussions |
| vs mouviez | vs aviez | mû | que vs | mussiez |
| ils mouvaient | ils avaient | mû | qu' ils | mussent |

| Passé simple | Passé antérieur | | Passé | | |
|---|---|---|---|---|---|
| je mus | j' eus | mû | que j' aie | mû |
| tu mus | tu eus | mû | que tu aies | mû |
| il mut | il eut | mû | qu' il ait | mû |
| ns mûmes | ns eûmes | mû | que ns ayons | mû |
| vs mûtes | vs eûtes | mû | que vs ayez | mû |
| ils murent | ils eurent | mû | qu' ils aient | mû |

| Futur simple | Futur antérieur | | Plus-que-parfait | | |
|---|---|---|---|---|---|
| je mouvrai | j' aurai | mû | que j' eusse | mû |
| tu mouvras | tu auras | mû | que tu eusses | mû |
| il mouvra | il aura | mû | qu' il eût | mû |
| ns mouvrons | ns aurons | mû | que ns eussions | mû |
| vs mouvrez | vs aurez | mû | que vs eussiez | mû |
| ils mouvront | ils auront | mû | qu' ils eussent | mû |

## CONDITIONNEL

| Présent | Passé 1ʳᵉ forme | | Passé 2ᵉ forme | |
|---|---|---|---|---|
| je mouvrais | j' aurais | mû | j' eusse | mû |
| tu mouvrais | tu aurais | mû | tu eusses | mû |
| il mouvrait | il aurait | mû | il eût | mû |
| ns mouvrions | ns aurions | mû | ns eussions | mû |
| vs mouvriez | vs auriez | mû | vs eussiez | mû |
| ils mouvraient | ils auraient | mû | ils eussent | mû |

## IMPÉRATIF

| Présent | | | Passé | | |
|---|---|---|---|---|---|
| meus | mouvons | mouvez | aie mû | ayons mû | ayez mû |

## INFINITIF / PARTICIPE

| Présent | Passé | Présent | Passé | Passé composé |
|---|---|---|---|---|
| mouvoir | avoir mû | mouvant | mû, mue | ayant mû |

*Falloir* est un verbe impersonnel qui ne se conjugue donc qu'à la 3ᵉ personne du singulier. Il n'a pas de participe présent ni d'impératif.

| INDICATIF | | SUBJONCTIF |
|---|---|---|
| **Présent** | **Passé composé** | **Présent** |
| il faut | il a fallu | qu' il faille |
| **Imparfait** | **Plus-que-parfait** | **Imparfait** |
| il fallait | il avait fallu | qu' il fallût |
| **Passé simple** | **Passé antérieur** | **Passé** |
| il fallut | il eut fallu | qu' il ait fallu |
| **Futur simple** | **Futur antérieur** | **Plus-que-parfait** |
| il faudra | il aura fallu | qu' il eût fallu |

| CONDITIONNEL | | |
|---|---|---|
| **Présent** | **Passé 1ʳᵉ forme** | **Passé 2ᵉ forme** |
| il faudrait | il aurait fallu | il eût fallu |

| IMPÉRATIF |
|---|
| *inusité* |

| INFINITIF | | PARTICIPE | | |
|---|---|---|---|---|
| **Présent** | **Passé** | **Présent** | **Passé** | **Passé composé** |
| falloir | avoir fallu | *inusité* | fallu | ayant fallu |

tableaux

*Pleuvoir* se conjugue à la 3ᵉ personne du singulier au sens concret et à la 3ᵉ personne du pluriel au sens figuré (Ex. : *les coups pleuvent*).

| INDICATIF | | | | SUBJONCTIF | | |
|---|---|---|---|---|---|---|
| **Présent** | | **Passé composé** | | **Présent** | | |
| il pleut | | il a | plu | qu' il pleuve | | |
| ils pleuvent | | ils ont | plu | qu' ils pleuvent | | |
| **Imparfait** | | **Plus-que-parfait** | | **Imparfait** | | |
| il pleuvait | | il avait | plu | qu' il plût | | |
| ils pleuvaient | | ils avaient | plu | qu' ils plussent | | |
| **Passé simple** | | **Passé antérieur** | | **Passé** | | |
| il plut | | il eut | plu | qu' il ait | plu | |
| ils plurent | | ils eurent | plu | qu' ils aient | plu | |
| **Futur simple** | | **Futur antérieur** | | **Plus-que-parfait** | | |
| il pleuvra | | il aura | plu | qu' il eût | plu | |
| ils pleuvront | | ils auront | plu | qu' ils eussent | plu | |

| CONDITIONNEL | | | | | |
|---|---|---|---|---|---|
| **Présent** | | **Passé 1ʳᵉ forme** | | **Passé 2ᵉ forme** | |
| il pleuvrait | | il aurait | plu | il eût | plu |
| ils pleuvraient | | ils auraient | plu | ils eussent | plu |

| IMPÉRATIF |
|---|
| *inusité* |

| INFINITIF | | PARTICIPE | | |
|---|---|---|---|---|
| **Présent** | **Passé** | **Présent** | **Passé** | **Passé composé** |
| pleuvoir | avoir plu | pleuvant | plu | ayant plu |

Ainsi se conjuguent *choir* et *échoir*.

*Choir* et *déchoir* n'ont pas d'imparfait de l'indicatif et *choir* n'a pas de présent du subjonctif. *Échoir* se trouve parfois à l'imparfait *(il échéait, il échoyait)*. Les formes en -err- du futur simple et du présent du conditionnel sont rares. *Choir* se conjugue aujourd'hui plus souvent avec *avoir* qu'avec *être*. *Échoir* se conjugue avec *être* et *déchoir* avec *être* ou *avoir*.

Le participe présent de *échoir (échéant)* apparaît dans la locution *le cas échéant*.

## INDICATIF / SUBJONCTIF

| INDICATIF | | | | SUBJONCTIF | | |
|---|---|---|---|---|---|---|
| **Présent** | *ou* | **Passé composé** | | **Présent** | | |
| je déchois | | j' ai | déchu | que je déchoie | | |
| tu déchois | | tu as | déchu | que tu déchoies | | |
| il déchoit | déchet | il a | déchu | qu' il déchoie | | |
| ns déchoyons | | ns avons | déchu | que ns déchoyions | | |
| vs déchoyez | | vs avez | déchu | que vs déchoyiez | | |
| ils déchoient | | ils ont | déchu | qu' ils déchoient | | |
| **Imparfait** | | **Plus-que-parfait** | | **Imparfait** | | |
| *inusité* | | j' avais | déchu | que je déchusse | | |
| | | tu avais | déchu | que tu déchusses | | |
| | | il avait | déchu | qu' il déchût | | |
| | | ns avions | déchu | que ns déchussions | | |
| | | vs aviez | déchu | que vs déchussiez | | |
| | | ils avaient | déchu | qu' ils déchussent | | |
| **Passé simple** | | **Passé antérieur** | | **Passé** | | |
| je déchus | | j' eus | déchu | que j' aie | déchu |
| tu déchus | | tu eus | déchu | que tu aies | déchu |
| il déchut | | il eut | déchu | qu' il ait | déchu |
| ns déchûmes | | ns eûmes | déchu | que ns ayons | déchu |
| vs déchûtes | | vs eûtes | déchu | que vs ayez | déchu |
| ils déchurent | | ils eurent | déchu | qu' ils aient | déchu |
| **Futur simple** | *ou* | **Futur antérieur** | | **Plus-que-parfait** | | |
| je déchoirai | décherrai | j' aurai | déchu | que j' eusse | déchu |
| tu déchoiras | décherras | tu auras | déchu | que tu eusses | déchu |
| il déchoira | décherra | il aura | déchu | qu' il eût | déchu |
| ns déchoirons | décherrons | ns aurons | déchu | que ns eussions | déchu |
| vs déchoirez | décherrez | vs aurez | déchu | que vs eussiez | déchu |
| ils déchoiront | décherront | ils auront | déchu | qu' ils eussent | déchu |

## CONDITIONNEL

| **Présent** | *ou* | **Passé 1<sup>re</sup> forme** | | **Passé 2<sup>e</sup> forme** | |
|---|---|---|---|---|---|
| je déchoirais | décherrais | j' aurais | déchu | j' eusse | déchu |
| tu déchoirais | décherrais | tu aurais | déchu | tu eusses | déchu |
| il déchoirait | décherrait | il aurait | déchu | il eût | déchu |
| ns déchoirions | décherrions | ns aurions | déchu | ns eussions | déchu |
| vs déchoiriez | décherriez | vs auriez | déchu | vs eussiez | déchu |
| ils déchoiraient | décherraient | ils auraient | déchu | ils eussent | déchu |

## IMPÉRATIF

*inusité*

## INFINITIF / PARTICIPE

| INFINITIF | | PARTICIPE | | |
|---|---|---|---|---|
| **Présent** | **Passé** | **Présent** | **Passé** | **Passé composé** |
| déchoir | avoir déchu | déchéant *(rare)* | déchu, e | ayant déchu |

tableaux

Les verbes en *-dre,* sauf les verbes formés sur le radical *prendre* (voir modèle **53**), les verbes en *-indre* (voir modèles **54**, **55** et **56**) et les verbes en *-soudre* (voir modèle **57**) gardent le *d* de l'infinitif au singulier du présent de l'indicatif et de l'impératif. À la 3ᵉ personne du singulier de l'indicatif, ce *d* exclut la terminaison *-t* *(il ren**d**).*

| INDICATIF | | | | | SUBJONCTIF | | | |
|---|---|---|---|---|---|---|---|---|
| **Présent** | | **Passé composé** | | | **Présent** | | | |
| je rends | | j' ai | rendu | | que je rende | | | |
| tu rends | | tu as | rendu | | que tu rendes | | | |
| il rend | | il a | rendu | | qu' il rende | | | |
| ns rendons | | ns avons | rendu | | que ns rendions | | | |
| vs rendez | | vs avez | rendu | | que vs rendiez | | | |
| ils rendent | | ils ont | rendu | | qu' ils rendent | | | |
| **Imparfait** | | **Plus-que-parfait** | | | **Imparfait** | | | |
| je rendais | | j' avais | rendu | | que je rendisse | | | |
| tu rendais | | tu avais | rendu | | que tu rendisses | | | |
| il rendait | | il avait | rendu | | qu' il rendît | | | |
| ns rendions | | ns avions | rendu | | que ns rendissions | | | |
| vs rendiez | | vs aviez | rendu | | que vs rendissiez | | | |
| ils rendaient | | ils avaient | rendu | | qu' ils rendissent | | | |
| **Passé simple** | | **Passé antérieur** | | | **Passé** | | | |
| je rendis | | j' eus | rendu | | que j' aie | rendu | | |
| tu rendis | | tu eus | rendu | | que tu aies | rendu | | |
| il rendit | | il eut | rendu | | qu' il ait | rendu | | |
| ns rendîmes | | ns eûmes | rendu | | que ns ayons | rendu | | |
| vs rendîtes | | vs eûtes | rendu | | que vs ayez | rendu | | |
| ils rendirent | | ils eurent | rendu | | qu' ils aient | rendu | | |
| **Futur simple** | | **Futur antérieur** | | | **Plus-que-parfait** | | | |
| je rendrai | | j' aurai | rendu | | que j' eusse | rendu | | |
| tu rendras | | tu auras | rendu | | que tu eusses | rendu | | |
| il rendra | | il aura | rendu | | qu' il eût | rendu | | |
| ns rendrons | | ns aurons | rendu | | que ns eussions | rendu | | |
| vs rendrez | | vs aurez | rendu | | que vs eussiez | rendu | | |
| ils rendront | | ils auront | rendu | | qu' ils eussent | rendu | | |

| CONDITIONNEL | | | | | | |
|---|---|---|---|---|---|---|
| **Présent** | | **Passé 1ʳᵉ forme** | | **Passé 2ᵉ forme** | | |
| je rendrais | | j' aurais | rendu | j' eusse | rendu | |
| tu rendrais | | tu aurais | rendu | tu eusses | rendu | |
| il rendrait | | il aurait | rendu | il eût | rendu | |
| ns rendrions | | ns aurions | rendu | ns eussions | rendu | |
| vs rendriez | | vs auriez | rendu | vs eussiez | rendu | |
| ils rendraient | | ils auraient | rendu | ils eussent | rendu | |

| IMPÉRATIF | | | | | |
|---|---|---|---|---|---|
| **Présent** | | | **Passé** | | |
| rends | rendons | rendez | aie rendu | ayons rendu | ayez rendu |

| INFINITIF | | PARTICIPE | | |
|---|---|---|---|---|
| **Présent** | **Passé** | **Présent** | **Passé** | **Passé composé** |
| rendre | avoir rendu | rendant | rendu, e | ayant rendu |

Ainsi se conjuguent les verbes qui se terminent par *-prendre* (*apprendre, se méprendre, surprendre,* etc.).

## INDICATIF

| Présent | | Passé composé | | |
|---|---|---|---|---|
| je | prends | j' | ai | pris |
| tu | prends | tu | as | pris |
| il | prend | il | a | pris |
| ns | prenons | ns | avons | pris |
| vs | prenez | vs | avez | pris |
| ils | prennent | ils | ont | pris |

| Imparfait | | Plus-que-parfait | | |
|---|---|---|---|---|
| je | prenais | j' | avais | pris |
| tu | prenais | tu | avais | pris |
| il | prenait | il | avait | pris |
| ns | prenions | ns | avions | pris |
| vs | preniez | vs | aviez | pris |
| ils | prenaient | ils | avaient | pris |

| Passé simple | | Passé antérieur | | |
|---|---|---|---|---|
| je | pris | j' | eus | pris |
| tu | pris | tu | eus | pris |
| il | prit | il | eut | pris |
| ns | prîmes | ns | eûmes | pris |
| vs | prîtes | vs | eûtes | pris |
| ils | prirent | ils | eurent | pris |

| Futur simple | | Futur antérieur | | |
|---|---|---|---|---|
| je | prendrai | j' | aurai | pris |
| tu | prendras | tu | auras | pris |
| il | prendra | il | aura | pris |
| ns | prendrons | ns | aurons | pris |
| vs | prendrez | vs | aurez | pris |
| ils | prendront | ils | auront | pris |

## SUBJONCTIF

| Présent | | |
|---|---|---|
| que je | prenne | |
| que tu | prennes | |
| qu' il | prenne | |
| que ns | prenions | |
| que vs | preniez | |
| qu' ils | prennent | |

| Imparfait | | |
|---|---|---|
| que je | prisse | |
| que tu | prisses | |
| qu' il | prît | |
| que ns | prissions | |
| que vs | prissiez | |
| qu' ils | prissent | |

| Passé | | |
|---|---|---|
| que j' | aie | pris |
| que tu | aies | pris |
| qu' il | ait | pris |
| que ns | ayons | pris |
| que vs | ayez | pris |
| qu' ils | aient | pris |

| Plus-que-parfait | | |
|---|---|---|
| que j' | eusse | pris |
| que tu | eusses | pris |
| qu' il | eût | pris |
| que ns | eussions | pris |
| que vs | eussiez | pris |
| qu' ils | eussent | pris |

## CONDITIONNEL

| Présent | | Passé 1ʳᵉ forme | | Passé 2ᵉ forme | | |
|---|---|---|---|---|---|---|
| je | prendrais | j' | aurais | pris | j' | eusse pris |
| tu | prendrais | tu | aurais | pris | tu | eusses pris |
| il | prendrait | il | aurait | pris | il | eût pris |
| ns | prendrions | ns | aurions | pris | ns | eussions pris |
| vs | prendriez | vs | auriez | pris | vs | eussiez pris |
| ils | prendraient | ils | auraient | pris | ils | eussent pris |

## IMPÉRATIF

| Présent | | | Passé | | |
|---|---|---|---|---|---|
| prends | prenons | prenez | aie pris | ayons pris | ayez pris |

## INFINITIF

| Présent | Passé |
|---|---|
| prendre | avoir pris |

## PARTICIPE

| Présent | Passé | Passé composé |
|---|---|---|
| prenant | pris, se | ayant pris |

tableaux

Contrairement aux autres verbes en -*dre* (voir modèle **52**), les verbes qui se conjuguent sur ce modèle perdent le *d* de l'infinitif, sauf au futur simple et au présent du conditionnel. Ces verbes prennent donc la terminaison -*t* à la 3ᵉ personne du singulier du présent de l'indicatif *(il crain**t**)*.

Ainsi se conjuguent *contraindre* et *plaindre*.

Aux deux premières personnes du pluriel de l'imparfait de l'indicatif et du présent du subjonctif, ne pas oublier le *i* après *gn*.

| INDICATIF | | | | | SUBJONCTIF | | | |
|---|---|---|---|---|---|---|---|---|
| **Présent** | | | **Passé composé** | | | **Présent** | | |
| je | crains | | j' | ai | craint | que | je | craigne |
| tu | crains | | tu | as | craint | que | tu | craignes |
| il | craint | | il | a | craint | qu' | il | craigne |
| ns | craignons | | ns | avons | craint | que | ns | craignions |
| vs | craignez | | vs | avez | craint | que | vs | craigniez |
| ils | craignent | | ils | ont | craint | qu' | ils | craignent |
| **Imparfait** | | | **Plus-que-parfait** | | | **Imparfait** | | |
| je | craignais | | j' | avais | craint | que | je | craignisse |
| tu | craignais | | tu | avais | craint | que | tu | craignisses |
| il | craignait | | il | avait | craint | qu' | il | craignît |
| ns | craignions | | ns | avions | craint | que | ns | craignissions |
| vs | craigniez | | vs | aviez | craint | que | vs | craignissiez |
| ils | craignaient | | ils | avaient | craint | qu' | ils | craignissent |
| **Passé simple** | | | **Passé antérieur** | | | **Passé** | | |
| je | craignis | | j' | eus | craint | que | j' | aie | craint |
| tu | craignis | | tu | eus | craint | que | tu | aies | craint |
| il | craignit | | il | eut | craint | qu' | il | ait | craint |
| ns | craignîmes | | ns | eûmes | craint | que | ns | ayons | craint |
| vs | craignîtes | | vs | eûtes | craint | que | vs | ayez | craint |
| ils | craignirent | | ils | eurent | craint | qu' | ils | aient | craint |
| **Futur simple** | | | **Futur antérieur** | | | **Plus-que-parfait** | | |
| je | craindrai | | j' | aurai | craint | que | j' | eusse | craint |
| tu | craindras | | tu | auras | craint | que | tu | eusses | craint |
| il | craindra | | il | aura | craint | qu' | il | eût | craint |
| ns | craindrons | | ns | aurons | craint | que | ns | eussions | craint |
| vs | craindrez | | vs | aurez | craint | que | vs | eussiez | craint |
| ils | craindront | | ils | auront | craint | qu' | ils | eussent | craint |

| CONDITIONNEL | | | | | | | |
|---|---|---|---|---|---|---|---|
| **Présent** | | | **Passé 1ʳᵉ forme** | | | **Passé 2ᵉ forme** | |
| je | craindrais | | j' | aurais | craint | j' | eusse | craint |
| tu | craindrais | | tu | aurais | craint | tu | eusses | craint |
| il | craindrait | | il | aurait | craint | il | eût | craint |
| ns | craindrions | | ns | aurions | craint | ns | eussions | craint |
| vs | craindriez | | vs | auriez | craint | vs | eussiez | craint |
| ils | craindraient | | ils | auraient | craint | ils | eussent | craint |

| IMPÉRATIF | | | | | |
|---|---|---|---|---|---|
| **Présent** | | | **Passé** | | |
| crains | craignons | craignez | aie craint | ayons craint | ayez craint |

| INFINITIF | | | PARTICIPE | | |
|---|---|---|---|---|---|
| **Présent** | **Passé** | | **Présent** | **Passé** | **Passé composé** |
| craindre | avoir craint | | craignant | craint, te | ayant craint |

# 55 PEINDRE

Contrairement aux autres verbes en -*dre* (voir modèle **52**), les verbes qui se conjuguent sur ce modèle perdent le *d* de l'infinitif, sauf au futur simple et au présent du conditionnel. Ces verbes prennent donc la terminaison -*t* à la 3e personne du singulier du présent de l'indicatif *(il peint)*.

Ainsi se conjuguent tous les verbes qui se terminent par -*eindre*.

Aux deux premières personnes du pluriel de l'imparfait de l'indicatif et du présent du subjonctif, ne pas oublier le *i* après *gn*.

## INDICATIF

| Présent | | Passé composé | | |
|---|---|---|---|---|
| je | peins | j' | ai | peint |
| tu | peins | tu | as | peint |
| il | peint | il | a | peint |
| ns | peignons | ns | avons | peint |
| vs | peignez | vs | avez | peint |
| ils | peignent | ils | ont | peint |

| Imparfait | | Plus-que-parfait | | |
|---|---|---|---|---|
| je | peignais | j' | avais | peint |
| tu | peignais | tu | avais | peint |
| il | peignait | il | avait | peint |
| ns | peignions | ns | avions | peint |
| vs | peigniez | vs | aviez | peint |
| ils | peignaient | ils | avaient | peint |

| Passé simple | | Passé antérieur | | |
|---|---|---|---|---|
| je | peignis | j' | eus | peint |
| tu | peignis | tu | eus | peint |
| il | peignit | il | eut | peint |
| ns | peignîmes | ns | eûmes | peint |
| vs | peignîtes | vs | eûtes | peint |
| ils | peignirent | ils | eurent | peint |

| Futur simple | | Futur antérieur | | |
|---|---|---|---|---|
| je | peindrai | j' | aurai | peint |
| tu | peindras | tu | auras | peint |
| il | peindra | il | aura | peint |
| ns | peindrons | ns | aurons | peint |
| vs | peindrez | vs | aurez | peint |
| ils | peindront | ils | auront | peint |

## SUBJONCTIF

| Présent | | |
|---|---|---|
| que je | peigne | |
| que tu | peignes | |
| qu' il | peigne | |
| que ns | peignions | |
| que vs | peigniez | |
| qu' ils | peignent | |

| Imparfait | | |
|---|---|---|
| que je | peignisse | |
| que tu | peignisses | |
| qu' il | peignît | |
| que ns | peignissions | |
| que vs | peignissiez | |
| qu' ils | peignissent | |

| Passé | | |
|---|---|---|
| que j' | aie | peint |
| que tu | aies | peint |
| qu' il | ait | peint |
| que ns | ayons | peint |
| que vs | ayez | peint |
| qu' ils | aient | peint |

| Plus-que-parfait | | |
|---|---|---|
| que j' | eusse | peint |
| que tu | eusses | peint |
| qu' il | eût | peint |
| que ns | eussions | peint |
| que vs | eussiez | peint |
| qu' ils | eussent | peint |

## CONDITIONNEL

| Présent | | Passé 1re forme | | | Passé 2e forme | | |
|---|---|---|---|---|---|---|---|
| je | peindrais | j' | aurais | peint | j' | eusse | peint |
| tu | peindrais | tu | aurais | peint | tu | eusses | peint |
| il | peindrait | il | aurait | peint | il | eût | peint |
| ns | peindrions | ns | aurions | peint | ns | eussions | peint |
| vs | peindriez | vs | auriez | peint | vs | eussiez | peint |
| ils | peindraient | ils | auraient | peint | ils | eussent | peint |

## IMPÉRATIF

| Présent | | | Passé | | |
|---|---|---|---|---|---|
| peins | peignons | peignez | aie peint | ayons peint | ayez peint |

## INFINITIF

| Présent | Passé |
|---|---|
| peindre | avoir peint |

## PARTICIPE

| Présent | Passé | Passé composé |
|---|---|---|
| peignant | peint, te | ayant peint |

tableaux

219

# 56 ⬛⬛⬛ JOINDRE 3ᵉ GROUPE

Ainsi se conjuguent les verbes *adjoindre, conjoindre, disjoindre, enjoindre, rejoindre*
et aussi *oindre* et *poindre,* rares aujourd'hui.
Contrairement aux autres verbes en *-dre* (voir modèle **52**), ces verbes perdent le *d* de
l'infinitif sauf au futur simple et au présent du conditionnel. Ces verbes prennent donc
la terminaison *-t* à la 3ᵉ personne du singulier du présent de l'indicatif *(je joins, il joint)*.
Aux deux premières personnes du pluriel de l'imparfait de l'indicatif et du présent du
subjonctif, ne pas oublier le *i* après *gn.*

## INDICATIF / SUBJONCTIF

| Présent | | Passé composé | | | Présent | | |
|---|---|---|---|---|---|---|---|
| je | joins | j' | ai | joint | que je | joigne | |
| tu | joins | tu | as | joint | que tu | joignes | |
| il | joint | il | a | joint | qu' il | joigne | |
| ns | joignons | ns | avons | joint | que ns | joignions | |
| vs | joignez | vs | avez | joint | que vs | joigniez | |
| ils | joignent | ils | ont | joint | qu' ils | joignent | |

| Imparfait | | Plus-que-parfait | | | Imparfait | | |
|---|---|---|---|---|---|---|---|
| je | joignais | j' | avais | joint | que je | joignisse | |
| tu | joignais | tu | avais | joint | que tu | joignisses | |
| il | joignait | il | avait | joint | qu' il | joignît | |
| ns | joignions | ns | avions | joint | que ns | joignissions | |
| vs | joigniez | vs | aviez | joint | que vs | joignissiez | |
| ils | joignaient | ils | avaient | joint | qu' ils | joignissent | |

| Passé simple | | Passé antérieur | | | Passé | | |
|---|---|---|---|---|---|---|---|
| je | joignis | j' | eus | joint | que j' | aie | joint |
| tu | joignis | tu | eus | joint | que tu | aies | joint |
| il | joignit | il | eut | joint | qu' il | ait | joint |
| ns | joignîmes | ns | eûmes | joint | que ns | ayons | joint |
| vs | joignîtes | vs | eûtes | joint | que vs | ayez | joint |
| ils | joignirent | ils | eurent | joint | qu' ils | aient | joint |

| Futur simple | | Futur antérieur | | | Plus-que-parfait | | |
|---|---|---|---|---|---|---|---|
| je | joindrai | j' | aurai | joint | que j' | eusse | joint |
| tu | joindras | tu | auras | joint | que tu | eusses | joint |
| il | joindra | il | aura | joint | qu' il | eût | joint |
| ns | joindrons | ns | aurons | joint | que ns | eussions | joint |
| vs | joindrez | vs | aurez | joint | que vs | eussiez | joint |
| ils | joindront | ils | auront | joint | qu' ils | eussent | joint |

## CONDITIONNEL

| Présent | | Passé 1ʳᵉ forme | | | Passé 2ᵉ forme | | |
|---|---|---|---|---|---|---|---|
| je | joindrais | j' | aurais | joint | j' | eusse | joint |
| tu | joindrais | tu | aurais | joint | tu | eusses | joint |
| il | joindrait | il | aurait | joint | il | eût | joint |
| ns | joindrions | ns | aurions | joint | ns | eussions | joint |
| vs | joindriez | vs | auriez | joint | vs | eussiez | joint |
| ils | joindraient | ils | auraient | joint | ils | eussent | joint |

## IMPÉRATIF

| Présent | | | Passé | | |
|---|---|---|---|---|---|
| joins | joignons | joignez | aie joint | ayons joint | ayez joint |

## INFINITIF / PARTICIPE

| Présent | Passé | Présent | Passé | Passé composé |
|---|---|---|---|---|
| joindre | avoir joint | joignant | joint, te | ayant joint |

Contrairement aux autres verbes en -dre (voir modèle **52**), les verbes qui se conjuguent sur ce modèle perdent le *d* de l'infinitif, sauf au futur simple et au présent du conditionnel. Ces verbes prennent donc la terminaison -*t* à la 3ᵉ personne du singulier du présent de l'indicatif *(il résou**t**)*.

Ainsi se conjuguent *absoudre* et *dissoudre*. Mais leur participe passé est *absous, absoute* et *dissous, dissoute* (et non pas en -*u*).

## INDICATIF

**Présent**
je résous
tu résous
il résout
ns résolvons
vs résolvez
ils résolvent

**Imparfait**
je résolvais
tu résolvais
il résolvait
ns résolvions
vs résolviez
ils résolvaient

**Passé simple**
je résolus
tu résolus
il résolut
ns résolûmes
vs résolûtes
ils résolurent

**Futur simple**
je résoudrai
tu résoudras
il résoudra
ns résoudrons
vs résoudrez
ils résoudront

**Passé composé**
j' ai résolu
tu as résolu
il a résolu
ns avons résolu
vs avez résolu
ils ont résolu

**Plus-que-parfait**
j' avais résolu
tu avais résolu
il avait résolu
ns avions résolu
vs aviez résolu
ils avaient résolu

**Passé antérieur**
j' eus résolu
tu eus résolu
il eut résolu
ns eûmes résolu
vs eûtes résolu
ils eurent résolu

**Futur antérieur**
j' aurai résolu
tu auras résolu
il aura résolu
ns aurons résolu
vs aurez résolu
ils auront résolu

## SUBJONCTIF

**Présent**
que je résolve
que tu résolves
qu' il résolve
que ns résolvions
que vs résolviez
qu' ils résolvent

**Imparfait**
que je résolusse
que tu résolusses
qu' il résolût
que ns résolussions
que vs résolussiez
qu' ils résolussent

**Passé**
que j' aie résolu
que tu aies résolu
qu' il ait résolu
que ns ayons résolu
que vs ayez résolu
qu' ils aient résolu

**Plus-que-parfait**
que j' eusse résolu
que tu eusses résolu
qu' il eût résolu
que ns eussions résolu
que vs eussiez résolu
qu' ils eussent résolu

## CONDITIONNEL

**Présent**
je résoudrais
tu résoudrais
il résoudrait
ns résoudrions
vs résoudriez
ils résoudraient

**Passé 1ʳᵉ forme**
j' aurais résolu
tu aurais résolu
il aurait résolu
ns aurions résolu
vs auriez résolu
ils auraient résolu

**Passé 2ᵉ forme**
j' eusse résolu
tu eusses résolu
il eût résolu
ns eussions résolu
vs eussiez résolu
ils eussent résolu

## IMPÉRATIF

**Présent**
résous résolvons résolvez

**Passé**
aie résolu ayons résolu ayez résolu

## INFINITIF

**Présent**
résoudre

**Passé**
avoir résolu

## PARTICIPE

**Présent** résolvant
**Passé** résolu, e
**Passé composé** ayant résolu

*tableaux*

Ainsi se conjuguent *découdre* et *recoudre*.

Ces verbes gardent le *d* de l'infinitif au singulier du présent de l'indicatif et de l'impé ratif. À la 3ᵉ personne du singulier, ce *d* exclut la terminaison *-t (il coud)*.

## INDICATIF | SUBJONCTIF

| Présent | | Passé composé | | | Présent | | |
|---|---|---|---|---|---|---|---|
| je | couds | j' | ai | cousu | que je | couse | |
| tu | couds | tu | as | cousu | que tu | couses | |
| il | coud | il | a | cousu | qu' il | couse | |
| ns | cousons | ns | avons | cousu | que ns | cousions | |
| vs | cousez | vs | avez | cousu | que vs | cousiez | |
| ils | cousent | ils | ont | cousu | qu' ils | cousent | |

| Imparfait | | Plus-que-parfait | | | Imparfait | | |
|---|---|---|---|---|---|---|---|
| je | cousais | j' | avais | cousu | que je | cousisse | |
| tu | cousais | tu | avais | cousu | que tu | cousisses | |
| il | cousait | il | avait | cousu | qu' il | cousît | |
| ns | cousions | ns | avions | cousu | que ns | cousissions | |
| vs | cousiez | vs | aviez | cousu | que vs | cousissiez | |
| ils | cousaient | ils | avaient | cousu | qu' ils | cousissent | |

| Passé simple | | Passé antérieur | | | Passé | | |
|---|---|---|---|---|---|---|---|
| je | cousis | j' | eus | cousu | que j' | aie | cousu |
| tu | cousis | tu | eus | cousu | que tu | aies | cousu |
| il | cousit | il | eut | cousu | qu' il | ait | cousu |
| ns | cousîmes | ns | eûmes | cousu | que ns | ayons | cousu |
| vs | cousîtes | vs | eûtes | cousu | que vs | ayez | cousu |
| ils | cousirent | ils | eurent | cousu | qu' ils | aient | cousu |

| Futur simple | | Futur antérieur | | | Plus-que-parfait | | |
|---|---|---|---|---|---|---|---|
| je | coudrai | j' | aurai | cousu | que j' | eusse | cousu |
| tu | coudras | tu | auras | cousu | que tu | eusses | cousu |
| il | coudra | il | aura | cousu | qu' il | eût | cousu |
| ns | coudrons | ns | aurons | cousu | que ns | eussions | cousu |
| vs | coudrez | vs | aurez | cousu | que vs | eussiez | cousu |
| ils | coudront | ils | auront | cousu | qu' ils | eussent | cousu |

## CONDITIONNEL

| Présent | | Passé 1ʳᵉ forme | | | Passé 2ᵉ forme | | |
|---|---|---|---|---|---|---|---|
| je | coudrais | j' | aurais | cousu | j' | eusse | cousu |
| tu | coudrais | tu | aurais | cousu | tu | eusses | cousu |
| il | coudrait | il | aurait | cousu | il | eût | cousu |
| ns | coudrions | ns | aurions | cousu | ns | eussions | cousu |
| vs | coudriez | vs | auriez | cousu | vs | eussiez | cousu |
| ils | coudraient | ils | auraient | cousu | ils | eussent | cousu |

## IMPÉRATIF

| Présent | | | Passé | | |
|---|---|---|---|---|---|
| couds | cousons | cousez | aie cousu | ayons cousu | ayez cousu |

## INFINITIF | PARTICIPE

| Présent | Passé | Présent | Passé | Passé composé |
|---|---|---|---|---|
| coudre | avoir cousu | cousant | cousu, e | ayant cousu |

Ainsi se conjuguent *émoudre* (rare) et *remoudre*.
Ces verbes gardent le *d* de l'infinitif au singulier du présent de l'indicatif et de l'impératif. À la 3ᵉ personne du singulier, ce *d* exclut la terminaison *-t (il moud)*.
Certaines formes en *-l-* sont homonymes des formes correspondantes du verbe du 1ᵉʳ groupe *mouler*.

## INDICATIF / SUBJONCTIF

| Présent | | Passé composé | | | Présent | | |
|---|---|---|---|---|---|---|---|
| je | mouds | j' | ai | moulu | que je | moule | |
| tu | mouds | tu | as | moulu | que tu | moules | |
| il | moud | il | a | moulu | qu' il | moule | |
| ns | moulons | ns | avons | moulu | que ns | moulions | |
| vs | moulez | vs | avez | moulu | que vs | mouliez | |
| ils | moulent | ils | ont | moulu | qu' ils | moulent | |

| Imparfait | | Plus-que-parfait | | | Imparfait | | |
|---|---|---|---|---|---|---|---|
| je | moulais | j' | avais | moulu | que je | moulusse | |
| tu | moulais | tu | avais | moulu | que tu | moulusses | |
| il | moulait | il | avait | moulu | qu' il | moulût | |
| ns | moulions | ns | avions | moulu | que ns | moulussions | |
| vs | mouliez | vs | aviez | moulu | que vs | moulussiez | |
| ils | moulaient | ils | avaient | moulu | qu' ils | moulussent | |

| Passé simple | | Passé antérieur | | | Passé | | |
|---|---|---|---|---|---|---|---|
| je | moulus | j' | eus | moulu | que j' | aie | moulu |
| tu | moulus | tu | eus | moulu | que tu | aies | moulu |
| il | moulut | il | eut | moulu | qu' il | ait | moulu |
| ns | moulûmes | ns | eûmes | moulu | que ns | ayons | moulu |
| vs | moulûtes | vs | eûtes | moulu | que vs | ayez | moulu |
| ils | moulurent | ils | eurent | moulu | qu' ils | aient | moulu |

| Futur simple | | Futur antérieur | | | Plus-que-parfait | | |
|---|---|---|---|---|---|---|---|
| je | moudrai | j' | aurai | moulu | que j' | eusse | moulu |
| tu | moudras | tu | auras | moulu | que tu | eusses | moulu |
| il | moudra | il | aura | moulu | qu' il | eût | moulu |
| ns | moudrons | ns | aurons | moulu | que ns | eussions | moulu |
| vs | moudrez | vs | aurez | moulu | que vs | eussiez | moulu |
| ils | moudront | ils | auront | moulu | qu' ils | eussent | moulu |

## CONDITIONNEL

| Présent | | Passé 1ʳᵉ forme | | | Passé 2ᵉ forme | | |
|---|---|---|---|---|---|---|---|
| je | moudrais | j' | aurais | moulu | j' | eusse | moulu |
| tu | moudrais | tu | aurais | moulu | tu | eusses | moulu |
| il | moudrait | il | aurait | moulu | il | eût | moulu |
| ns | moudrions | ns | aurions | moulu | ns | eussions | moulu |
| vs | moudriez | vs | auriez | moulu | vs | eussiez | moulu |
| ils | moudraient | ils | auraient | moulu | ils | eussent | moulu |

## IMPÉRATIF

| Présent | | | Passé | | |
|---|---|---|---|---|---|
| mouds | moulons | moulez | aie moulu | ayons moulu | ayez moulu |

## INFINITIF / PARTICIPE

| Présent | Passé | Présent | Passé | Passé composé |
|---|---|---|---|---|
| moudre | avoir moulu | moulant | moulu, e | ayant moulu |

tableaux

# 60 ROMPRE

Ces verbes gardent le *p* de l'infinitif dans toute leur conjugaison. Mais à la différenc
des verbes en -*dre* (voir modèle **52**), le *p* est compatible avec la terminaison -*t* d
la 3ᵉ personne du singulier *(il rompt)*.
Ainsi se conjuguent *corrompre* et *interrompre*.

## INDICATIF

| Présent | Passé composé | | SUBJONCTIF — Présent | |
|---|---|---|---|---|
| je romps | j' ai | rompu | que je rompe | |
| tu romps | tu as | rompu | que tu rompes | |
| il rompt | il a | rompu | qu' il rompe | |
| ns rompons | ns avons | rompu | que ns rompions | |
| vs rompez | vs avez | rompu | que vs rompiez | |
| ils rompent | ils ont | rompu | qu' ils rompent | |
| **Imparfait** | **Plus-que-parfait** | | **Imparfait** | |
| je rompais | j' avais | rompu | que je rompisse | |
| tu rompais | tu avais | rompu | que tu rompisses | |
| il rompait | il avait | rompu | qu' il rompît | |
| ns rompions | ns avions | rompu | que ns rompissions | |
| vs rompiez | vs aviez | rompu | que vs rompissiez | |
| ils rompaient | ils avaient | rompu | qu' ils rompissent | |
| **Passé simple** | **Passé antérieur** | | **Passé** | |
| je rompis | j' eus | rompu | que j' aie | rompu |
| tu rompis | tu eus | rompu | que tu aies | rompu |
| il rompit | il eut | rompu | qu' il ait | rompu |
| ns rompîmes | ns eûmes | rompu | que ns ayons | rompu |
| vs rompîtes | vs eûtes | rompu | que vs ayez | rompu |
| ils rompirent | ils eurent | rompu | qu' ils aient | rompu |
| **Futur simple** | **Futur antérieur** | | **Plus-que-parfait** | |
| je romprai | j' aurai | rompu | que j' eusse | rompu |
| tu rompras | tu auras | rompu | que tu eusses | rompu |
| il rompra | il aura | rompu | qu' il eût | rompu |
| ns romprons | ns aurons | rompu | que ns eussions | rompu |
| vs romprez | vs aurez | rompu | que vs eussiez | rompu |
| ils rompront | ils auront | rompu | qu' ils eussent | rompu |

## CONDITIONNEL

| Présent | Passé 1ʳᵉ forme | | Passé 2ᵉ forme | |
|---|---|---|---|---|
| je romprais | j' aurais | rompu | j' eusse | rompu |
| tu romprais | tu aurais | rompu | tu eusses | rompu |
| il romprait | il aurait | rompu | il eût | rompu |
| ns romprions | ns aurions | rompu | ns eussions | rompu |
| vs rompriez | vs auriez | rompu | vs eussiez | rompu |
| ils rompraient | ils auraient | rompu | ils eussent | rompu |

## IMPÉRATIF

| Présent | | | Passé | | |
|---|---|---|---|---|---|
| romps | rompons | rompez | aie rompu | ayons rompu | ayez rompu |

## INFINITIF

| Présent | Passé |
|---|---|
| rompre | avoir rompu |

## PARTICIPE

| Présent | Passé | Passé composé |
|---|---|---|
| rompant | rompu, e | ayant rompu |

# 61 — VAINCRE  3ᵉ GROUPE

Le *c* de l'infinitif se change en *qu* devant une voyelle autre que *u (il vainquit, que je vainque)*.
À la 3ᵉ personne du singulier du présent de l'indicatif, le maintien du *c* de l'infinitif exclut la terminaison *-t (il vainc)*.
Ainsi se conjugue *convaincre*.

## INDICATIF

| Présent | | Passé composé | | |
|---|---|---|---|---|
| je | vaincs | j' | ai | vaincu |
| tu | vaincs | tu | as | vaincu |
| il | vainc | il | a | vaincu |
| ns | vainquons | ns | avons | vaincu |
| vs | vainquez | vs | avez | vaincu |
| ils | vainquent | ils | ont | vaincu |

| Imparfait | | Plus-que-parfait | | |
|---|---|---|---|---|
| je | vainquais | j' | avais | vaincu |
| tu | vainquais | tu | avais | vaincu |
| il | vainquait | il | avait | vaincu |
| ns | vainquions | ns | avions | vaincu |
| vs | vainquiez | vs | aviez | vaincu |
| ils | vainquaient | ils | avaient | vaincu |

| Passé simple | | Passé antérieur | | |
|---|---|---|---|---|
| je | vainquis | j' | eus | vaincu |
| tu | vainquis | tu | eus | vaincu |
| il | vainquit | il | eut | vaincu |
| ns | vainquîmes | ns | eûmes | vaincu |
| vs | vainquîtes | vs | eûtes | vaincu |
| ils | vainquirent | ils | eurent | vaincu |

| Futur simple | | Futur antérieur | | |
|---|---|---|---|---|
| je | vaincrai | j' | aurai | vaincu |
| tu | vaincras | tu | auras | vaincu |
| il | vaincra | il | aura | vaincu |
| ns | vaincrons | ns | aurons | vaincu |
| vs | vaincrez | vs | aurez | vaincu |
| ils | vaincront | ils | auront | vaincu |

## SUBJONCTIF

| Présent | | |
|---|---|---|
| que je | vainque | |
| que tu | vainques | |
| qu' il | vainque | |
| que ns | vainquions | |
| que vs | vainquiez | |
| qu' ils | vainquent | |

| Imparfait | | |
|---|---|---|
| que je | vainquisse | |
| que tu | vainquisses | |
| qu' il | vainquît | |
| que ns | vainquissions | |
| que vs | vainquissiez | |
| qu' ils | vainquissent | |

| Passé | | |
|---|---|---|
| que j' | aie | vaincu |
| que tu | aies | vaincu |
| qu' il | ait | vaincu |
| que ns | ayons | vaincu |
| que vs | ayez | vaincu |
| qu' ils | aient | vaincu |

| Plus-que-parfait | | |
|---|---|---|
| que j' | eusse | vaincu |
| que tu | eusses | vaincu |
| qu' il | eût | vaincu |
| que ns | eussions | vaincu |
| que vs | eussiez | vaincu |
| qu' ils | eussent | vaincu |

## CONDITIONNEL

| Présent | | Passé 1ʳᵉ forme | | | Passé 2ᵉ forme | | |
|---|---|---|---|---|---|---|---|
| je | vaincrais | j' | aurais | vaincu | j' | eusse | vaincu |
| tu | vaincrais | tu | aurais | vaincu | tu | eusses | vaincu |
| il | vaincrait | il | aurait | vaincu | il | eût | vaincu |
| ns | vaincrions | ns | aurions | vaincu | ns | eussions | vaincu |
| vs | vaincriez | vs | auriez | vaincu | vs | eussiez | vaincu |
| ils | vaincraient | ils | auraient | vaincu | ils | eussent | vaincu |

## IMPÉRATIF

| Présent | | | Passé | | |
|---|---|---|---|---|---|
| vaincs | vainquons | vainquez | aie vaincu | ayons vaincu | ayez vaincu |

## INFINITIF

| Présent | Passé |
|---|---|
| vaincre | avoir vaincu |

## PARTICIPE

| Présent | Passé | Passé composé |
|---|---|---|
| vainquant | vaincu, e | ayant vaincu |

tableaux

Tous les verbes de la famille de *battre* se conjuguent sur ce modèle (*combattre, rabattre*, etc.).

Les formes du singulier du présent de l'indicatif et de l'impératif perdent un *t* du radical.

*Foutre* et *se contrefoutre* (familiers) se conjuguent sur ce modèle.

## INDICATIF

| Présent | Passé composé | | SUBJONCTIF Présent |
|---|---|---|---|
| je bats | j' ai battu | | que je batte |
| tu bats | tu as battu | | que tu battes |
| il bat | il a battu | | qu' il batte |
| ns battons | ns avons battu | | que ns battions |
| vs battez | vs avez battu | | que vs battiez |
| ils battent | ils ont battu | | qu' ils battent |

| Imparfait | Plus-que-parfait | | Imparfait |
|---|---|---|---|
| je battais | j' avais battu | | que je battisse |
| tu battais | tu avais battu | | que tu battisses |
| il battait | il avait battu | | qu' il battît |
| ns battions | ns avions battu | | que ns battissions |
| vs battiez | vs aviez battu | | que vs battissiez |
| ils battaient | ils avaient battu | | qu' ils battissent |

| Passé simple | Passé antérieur | | Passé |
|---|---|---|---|
| je battis | j' eus battu | | que j' aie battu |
| tu battis | tu eus battu | | que tu aies battu |
| il battit | il eut battu | | qu' il ait battu |
| ns battîmes | ns eûmes battu | | que ns ayons battu |
| vs battîtes | vs eûtes battu | | que vs ayez battu |
| ils battirent | ils eurent battu | | qu' ils aient battu |

| Futur simple | Futur antérieur | | Plus-que-parfait |
|---|---|---|---|
| je battrai | j' aurai battu | | que j' eusse battu |
| tu battras | tu auras battu | | que tu eusses battu |
| il battra | il aura battu | | qu' il eût battu |
| ns battrons | ns aurons battu | | que ns eussions battu |
| vs battrez | vs aurez battu | | que vs eussiez battu |
| ils battront | ils auront battu | | qu' ils eussent battu |

## CONDITIONNEL

| Présent | Passé 1ʳᵉ forme | | Passé 2ᵉ forme | |
|---|---|---|---|---|
| je battrais | j' aurais battu | | j' eusse battu |
| tu battrais | tu aurais battu | | tu eusses battu |
| il battrait | il aurait battu | | il eût battu |
| ns battrions | ns aurions battu | | ns eussions battu |
| vs battriez | vs auriez battu | | vs eussiez battu |
| ils battraient | ils auraient battu | | ils eussent battu |

## IMPÉRATIF

| Présent | | | Passé | | |
|---|---|---|---|---|---|
| bats | battons | battez | aie battu | ayons battu | ayez battu |

## INFINITIF / PARTICIPE

| Présent | Passé | Présent | Passé | Passé composé |
|---|---|---|---|---|
| battre | avoir battu | battant | battu, e | ayant battu |

# 63 METTRE

Tous les verbes de la famille de *mettre* se conjuguent sur ce modèle (*commettre, emettre*, etc.).
Les formes du singulier du présent de l'indicatif et de l'impératif perdent un *t* du radical.
Le participe passé masculin singulier prend toujours un *s*.

## INDICATIF

| Présent | | Passé composé | | |
|---|---|---|---|---|
| je | mets | j' | ai | mis |
| tu | mets | tu | as | mis |
| il | met | il | a | mis |
| ns | mettons | ns | avons | mis |
| vs | mettez | vs | avez | mis |
| ils | mettent | ils | ont | mis |

| Imparfait | | Plus-que-parfait | | |
|---|---|---|---|---|
| je | mettais | j' | avais | mis |
| tu | mettais | tu | avais | mis |
| il | mettait | il | avait | mis |
| ns | mettions | ns | avions | mis |
| vs | mettiez | vs | aviez | mis |
| ils | mettaient | ils | avaient | mis |

| Passé simple | | Passé antérieur | | |
|---|---|---|---|---|
| je | mis | j' | eus | mis |
| tu | mis | tu | eus | mis |
| il | mit | il | eut | mis |
| ns | mîmes | ns | eûmes | mis |
| vs | mîtes | vs | eûtes | mis |
| ils | mirent | ils | eurent | mis |

| Futur simple | | Futur antérieur | | |
|---|---|---|---|---|
| je | mettrai | j' | aurai | mis |
| tu | mettras | tu | auras | mis |
| il | mettra | il | aura | mis |
| ns | mettrons | ns | aurons | mis |
| vs | mettrez | vs | aurez | mis |
| ils | mettront | ils | auront | mis |

## SUBJONCTIF

| Présent | | |
|---|---|---|
| que je | mette | |
| que tu | mettes | |
| qu' il | mette | |
| que ns | mettions | |
| que vs | mettiez | |
| qu' ils | mettent | |

| Imparfait | | |
|---|---|---|
| que je | misse | |
| que tu | misses | |
| qu' il | mît | |
| que ns | missions | |
| que vs | missiez | |
| qu' ils | missent | |

| Passé | | |
|---|---|---|
| que j' | aie | mis |
| que tu | aies | mis |
| qu' il | ait | mis |
| que ns | ayons | mis |
| que vs | ayez | mis |
| qu' ils | aient | mis |

| Plus-que-parfait | | |
|---|---|---|
| que j' | eusse | mis |
| que tu | eusses | mis |
| qu' il | eût | mis |
| que ns | eussions | mis |
| que vs | eussiez | mis |
| qu' ils | eussent | mis |

## CONDITIONNEL

| Présent | | Passé 1ʳᵉ forme | | | Passé 2ᵉ forme | | |
|---|---|---|---|---|---|---|---|
| je | mettrais | j' | aurais | mis | j' | eusse | mis |
| tu | mettrais | tu | aurais | mis | tu | eusses | mis |
| il | mettrait | il | aurait | mis | il | eût | mis |
| ns | mettrions | ns | aurions | mis | ns | eussions | mis |
| vs | mettriez | vs | auriez | mis | vs | eussiez | mis |
| ils | mettraient | ils | auraient | mis | ils | eussent | mis |

## IMPÉRATIF

| Présent | | | Passé | | |
|---|---|---|---|---|---|
| mets | mettons | mettez | aie mis | ayons mis | ayez mis |

## INFINITIF

| Présent | Passé |
|---|---|
| mettre | avoir mis |

## PARTICIPE

| Présent | Passé | Passé composé |
|---|---|---|
| mettant | mis, se | ayant mis |

# 64 CONNAÎTRE 3ᵉ GROUPE

Se conjuguent sur ce modèle *paraître, paître* et les verbes de leur famille.
Tous les verbes en *-aître* prennent un accent circonflexe sur le *i* du radical qui précède
un *t* (il connaî**t**, il paraî**t**ra).
**Remarques : 1.** Les rectifications de l'orthographe de 1990 proposent d'harmoniser
la conjugaison de ces verbes en écrivant *i* sans accent à toutes les formes (il connai**t**,
il paraitra). **2.** *Paître* n'est employé ni aux temps composés ni au passé simple ni à
l'imparfait du subjonctif.

| INDICATIF | | | SUBJONCTIF | | |
|---|---|---|---|---|---|
| **Présent** | **Passé composé** | | **Présent** | | |
| je connais | j' ai | connu | que je connaisse | | |
| tu connais | tu as | connu | que tu connaisses | | |
| il connaît | il a | connu | qu' il connaisse | | |
| ns connaissons | ns avons | connu | que ns connaissions | | |
| vs connaissez | vs avez | connu | que vs connaissiez | | |
| ils connaissent | ils ont | connu | qu' ils connaissent | | |
| **Imparfait** | **Plus-que-parfait** | | **Imparfait** | | |
| je connaissais | j' avais | connu | que je connusse | | |
| tu connaissais | tu avais | connu | que tu connusses | | |
| il connaissait | il avait | connu | qu' il connût | | |
| ns connaissions | ns avions | connu | que ns connussions | | |
| vs connaissiez | vs aviez | connu | que vs connussiez | | |
| ils connaissaient | ils avaient | connu | qu' ils connussent | | |
| **Passé simple** | **Passé antérieur** | | **Passé** | | |
| je connus | j' eus | connu | que j' aie | connu | |
| tu connus | tu eus | connu | que tu aies | connu | |
| il connut | il eut | connu | qu' il ait | connu | |
| ns connûmes | ns eûmes | connu | que ns ayons | connu | |
| vs connûtes | vs eûtes | connu | que vs ayez | connu | |
| ils connurent | ils eurent | connu | qu' ils aient | connu | |
| **Futur simple** | **Futur antérieur** | | **Plus-que-parfait** | | |
| je connaîtrai | j' aurai | connu | que j' eusse | connu | |
| tu connaîtras | tu auras | connu | que tu eusses | connu | |
| il connaîtra | il aura | connu | qu' il eût | connu | |
| ns connaîtrons | ns aurons | connu | que ns eussions | connu | |
| vs connaîtrez | vs aurez | connu | que vs eussiez | connu | |
| ils connaîtront | ils auront | connu | qu' ils eussent | connu | |

| CONDITIONNEL | | | | | |
|---|---|---|---|---|---|
| **Présent** | **Passé 1ʳᵉ forme** | | **Passé 2ᵉ forme** | | |
| je connaîtrais | j' aurais | connu | j' eusse | connu | |
| tu connaîtrais | tu aurais | connu | tu eusses | connu | |
| il connaîtrait | il aurait | connu | il eût | connu | |
| ns connaîtrions | ns aurions | connu | ns eussions | connu | |
| vs connaîtriez | vs auriez | connu | vs eussiez | connu | |
| ils connaîtraient | ils auraient | connu | ils eussent | connu | |

| IMPÉRATIF | | |
|---|---|---|
| **Présent** | | **Passé** |
| connais connaissons connaissez | | aie connu  ayons connu  ayez connu |

| INFINITIF | | PARTICIPE | | |
|---|---|---|---|---|
| **Présent** | **Passé** | **Présent** | **Passé** | **Passé composé** |
| connaître | avoir connu | connaissant | connu, e | ayant connu |

228

*Naître* et *renaître* prennent un accent circonflexe sur le *i* du radical qui précède un *t* (*il naît, il renaîtra*).

**Remarque** : les rectifications de l'orthographe de 1990 proposent d'harmoniser la conjugaison de ces verbes en écrivant *i* sans accent à toutes les formes (*il nait, il renaitra*). À noter : la forme particulière du participe passé *né*.

## INDICATIF

| Présent | Passé composé | |
|---|---|---|
| je nais | je suis | né |
| tu nais | tu es | né |
| il naît | il est | né |
| ns naissons | ns sommes | nés |
| vs naissez | vs êtes | nés |
| ils naissent | ils sont | nés |

| Imparfait | Plus-que-parfait | |
|---|---|---|
| je naissais | j' étais | né |
| tu naissais | tu étais | né |
| il naissait | il était | né |
| ns naissions | ns étions | nés |
| vs naissiez | vs étiez | nés |
| ils naissaient | ils étaient | nés |

| Passé simple | Passé antérieur | |
|---|---|---|
| je naquis | je fus | né |
| tu naquis | tu fus | né |
| il naquit | il fut | né |
| ns naquîmes | ns fûmes | nés |
| vs naquîtes | vs fûtes | nés |
| ils naquirent | ils furent | nés |

| Futur simple | Futur antérieur | |
|---|---|---|
| je naîtrai | je serai | né |
| tu naîtras | tu seras | né |
| il naîtra | il sera | né |
| ns naîtrons | ns serons | nés |
| vs naîtrez | vs serez | nés |
| ils naîtront | ils seront | nés |

## SUBJONCTIF

| Présent | |
|---|---|
| que je naisse | |
| que tu naisses | |
| qu' il naisse | |
| que ns naissions | |
| que vs naissiez | |
| qu' ils naissent | |

| Imparfait | |
|---|---|
| que je naquisse | |
| que tu naquisses | |
| qu' il naquît | |
| que ns naquissions | |
| que vs naquissiez | |
| qu' ils naquissent | |

| Passé | | |
|---|---|---|
| que je sois | né |
| que tu sois | né |
| qu' il soit | né |
| que ns soyons | nés |
| que vs soyez | nés |
| qu' ils soient | nés |

| Plus-que-parfait | | |
|---|---|---|
| que je fusse | né |
| que tu fusses | né |
| qu' il fût | né |
| que ns fussions | nés |
| que vs fussiez | nés |
| qu' ils fussent | nés |

## CONDITIONNEL

| Présent | Passé 1re forme | | Passé 2e forme | |
|---|---|---|---|---|
| je naîtrais | je serais | né | je fusse | né |
| tu naîtrais | tu serais | né | tu fusses | né |
| il naîtrait | il serait | né | il fût | né |
| ns naîtrions | ns serions | nés | ns fussions | nés |
| vs naîtriez | vs seriez | nés | vs fussiez | nés |
| ils naîtraient | ils seraient | nés | ils fussent | nés |

## IMPÉRATIF

| Présent | | | Passé | | |
|---|---|---|---|---|---|
| nais | naissons | naissez | sois né | soyons nés | soyez nés |

## INFINITIF

| Présent | Passé |
|---|---|
| naître | être né |

## PARTICIPE

| Présent | Passé | Passé composé |
|---|---|---|
| naissant | né, e | étant né |

tableaux

Le verbe *croître* maintient l'accent circonflexe sur le *i* pour toutes les formes homonymes de celles de *croire* (*croître* / il *croît*, il a *crû* – *croire* / il *croit*, il a *cru*).
Ainsi se conjuguent les composés de *croître* : *accroître*, *décroître* et *recroître*. Mais ces verbes ne prennent un accent circonflexe sur le *i* du radical que s'il précède un *t* (il *accroît*).
Le participe passé de *accroître* et *décroître* s'écrit sans accent circonflexe (*accru*, *décru*).

## INDICATIF / SUBJONCTIF

| Présent | | Passé composé | | | Présent | | |
|---|---|---|---|---|---|---|---|
| je | croîs | j' | ai | crû | que je | croisse | |
| tu | croîs | tu | as | crû | que tu | croisses | |
| il | croît | il | a | crû | qu' il | croisse | |
| ns | croissons | ns | avons | crû | que ns | croissions | |
| vs | croissez | vs | avez | crû | que vs | croissiez | |
| ils | croissent | ils | ont | crû | qu' ils | croissent | |

| Imparfait | | Plus-que-parfait | | | Imparfait | | |
|---|---|---|---|---|---|---|---|
| je | croissais | j' | avais | crû | que je | crûsse | |
| tu | croissais | tu | avais | crû | que tu | crûsses | |
| il | croissait | il | avait | crû | qu' il | crût | |
| ns | croissions | ns | avions | crû | que ns | crûssions | |
| vs | croissiez | vs | aviez | crû | que vs | crûssiez | |
| ils | croissaient | ils | avaient | crû | qu' ils | crûssent | |

| Passé simple | | Passé antérieur | | | Passé | | |
|---|---|---|---|---|---|---|---|
| je | crûs | j' | eus | crû | que j' | aie | crû |
| tu | crûs | tu | eus | crû | que tu | aies | crû |
| il | crût | il | eut | crû | qu' il | ait | crû |
| ns | crûmes | ns | eûmes | crû | que ns | ayons | crû |
| vs | crûtes | vs | eûtes | crû | que vs | ayez | crû |
| ils | crûrent | ils | eurent | crû | qu' ils | aient | crû |

| Futur simple | | Futur antérieur | | | Plus-que-parfait | | |
|---|---|---|---|---|---|---|---|
| je | croîtrai | j' | aurai | crû | que j' | eusse | crû |
| tu | croîtras | tu | auras | crû | que tu | eusses | crû |
| il | croîtra | il | aura | crû | qu' il | eût | crû |
| ns | croîtrons | ns | aurons | crû | que ns | eussions | crû |
| vs | croîtrez | vs | aurez | crû | que vs | eussiez | crû |
| ils | croîtront | ils | auront | crû | qu' ils | eussent | crû |

## CONDITIONNEL

| Présent | | Passé 1ʳᵉ forme | | | Passé 2ᵉ forme | | |
|---|---|---|---|---|---|---|---|
| je | croîtrais | j' | aurais | crû | j' | eusse | crû |
| tu | croîtrais | tu | aurais | crû | tu | eusses | crû |
| il | croîtrait | il | aurait | crû | il | eût | crû |
| ns | croîtrions | ns | aurions | crû | ns | eussions | crû |
| vs | croîtriez | vs | auriez | crû | vs | eussiez | crû |
| ils | croîtraient | ils | auraient | crû | ils | eussent | crû |

## IMPÉRATIF

| Présent | | | Passé | | |
|---|---|---|---|---|---|
| croîs | croissons | croissez | aie crû | ayons crû | ayez crû |

## INFINITIF / PARTICIPE

| Présent | Passé | Présent | Passé | Passé composé |
|---|---|---|---|---|
| croître | avoir crû | croissant | crû, crûe | ayant crû |

# CROIRE

Seul le verbe *croire* se conjugue sur ce modèle.

On ne place jamais d'accent circonflexe sur les formes de ce verbe, sauf aux deux premières personnes du pluriel du passé simple et à la 3ᵉ personne du singulier de l'imparfait du subjonctif qui sont alors homonymes de celles du verbe *croître*.

À la 3ᵉ personne du pluriel du présent de l'indicatif et du présent du subjonctif, on doit placer un *i* et non un *y* ; erreur très fréquente, surtout à l'oral.

*Accroire* ne s'utilise qu'à l'infinitif.

## INDICATIF

| Présent | Passé composé | | Subjonctif Présent |
|---|---|---|---|
| je crois | j' ai | cru | que je croie |
| tu crois | tu as | cru | que tu croies |
| il croit | il a | cru | qu' il croie |
| ns croyons | ns avons | cru | que ns croyions |
| vs croyez | vs avez | cru | que vs croyiez |
| ils croient | ils ont | cru | qu' ils croient |

| Imparfait | Plus-que-parfait | | Imparfait |
|---|---|---|---|
| je croyais | j' avais | cru | que je crusse |
| tu croyais | tu avais | cru | que tu crusses |
| il croyait | il avait | cru | qu' il crût |
| ns croyions | ns avions | cru | que ns crussions |
| vs croyiez | vs aviez | cru | que vs crussiez |
| ils croyaient | ils avaient | cru | qu' ils crussent |

| Passé simple | Passé antérieur | | Passé |
|---|---|---|---|
| je crus | j' eus | cru | que j' aie cru |
| tu crus | tu eus | cru | que tu aies cru |
| il crut | il eut | cru | qu' il ait cru |
| ns crûmes | ns eûmes | cru | que ns ayons cru |
| vs crûtes | vs eûtes | cru | que vs ayez cru |
| ils crurent | ils eurent | cru | qu' ils aient cru |

| Futur simple | Futur antérieur | | Plus-que-parfait |
|---|---|---|---|
| je croirai | j' aurai | cru | que j' eusse cru |
| tu croiras | tu auras | cru | que tu eusses cru |
| il croira | il aura | cru | qu' il eût cru |
| ns croirons | ns aurons | cru | que ns eussions cru |
| vs croirez | vs aurez | cru | que vs eussiez cru |
| ils croiront | ils auront | cru | qu' ils eussent cru |

## CONDITIONNEL

| Présent | Passé 1ʳᵉ forme | | Passé 2ᵉ forme | |
|---|---|---|---|---|
| je croirais | j' aurais | cru | j' eusse | cru |
| tu croirais | tu aurais | cru | tu eusses | cru |
| il croirait | il aurait | cru | il eût | cru |
| ns croirions | ns aurions | cru | ns eussions | cru |
| vs croiriez | vs auriez | cru | vs eussiez | cru |
| ils croiraient | ils auraient | cru | ils eussent | cru |

## IMPÉRATIF

| Présent | | | Passé | | |
|---|---|---|---|---|---|
| crois | croyons | croyez | aie cru | ayons cru | ayez cru |

## INFINITIF

| Présent | Passé |
|---|---|
| croire | avoir cru |

## PARTICIPE

| Présent | Passé | Passé composé |
|---|---|---|
| croyant | cru, e | ayant cru |

Ainsi se conjuguent *complaire*, *déplaire* et *taire*. Ce dernier ne prend pas d'accent circonflexe à la 3ᵉ personne du singulier du présent de l'indicatif *(il tait)* et a un participe passé variable *(elles se sont tues)*, alors que celui de *plaire, déplaire, complaire* est invariable *(elles se sont plu)*.

**Remarque :** les rectifications de l'orthographe de 1990 proposent d'écrire *i* sans accent *(il plait)*.

## INDICATIF

| Présent | Passé composé | | Présent (SUBJONCTIF) | | |
|---|---|---|---|---|---|
| je plais | j' ai | plu | que je plaise | | |
| tu plais | tu as | plu | que tu plaises | | |
| il plaît | il a | plu | qu' il plaise | | |
| ns plaisons | ns avons | plu | que ns plaisions | | |
| vs plaisez | vs avez | plu | que vs plaisiez | | |
| ils plaisent | ils ont | plu | qu' ils plaisent | | |
| **Imparfait** | **Plus-que-parfait** | | **Imparfait** | | |
| je plaisais | j' avais | plu | que je plusse | | |
| tu plaisais | tu avais | plu | que tu plusses | | |
| il plaisait | il avait | plu | qu' il plût | | |
| ns plaisions | ns avions | plu | que ns plussions | | |
| vs plaisiez | vs aviez | plu | que vs plussiez | | |
| ils plaisaient | ils avaient | plu | qu' ils plussent | | |
| **Passé simple** | **Passé antérieur** | | **Passé** | | |
| je plus | j' eus | plu | que j' aie | plu | |
| tu plus | tu eus | plu | que tu aies | plu | |
| il plut | il eut | plu | qu' il ait | plu | |
| ns plûmes | ns eûmes | plu | que ns ayons | plu | |
| vs plûtes | vs eûtes | plu | que vs ayez | plu | |
| ils plurent | ils eurent | plu | qu' ils aient | plu | |
| **Futur simple** | **Futur antérieur** | | **Plus-que-parfait** | | |
| je plairai | j' aurai | plu | que j' eusse | plu | |
| tu plairas | tu auras | plu | que tu eusses | plu | |
| il plaira | il aura | plu | qu' il eût | plu | |
| ns plairons | ns aurons | plu | que ns eussions | plu | |
| vs plairez | vs aurez | plu | que vs eussiez | plu | |
| ils plairont | ils auront | plu | qu' ils eussent | plu | |

## CONDITIONNEL

| Présent | Passé 1ʳᵉ forme | | Passé 2ᵉ forme | |
|---|---|---|---|---|
| je plairais | j' aurais | plu | j' eusse | plu |
| tu plairais | tu aurais | plu | tu eusses | plu |
| il plairait | il aurait | plu | il eût | plu |
| ns plairions | ns aurions | plu | ns eussions | plu |
| vs plairiez | vs auriez | plu | vs eussiez | plu |
| ils plairaient | ils auraient | plu | ils eussent | plu |

## IMPÉRATIF

| Présent | | | Passé | | |
|---|---|---|---|---|---|
| plais | plaisons | plaisez | aie plu | ayons plu | ayez plu |

## INFINITIF / PARTICIPE

| Présent | Passé | Présent | Passé | Passé composé |
|---|---|---|---|---|
| plaire | avoir plu | plaisant | plu | ayant plu |

Ainsi se conjuguent les verbes de la famille de *traire* (*extraire*, *abstraire*, etc.) et *braire*, qui ne s'emploie qu'aux troisièmes personnes du présent de l'indicatif, du futur simple et du présent du conditionnel.
À la 3ᵉ personne du pluriel du présent de l'indicatif et du présent du subjonctif, on doit placer un *i* et non un *y*.

| INDICATIF | | | SUBJONCTIF | | |
|---|---|---|---|---|---|
| **Présent** | **Passé composé** | | **Présent** | | |
| je trais | j' ai trait | | que je traie | | |
| tu trais | tu as trait | | que tu traies | | |
| il trait | il a trait | | qu' il traie | | |
| ns trayons | ns avons trait | | que ns trayions | | |
| vs trayez | vs avez trait | | que vs trayiez | | |
| ils traient | ils ont trait | | qu' ils traient | | |
| **Imparfait** | **Plus-que-parfait** | | **Imparfait** | | |
| je trayais | j' avais trait | | *inusité* | | |
| tu trayais | tu avais trait | | | | |
| il trayait | il avait trait | | | | |
| ns trayions | ns avions trait | | | | |
| vs trayiez | vs aviez trait | | | | |
| ils trayaient | ils avaient trait | | | | |
| **Passé simple** | **Passé antérieur** | | **Passé** | | |
| *inusité* | j' eus trait | | que j' aie | trait |
| | tu eus trait | | que tu aies | trait |
| | il eut trait | | qu' il ait | trait |
| | ns eûmes trait | | que ns ayons | trait |
| | vs eûtes trait | | que vs ayez | trait |
| | ils eurent trait | | qu' ils aient | trait |
| **Futur simple** | **Futur antérieur** | | **Plus-que-parfait** | | |
| je trairai | j' aurai trait | | que j' eusse | trait |
| tu trairas | tu auras trait | | que tu eusses | trait |
| il traira | il aura trait | | qu' il eût | trait |
| ns trairons | ns aurons trait | | que ns eussions | trait |
| vs trairez | vs aurez trait | | que vs eussiez | trait |
| ils trairont | ils auront trait | | qu' ils eussent | trait |

| CONDITIONNEL | | |
|---|---|---|
| **Présent** | **Passé 1ʳᵉ forme** | **Passé 2ᵉ forme** |
| je trairais | j' aurais trait | j' eusse trait |
| tu trairais | tu aurais trait | tu eusses trait |
| il trairait | il aurait trait | il eût trait |
| ns trairions | ns aurions trait | ns eussions trait |
| vs trairiez | vs auriez trait | vs eussiez trait |
| ils trairaient | ils auraient trait | ils eussent trait |

| IMPÉRATIF | | | | | |
|---|---|---|---|---|---|
| **Présent** | | | **Passé** | | |
| trais | trayons | trayez | aie trait | ayons trait | ayez trait |

| INFINITIF | | PARTICIPE | | |
|---|---|---|---|---|
| **Présent** | **Passé** | **Présent** | **Passé** | **Passé composé** |
| traire | avoir trait | trayant | trait, te | ayant trait |

tableaux

Se conjuguent sur ce modèle *poursuivre* et *s'ensuivre*.

**Remarques : 1.** La forme *je suis* est homonyme de la 1<sup>re</sup> personne du singulier du présent de l'indicatif du verbe *être*. **2.** *S'ensuivre* ne se conjugue qu'à la 3<sup>e</sup> personne (du singulier ou du pluriel) et plus particulièrement dans l'expression *et tout ce qu s'ensuit.*

## INDICATIF / SUBJONCTIF

| Présent | Passé composé | | Présent | |
|---|---|---|---|---|
| je suis | j' ai | suivi | que je suive | |
| tu suis | tu as | suivi | que tu suives | |
| il suit | il a | suivi | qu' il suive | |
| ns suivons | ns avons | suivi | que ns suivions | |
| vs suivez | vs avez | suivi | que vs suiviez | |
| ils suivent | ils ont | suivi | qu' ils suivent | |
| **Imparfait** | **Plus-que-parfait** | | **Imparfait** | |
| je suivais | j' avais | suivi | que je suivisse | |
| tu suivais | tu avais | suivi | que tu suivisses | |
| il suivait | il avait | suivi | qu' il suivît | |
| ns suivions | ns avions | suivi | que ns suivissions | |
| vs suiviez | vs aviez | suivi | que vs suivissiez | |
| ils suivaient | ils avaient | suivi | qu' ils suivissent | |
| **Passé simple** | **Passé antérieur** | | **Passé** | |
| je suivis | j' eus | suivi | que j' aie | suivi |
| tu suivis | tu eus | suivi | que tu aies | suivi |
| il suivit | il eut | suivi | qu' il ait | suivi |
| ns suivîmes | ns eûmes | suivi | que ns ayons | suivi |
| vs suivîtes | vs eûtes | suivi | que vs ayez | suivi |
| ils suivirent | ils eurent | suivi | qu' ils aient | suivi |
| **Futur simple** | **Futur antérieur** | | **Plus-que-parfait** | |
| je suivrai | j' aurai | suivi | que j' eusse | suivi |
| tu suivras | tu auras | suivi | que tu eusses | suivi |
| il suivra | il aura | suivi | qu' il eût | suivi |
| ns suivrons | ns aurons | suivi | que ns eussions | suivi |
| vs suivrez | vs aurez | suivi | que vs eussiez | suivi |
| ils suivront | ils auront | suivi | qu' ils eussent | suivi |

## CONDITIONNEL

| Présent | Passé 1<sup>re</sup> forme | | Passé 2<sup>e</sup> forme | |
|---|---|---|---|---|
| je suivrais | j' aurais | suivi | j' eusse | suivi |
| tu suivrais | tu aurais | suivi | tu eusses | suivi |
| il suivrait | il aurait | suivi | il eût | suivi |
| ns suivrions | ns aurions | suivi | ns eussions | suivi |
| vs suivriez | vs auriez | suivi | vs eussiez | suivi |
| ils suivraient | ils auraient | suivi | ils eussent | suivi |

## IMPÉRATIF

| Présent | | | Passé | | |
|---|---|---|---|---|---|
| suis | suivons | suivez | aie suivi | ayons suivi | ayez suivi |

## INFINITIF / PARTICIPE

| Présent | Passé | Présent | Passé | Passé composé |
|---|---|---|---|---|
| suivre | avoir suivi | suivant | suivi, e | ayant suivi |

# VIVRE

Ainsi se conjuguent *revivre* et *survivre*.
Le participe passé de *survivre (survécu)* est invariable.

## INDICATIF

### Présent

| | |
|---|---|
| je | vis |
| tu | vis |
| il | vit |
| ns | vivons |
| vs | vivez |
| ils | vivent |

### Passé composé

| | | |
|---|---|---|
| j' | ai | vécu |
| tu | as | vécu |
| il | a | vécu |
| ns | avons | vécu |
| vs | avez | vécu |
| ils | ont | vécu |

### Imparfait

| | |
|---|---|
| je | vivais |
| tu | vivais |
| il | vivait |
| ns | vivions |
| vs | viviez |
| ils | vivaient |

### Plus-que-parfait

| | | |
|---|---|---|
| j' | avais | vécu |
| tu | avais | vécu |
| il | avait | vécu |
| ns | avions | vécu |
| vs | aviez | vécu |
| ils | avaient | vécu |

### Passé simple

| | |
|---|---|
| je | vécus |
| tu | vécus |
| il | vécut |
| ns | vécûmes |
| vs | vécûtes |
| ils | vécurent |

### Passé antérieur

| | | |
|---|---|---|
| j' | eus | vécu |
| tu | eus | vécu |
| il | eut | vécu |
| ns | eûmes | vécu |
| vs | eûtes | vécu |
| ils | eurent | vécu |

### Futur simple

| | |
|---|---|
| je | vivrai |
| tu | vivras |
| il | vivra |
| ns | vivrons |
| vs | vivrez |
| ils | vivront |

### Futur antérieur

| | | |
|---|---|---|
| j' | aurai | vécu |
| tu | auras | vécu |
| il | aura | vécu |
| ns | aurons | vécu |
| vs | aurez | vécu |
| ils | auront | vécu |

## SUBJONCTIF

### Présent

| | | |
|---|---|---|
| que | je | vive |
| que | tu | vives |
| qu' | il | vive |
| que | ns | vivions |
| que | vs | viviez |
| qu' | ils | vivent |

### Imparfait

| | | |
|---|---|---|
| que | je | vécusse |
| que | tu | vécusses |
| qu' | il | vécût |
| que | ns | vécussions |
| que | vs | vécussiez |
| qu' | ils | vécussent |

### Passé

| | | | |
|---|---|---|---|
| que | j' | aie | vécu |
| que | tu | aies | vécu |
| qu' | il | ait | vécu |
| que | ns | ayons | vécu |
| que | vs | ayez | vécu |
| qu' | ils | aient | vécu |

### Plus-que-parfait

| | | | |
|---|---|---|---|
| que | j' | eusse | vécu |
| que | tu | eusses | vécu |
| qu' | il | eût | vécu |
| que | ns | eussions | vécu |
| que | vs | eussiez | vécu |
| qu' | ils | eussent | vécu |

## CONDITIONNEL

### Présent

| | |
|---|---|
| je | vivrais |
| tu | vivrais |
| il | vivrait |
| ns | vivrions |
| vs | vivriez |
| ils | vivraient |

### Passé 1re forme

| | | |
|---|---|---|
| j' | aurais | vécu |
| tu | aurais | vécu |
| il | aurait | vécu |
| ns | aurions | vécu |
| vs | auriez | vécu |
| ils | auraient | vécu |

### Passé 2e forme

| | | |
|---|---|---|
| j' | eusse | vécu |
| tu | eusses | vécu |
| il | eût | vécu |
| ns | eussions | vécu |
| vs | eussiez | vécu |
| ils | eussent | vécu |

## IMPÉRATIF

### Présent

| | | |
|---|---|---|
| vis | vivons | vivez |

### Passé

| | | |
|---|---|---|
| aie vécu | ayons vécu | ayez vécu |

## INFINITIF

| Présent | Passé |
|---|---|
| vivre | avoir vécu |

## PARTICIPE

| Présent | Passé | Passé composé |
|---|---|---|
| vivant | vécu, e | ayant vécu |

Se conjuguent sur ce modèle *confire, frire,* mais leur participe passé est en *-it (confit, confite; frit, frite),* et *circoncire,* mais son participe passé est en *-is (circoncis, circoncise).*
**Remarque :** *frire* ne s'emploie couramment qu'à l'infinitif et au participe passé. On trouve parfois le présent de l'indicatif (mais seulement au singulier), le futur simple et les temps composés.
Le participe passé *suffi* est invariable, même à la forme pronominale : *ils se sont suffi à eux-mêmes.*

| INDICATIF | | SUBJONCTIF | |
|---|---|---|---|
| **Présent** | **Passé composé** | **Présent** | |
| je suffis | j' ai suffi | que je suffise | |
| tu suffis | tu as suffi | que tu suffises | |
| il suffit | il a suffi | qu' il suffise | |
| ns suffisons | ns avons suffi | que ns suffisions | |
| vs suffisez | vs avez suffi | que vs suffisiez | |
| ils suffisent | ils ont suffi | qu' ils suffisent | |
| **Imparfait** | **Plus-que-parfait** | **Imparfait** | |
| je suffisais | j' avais suffi | que je suffisse | |
| tu suffisais | tu avais suffi | que tu suffisses | |
| il suffisait | il avait suffi | qu' il suffît | |
| ns suffisions | ns avions suffi | que ns suffissions | |
| vs suffisiez | vs aviez suffi | que vs suffissiez | |
| ils suffisaient | ils avaient suffi | qu' ils suffissent | |
| **Passé simple** | **Passé antérieur** | **Passé** | |
| je suffis | j' eus suffi | que j' aie suffi |
| tu suffis | tu eus suffi | que tu aies suffi |
| il suffit | il eut suffi | qu' il ait suffi |
| ns suffîmes | ns eûmes suffi | que ns ayons suffi |
| vs suffîtes | vs eûtes suffi | que vs ayez suffi |
| ils suffirent | ils eurent suffi | qu' ils aient suffi |
| **Futur simple** | **Futur antérieur** | **Plus-que-parfait** | |
| je suffirai | j' aurai suffi | que j' eusse suffi |
| tu suffiras | tu auras suffi | que tu eusses suffi |
| il suffira | il aura suffi | qu' il eût suffi |
| ns suffirons | ns aurons suffi | que ns eussions suffi |
| vs suffirez | vs aurez suffi | que vs eussiez suffi |
| ils suffiront | ils auront suffi | qu' ils eussent suffi |

| CONDITIONNEL | | |
|---|---|---|
| **Présent** | **Passé 1ʳᵉ forme** | **Passé 2ᵉ forme** |
| je suffirais | j' aurais suffi | j' eusse suffi |
| tu suffirais | tu aurais suffi | tu eusses suffi |
| il suffirait | il aurait suffi | il eût suffi |
| ns suffirions | ns aurions suffi | ns eussions suffi |
| vs suffiriez | vs auriez suffi | vs eussiez suffi |
| ils suffiraient | ils auraient suffi | ils eussent suffi |

| IMPÉRATIF | | |
|---|---|---|
| **Présent** | | **Passé** |
| suffis suffisons suffisez | | aie suffi ayons suffi ayez suffi |

| INFINITIF | | PARTICIPE | | |
|---|---|---|---|---|
| **Présent** | **Passé** | **Présent** | **Passé** | **Passé composé** |
| suffire | avoir suffi | suffisant | suffi | ayant suffi |

*Dire* (et *redire*) ont la particularité d'avoir leur 2ᵉ personne du pluriel du présent de l'indicatif et de l'impératif en *-tes*, et non en *-ez*.

Les autres verbes qui se conjuguent sur ce modèle *(contredire, dédire, interdire, médire* et *prédire)* font bien leur 2ᵉ personne du pluriel en *-ez* (Ex. : *vous contredisez, vous prédisez).*

## INDICATIF

| Présent | | Passé composé | | | Présent (Subjonctif) | | |
|---|---|---|---|---|---|---|---|
| je | dis | j' | ai | dit | que je | dise | |
| tu | dis | tu | as | dit | que tu | dises | |
| il | dit | il | a | dit | qu' il | dise | |
| ns | disons | ns | avons | dit | que ns | disions | |
| vs | **dites** | vs | avez | dit | que vs | disiez | |
| ils | disent | ils | ont | dit | qu' ils | disent | |

| Imparfait | | Plus-que-parfait | | | Imparfait (Subjonctif) | | |
|---|---|---|---|---|---|---|---|
| je | disais | j' | avais | dit | que je | disse | |
| tu | disais | tu | avais | dit | que tu | disses | |
| il | disait | il | avait | dit | qu' il | dît | |
| ns | disions | ns | avions | dit | que ns | dissions | |
| vs | disiez | vs | aviez | dit | que vs | dissiez | |
| ils | disaient | ils | avaient | dit | qu' ils | dissent | |

| Passé simple | | Passé antérieur | | | Passé (Subjonctif) | | |
|---|---|---|---|---|---|---|---|
| je | dis | j' | eus | dit | que j' | aie | dit |
| tu | dis | tu | eus | dit | que tu | aies | dit |
| il | dit | il | eut | dit | qu' il | ait | dit |
| ns | dîmes | ns | eûmes | dit | que ns | ayons | dit |
| vs | dîtes | vs | eûtes | dit | que vs | ayez | dit |
| ils | dirent | ils | eurent | dit | qu' ils | aient | dit |

| Futur simple | | Futur antérieur | | | Plus-que-parfait (Subjonctif) | | |
|---|---|---|---|---|---|---|---|
| je | dirai | j' | aurai | dit | que j' | eusse | dit |
| tu | diras | tu | auras | dit | que tu | eusses | dit |
| il | dira | il | aura | dit | qu' il | eût | dit |
| ns | dirons | ns | aurons | dit | que ns | eussions | dit |
| vs | direz | vs | aurez | dit | que vs | eussiez | dit |
| ils | diront | ils | auront | dit | qu' ils | eussent | dit |

## CONDITIONNEL

| Présent | | Passé 1ʳᵉ forme | | | Passé 2ᵉ forme | | |
|---|---|---|---|---|---|---|---|
| je | dirais | j' | aurais | dit | j' | eusse | dit |
| tu | dirais | tu | aurais | dit | tu | eusses | dit |
| il | dirait | il | aurait | dit | il | eût | dit |
| ns | dirions | ns | aurions | dit | ns | eussions | dit |
| vs | diriez | vs | auriez | dit | vs | eussiez | dit |
| ils | diraient | ils | auraient | dit | ils | eussent | dit |

## IMPÉRATIF

| Présent | | | Passé | | |
|---|---|---|---|---|---|
| dis | disons | **dites** | aie dit | ayons dit | ayez dit |

## INFINITIF / PARTICIPE

| Présent | Passé | Présent | Passé | Passé composé |
|---|---|---|---|---|
| dire | avoir dit | disant | dit, te | ayant dit |

tableaux

# 74 ████ MAUDIRE 3e GROUPE

Bien que construit sur *dire*, *maudire* ne garde de ce verbe que l'infinitif et le participe passé. Tout le reste de sa conjugaison se fait sur le modèle des verbes du 2ᵉ groupe (voir modèle **20**) : *nous maudissons, maudissant.*

## INDICATIF / SUBJONCTIF

| Présent | Passé composé | Présent (Subj.) |
|---|---|---|
| je maudis | j' ai maudit | que je maudisse |
| tu maudis | tu as maudit | que tu maudisses |
| il maudit | il a maudit | qu' il maudisse |
| ns maudissons | ns avons maudit | que ns maudissions |
| vs maudissez | vs avez maudit | que vs maudissiez |
| ils maudissent | ils ont maudit | qu' ils maudissent |

| Imparfait | Plus-que-parfait | Imparfait (Subj.) |
|---|---|---|
| je maudissais | j' avais maudit | que je maudisse |
| tu maudissais | tu avais maudit | que tu maudisses |
| il maudissait | il avait maudit | qu' il maudît |
| ns maudissions | ns avions maudit | que ns maudissions |
| vs maudissiez | vs aviez maudit | que vs maudissiez |
| ils maudissaient | ils avaient maudit | qu' ils maudissent |

| Passé simple | Passé antérieur | Passé (Subj.) |
|---|---|---|
| je maudis | j' eus maudit | que j' aie maudit |
| tu maudis | tu eus maudit | que tu aies maudit |
| il maudit | il eut maudit | qu' il ait maudit |
| ns maudîmes | ns eûmes maudit | que ns ayons maudit |
| vs maudîtes | vs eûtes maudit | que vs ayez maudit |
| ils maudirent | ils eurent maudit | qu' ils aient maudit |

| Futur simple | Futur antérieur | Plus-que-parfait (Subj.) |
|---|---|---|
| je maudirai | j' aurai maudit | que j' eusse maudit |
| tu maudiras | tu auras maudit | que tu eusses maudit |
| il maudira | il aura maudit | qu' il eût maudit |
| ns maudirons | ns aurons maudit | que ns eussions maudit |
| vs maudirez | vs aurez maudit | que vs eussiez maudit |
| ils maudiront | ils auront maudit | qu' ils eussent maudit |

## CONDITIONNEL

| Présent | Passé 1ʳᵉ forme | Passé 2ᵉ forme |
|---|---|---|
| je maudirais | j' aurais maudit | j' eusse maudit |
| tu maudirais | tu aurais maudit | tu eusses maudit |
| il maudirait | il aurait maudit | il eût maudit |
| ns maudirions | ns aurions maudit | ns eussions maudit |
| vs maudiriez | vs auriez maudit | vs eussiez maudit |
| ils maudiraient | ils auraient maudit | ils eussent maudit |

## IMPÉRATIF

| Présent | Passé |
|---|---|
| maudis  maudissons  maudissez | aie maudit  ayons maudit  ayez maudit |

## INFINITIF / PARTICIPE

| Présent | Passé | Présent | Passé | Passé composé |
|---|---|---|---|---|
| maudire | avoir maudit | maudissant | maudit, te | ayant maudit |

Ainsi se conjuguent *relire*, *élire* et *réélire*.

**Remarque :** *élire* et *réélire* ont bien un passé simple en *-u- (ils élurent)* et non pas en *-i-* comme on le rencontre parfois, peut-être par confusion avec son synonyme *choisir*.

## INDICATIF | SUBJONCTIF

| Présent | | Passé composé | | | Présent | | |
|---|---|---|---|---|---|---|---|
| je | lis | j' | ai | lu | que je | lise | |
| tu | lis | tu | as | lu | que tu | lises | |
| il | lit | il | a | lu | qu' il | lise | |
| ns | lisons | ns | avons | lu | que ns | lisions | |
| vs | lisez | vs | avez | lu | que vs | lisiez | |
| ils | lisent | ils | ont | lu | qu' ils | lisent | |

| Imparfait | | Plus-que-parfait | | | Imparfait | | |
|---|---|---|---|---|---|---|---|
| je | lisais | j' | avais | lu | que je | lusse | |
| tu | lisais | tu | avais | lu | que tu | lusses | |
| il | lisait | il | avait | lu | qu' il | lût | |
| ns | lisions | ns | avions | lu | que ns | lussions | |
| vs | lisiez | vs | aviez | lu | que vs | lussiez | |
| ils | lisaient | ils | avaient | lu | qu' ils | lussent | |

| Passé simple | | Passé antérieur | | | Passé | | |
|---|---|---|---|---|---|---|---|
| je | lus | j' | eus | lu | que j' | aie | lu |
| tu | lus | tu | eus | lu | que tu | aies | lu |
| il | lut | il | eut | lu | qu' il | ait | lu |
| ns | lûmes | ns | eûmes | lu | que ns | ayons | lu |
| vs | lûtes | vs | eûtes | lu | que vs | ayez | lu |
| ils | lurent | ils | eurent | lu | qu' ils | aient | lu |

| Futur simple | | Futur antérieur | | | Plus-que-parfait | | |
|---|---|---|---|---|---|---|---|
| je | lirai | j' | aurai | lu | que j' | eusse | lu |
| tu | liras | tu | auras | lu | que tu | eusses | lu |
| il | lira | il | aura | lu | qu' il | eût | lu |
| ns | lirons | ns | aurons | lu | que ns | eussions | lu |
| vs | lirez | vs | aurez | lu | que vs | eussiez | lu |
| ils | liront | ils | auront | lu | qu' ils | eussent | lu |

## CONDITIONNEL

| Présent | | Passé 1ʳᵉ forme | | | Passé 2ᵉ forme | | |
|---|---|---|---|---|---|---|---|
| je | lirais | j' | aurais | lu | j' | eusse | lu |
| tu | lirais | tu | aurais | lu | tu | eusses | lu |
| il | lirait | il | aurait | lu | il | eût | lu |
| ns | lirions | ns | aurions | lu | ns | eussions | lu |
| vs | liriez | vs | auriez | lu | vs | eussiez | lu |
| ils | liraient | ils | auraient | lu | ils | eussent | lu |

## IMPÉRATIF

| Présent | | | Passé | | |
|---|---|---|---|---|---|
| lis | lisons | lisez | aie lu | ayons lu | ayez lu |

## INFINITIF | PARTICIPE

| Présent | Passé | Présent | Passé | Passé composé |
|---|---|---|---|---|
| lire | avoir lu | lisant | lu, e | ayant lu |

*tableaux*

Ainsi se conjuguent tous les verbes qui se terminent par *-crire*.

## INDICATIF | SUBJONCTIF

| Présent | | Passé composé | | | Présent | | |
|---|---|---|---|---|---|---|---|
| j' | écris | j' | ai | écrit | que j' | écrive | |
| tu | écris | tu | as | écrit | que tu | écrives | |
| il | écrit | il | a | écrit | qu' il | écrive | |
| ns | écrivons | ns | avons | écrit | que ns | écrivions | |
| vs | écrivez | vs | avez | écrit | que vs | écriviez | |
| ils | écrivent | ils | ont | écrit | qu' ils | écrivent | |

| Imparfait | | Plus-que-parfait | | | Imparfait | | |
|---|---|---|---|---|---|---|---|
| j' | écrivais | j' | avais | écrit | que j' | écrivisse | |
| tu | écrivais | tu | avais | écrit | que tu | écrivisses | |
| il | écrivait | il | avait | écrit | qu' il | écrivît | |
| ns | écrivions | ns | avions | écrit | que ns | écrivissions | |
| vs | écriviez | vs | aviez | écrit | que vs | écrivissiez | |
| ils | écrivaient | ils | avaient | écrit | qu' ils | écrivissent | |

| Passé simple | | Passé antérieur | | | Passé | | |
|---|---|---|---|---|---|---|---|
| j' | écrivis | j' | eus | écrit | que j' | aie | écrit |
| tu | écrivis | tu | eus | écrit | que tu | aies | écrit |
| il | écrivit | il | eut | écrit | qu' il | ait | écrit |
| ns | écrivîmes | ns | eûmes | écrit | que ns | ayons | écrit |
| vs | écrivîtes | vs | eûtes | écrit | que vs | ayez | écrit |
| ils | écrivirent | ils | eurent | écrit | qu' ils | aient | écrit |

| Futur simple | | Futur antérieur | | | Plus-que-parfait | | |
|---|---|---|---|---|---|---|---|
| j' | écrirai | j' | aurai | écrit | que j' | eusse | écrit |
| tu | écriras | tu | auras | écrit | que tu | eusses | écrit |
| il | écrira | il | aura | écrit | qu' il | eût | écrit |
| ns | écrirons | ns | aurons | écrit | que ns | eussions | écrit |
| vs | écrirez | vs | aurez | écrit | que vs | eussiez | écrit |
| ils | écriront | ils | auront | écrit | qu' ils | eussent | écrit |

## CONDITIONNEL

| Présent | | Passé 1ʳᵉ forme | | | Passé 2ᵉ forme | | |
|---|---|---|---|---|---|---|---|
| j' | écrirais | j' | aurais | écrit | j' | eusse | écrit |
| tu | écrirais | tu | aurais | écrit | tu | eusses | écrit |
| il | écrirait | il | aurait | écrit | il | eût | écrit |
| ns | écririons | ns | aurions | écrit | ns | eussions | écrit |
| vs | écririez | vs | auriez | écrit | vs | eussiez | écrit |
| ils | écriraient | ils | auraient | écrit | ils | eussent | écrit |

## IMPÉRATIF

| Présent | | | Passé | | |
|---|---|---|---|---|---|
| écris | écrivons | écrivez | aie écrit | ayons écrit | ayez écrit |

## INFINITIF | PARTICIPE

| Présent | Passé | Présent | Passé | Passé composé |
|---|---|---|---|---|
| écrire | avoir écrit | écrivant | écrit, te | ayant écrit |

Ainsi se conjugue le verbe *sourire*.

**Remarque :** noter le participe passé invariable des deux verbes *(elles se sont souri en se reconnaissant* et *ils se sont ri des difficultés).*

Aux deux premières personnes du pluriel de l'imparfait de l'indicatif et du présent du subjonctif, ne pas oublier les deux *i*, un pour le radical et un pour la terminaison.

## INDICATIF

| Présent | Passé composé | |
|---|---|---|
| je ris | j' ai | ri |
| tu ris | tu as | ri |
| il rit | il a | ri |
| ns rions | ns avons | ri |
| vs riez | vs avez | ri |
| ils rient | ils ont | ri |

| Imparfait | Plus-que-parfait | |
|---|---|---|
| je riais | j' avais | ri |
| tu riais | tu avais | ri |
| il riait | il avait | ri |
| ns riions | ns avions | ri |
| vs riiez | vs aviez | ri |
| ils riaient | ils avaient | ri |

| Passé simple | Passé antérieur | |
|---|---|---|
| je ris | j' eus | ri |
| tu ris | tu eus | ri |
| il rit | il eut | ri |
| ns rîmes | ns eûmes | ri |
| vs rîtes | vs eûtes | ri |
| ils rirent | ils eurent | ri |

| Futur simple | Futur antérieur | |
|---|---|---|
| je rirai | j' aurai | ri |
| tu riras | tu auras | ri |
| il rira | il aura | ri |
| ns rirons | ns aurons | ri |
| vs rirez | vs aurez | ri |
| ils riront | ils auront | ri |

## SUBJONCTIF

| Présent | |
|---|---|
| que je rie | |
| que tu ries | |
| qu' il rie | |
| que ns riions | |
| que vs riiez | |
| qu' ils rient | |

| Imparfait | |
|---|---|
| que je risse | |
| que tu risses | |
| qu' il rît | |
| que ns rissions | |
| que vs rissiez | |
| qu' ils rissent | |

| Passé | | |
|---|---|---|
| que j' aie | ri |
| que tu aies | ri |
| qu' il ait | ri |
| que ns ayons | ri |
| que vs ayez | ri |
| qu' ils aient | ri |

| Plus-que-parfait | | |
|---|---|---|
| que j' eusse | ri |
| que tu eusses | ri |
| qu' il eût | ri |
| que ns eussions | ri |
| que vs eussiez | ri |
| qu' ils eussent | ri |

## CONDITIONNEL

| Présent | Passé 1<sup>re</sup> forme | | Passé 2<sup>e</sup> forme | |
|---|---|---|---|---|
| je rirais | j' aurais | ri | j' eusse | ri |
| tu rirais | tu aurais | ri | tu eusses | ri |
| il rirait | il aurait | ri | il eût | ri |
| ns ririons | ns aurions | ri | ns eussions | ri |
| vs ririez | vs auriez | ri | vs eussiez | ri |
| ils riraient | ils auraient | ri | ils eussent | ri |

## IMPÉRATIF

| Présent | | | Passé | | |
|---|---|---|---|---|---|
| ris | rions | riez | aie ri | ayons ri | ayez ri |

## INFINITIF

| Présent | Passé |
|---|---|
| rire | avoir ri |

## PARTICIPE

| Présent | Passé | Passé composé |
|---|---|---|
| riant | ri | ayant ri |

tableaux

Ainsi se conjuguent tous les verbes en *-uire*, sauf *bruire* (voir remarque modèle **20**).
*Luire, reluire, nuire* ont un participe passé invariable en *-ui (lui, relui, nui)*.

## INDICATIF | SUBJONCTIF

| Présent | | Passé composé | | | Présent | | |
|---|---|---|---|---|---|---|---|
| je | conduis | j' | ai | conduit | que je | conduise | |
| tu | conduis | tu | as | conduit | que tu | conduises | |
| il | conduit | il | a | conduit | qu' il | conduise | |
| ns | conduisons | ns | avons | conduit | que ns | conduisions | |
| vs | conduisez | vs | avez | conduit | que vs | conduisiez | |
| ils | conduisent | ils | ont | conduit | qu' ils | conduisent | |

| Imparfait | | Plus-que-parfait | | | Imparfait | | |
|---|---|---|---|---|---|---|---|
| je | conduisais | j' | avais | conduit | que je | conduisisse | |
| tu | conduisais | tu | avais | conduit | que tu | conduisisses | |
| il | conduisait | il | avait | conduit | qu' il | conduisît | |
| ns | conduisions | ns | avions | conduit | que ns | conduisissions | |
| vs | conduisiez | vs | aviez | conduit | que vs | conduisissiez | |
| ils | conduisaient | ils | avaient | conduit | qu' ils | conduisissent | |

| Passé simple | | Passé antérieur | | | Passé | | |
|---|---|---|---|---|---|---|---|
| je | conduisis | j' | eus | conduit | que j' | aie | conduit |
| tu | conduisis | tu | eus | conduit | que tu | aies | conduit |
| il | conduisit | il | eut | conduit | qu' il | ait | conduit |
| ns | conduisîmes | ns | eûmes | conduit | que ns | ayons | conduit |
| vs | conduisîtes | vs | eûtes | conduit | que vs | ayez | conduit |
| ils | conduisirent | ils | eurent | conduit | qu' ils | aient | conduit |

| Futur simple | | Futur antérieur | | | Plus-que-parfait | | |
|---|---|---|---|---|---|---|---|
| je | conduirai | j' | aurai | conduit | que j' | eusse | conduit |
| tu | conduiras | tu | auras | conduit | que tu | eusses | conduit |
| il | conduira | il | aura | conduit | qu' il | eût | conduit |
| ns | conduirons | ns | aurons | conduit | que ns | eussions | conduit |
| vs | conduirez | vs | aurez | conduit | que vs | eussiez | conduit |
| ils | conduiront | ils | auront | conduit | qu' ils | eussent | conduit |

## CONDITIONNEL

| Présent | | Passé 1ʳᵉ forme | | | Passé 2ᵉ forme | | |
|---|---|---|---|---|---|---|---|
| je | conduirais | j' | aurais | conduit | j' | eusse | conduit |
| tu | conduirais | tu | aurais | conduit | tu | eusses | conduit |
| il | conduirait | il | aurait | conduit | il | eût | conduit |
| ns | conduirions | ns | aurions | conduit | ns | eussions | conduit |
| vs | conduiriez | vs | auriez | conduit | vs | eussiez | conduit |
| ils | conduiraient | ils | auraient | conduit | ils | eussent | conduit |

## IMPÉRATIF

| Présent | | | Passé | | |
|---|---|---|---|---|---|
| conduis | conduisons | conduisez | aie conduit | ayons conduit | ayez conduit |

## INFINITIF | PARTICIPE

| Présent | Passé | Présent | Passé | Passé composé |
|---|---|---|---|---|
| conduire | avoir conduit | conduisant | conduit, te | ayant conduit |

*Boire* est le seul verbe à se conjuguer sur ce modèle.

## INDICATIF | SUBJONCTIF

| Présent | | | Passé composé | | | | Présent | | | |
|---|---|---|---|---|---|---|---|---|---|---|
| je | bois | | j' | ai | bu | | que | je | boive | |
| tu | bois | | tu | as | bu | | que | tu | boives | |
| il | boit | | il | a | bu | | qu' | il | boive | |
| ns | buvons | | ns | avons | bu | | que | ns | buvions | |
| vs | buvez | | vs | avez | bu | | que | vs | buviez | |
| ils | boivent | | ils | ont | bu | | qu' | ils | boivent | |

| Imparfait | | | Plus-que-parfait | | | | Imparfait | | | |
|---|---|---|---|---|---|---|---|---|---|---|
| je | buvais | | j' | avais | bu | | que | je | busse | |
| tu | buvais | | tu | avais | bu | | que | tu | busses | |
| il | buvait | | il | avait | bu | | qu' | il | bût | |
| ns | buvions | | ns | avions | bu | | que | ns | bussions | |
| vs | buviez | | vs | aviez | bu | | que | vs | bussiez | |
| ils | buvaient | | ils | avaient | bu | | qu' | ils | bussent | |

| Passé simple | | | Passé antérieur | | | | Passé | | | |
|---|---|---|---|---|---|---|---|---|---|---|
| je | bus | | j' | eus | bu | | que | j' | aie | bu |
| tu | bus | | tu | eus | bu | | que | tu | aies | bu |
| il | but | | il | eut | bu | | qu' | il | ait | bu |
| ns | bûmes | | ns | eûmes | bu | | que | ns | ayons | bu |
| vs | bûtes | | vs | eûtes | bu | | que | vs | ayez | bu |
| ils | burent | | ils | eurent | bu | | qu' | ils | aient | bu |

| Futur simple | | | Futur antérieur | | | | Plus-que-parfait | | | |
|---|---|---|---|---|---|---|---|---|---|---|
| je | boirai | | j' | aurai | bu | | que | j' | eusse | bu |
| tu | boiras | | tu | auras | bu | | que | tu | eusses | bu |
| il | boira | | il | aura | bu | | qu' | il | eût | bu |
| ns | boirons | | ns | aurons | bu | | que | ns | eussions | bu |
| vs | boirez | | vs | aurez | bu | | que | vs | eussiez | bu |
| ils | boiront | | ils | auront | bu | | qu' | ils | eussent | bu |

## CONDITIONNEL

| Présent | | | Passé 1ʳᵉ forme | | | | Passé 2ᵉ forme | | | |
|---|---|---|---|---|---|---|---|---|---|---|
| je | boirais | | j' | aurais | bu | | j' | eusse | bu | |
| tu | boirais | | tu | aurais | bu | | tu | eusses | bu | |
| il | boirait | | il | aurait | bu | | il | eût | bu | |
| ns | boirions | | ns | aurions | bu | | ns | eussions | bu | |
| vs | boiriez | | vs | auriez | bu | | vs | eussiez | bu | |
| ils | boiraient | | ils | auraient | bu | | ils | eussent | bu | |

## IMPÉRATIF

| Présent | | | Passé | | |
|---|---|---|---|---|---|
| bois | buvons | buvez | aie bu | ayons bu | ayez bu |

## INFINITIF | PARTICIPE

| Présent | Passé | | Présent | Passé | Passé composé |
|---|---|---|---|---|---|
| boire | avoir bu | | buvant | bu, e | ayant bu |

tableaux

Ainsi se conjuguent *exclure* et *inclure*, mais ce dernier a un participe passé en *-us inclus, incluse*.

**Remarque :** au futur simple, veiller à ne pas conjuguer ces verbes comme des verbes en *-uer* du 1ᵉʳ groupe *(diluer → vous diluerez / conclure → vous conclurez).*

## INDICATIF / SUBJONCTIF

| INDICATIF | | SUBJONCTIF | |
|---|---|---|---|
| **Présent** | **Passé composé** | **Présent** | |
| je conclus | j' ai conclu | que je conclue | |
| tu conclus | tu as conclu | que tu conclues | |
| il conclut | il a conclu | qu' il conclue | |
| ns concluons | ns avons conclu | que ns concluions | |
| vs concluez | vs avez conclu | que vs concluiez | |
| ils concluent | ils ont conclu | qu' ils concluent | |
| **Imparfait** | **Plus-que-parfait** | **Imparfait** | |
| je concluais | j' avais conclu | que je conclusse | |
| tu concluais | tu avais conclu | que tu conclusses | |
| il concluait | il avait conclu | qu' il conclût | |
| ns concluions | ns avions conclu | que ns conclussions | |
| vs concluiez | vs aviez conclu | que vs conclussiez | |
| ils concluaient | ils avaient conclu | qu' ils conclussent | |
| **Passé simple** | **Passé antérieur** | **Passé** | |
| je conclus | j' eus conclu | que j' aie conclu | |
| tu conclus | tu eus conclu | que tu aies conclu | |
| il conclut | il eut conclu | qu' il ait conclu | |
| ns conclûmes | ns eûmes conclu | que ns ayons conclu | |
| vs conclûtes | vs eûtes conclu | que vs ayez conclu | |
| ils conclurent | ils eurent conclu | qu' ils aient conclu | |
| **Futur simple** | **Futur antérieur** | **Plus-que-parfait** | |
| je conclurai | j' aurai conclu | que j' eusse conclu | |
| tu concluras | tu auras conclu | que tu eusses conclu | |
| il conclura | il aura conclu | qu' il eût conclu | |
| ns conclurons | ns aurons conclu | que ns eussions conclu | |
| vs conclurez | vs aurez conclu | que vs eussiez conclu | |
| ils concluront | ils auront conclu | qu' ils eussent conclu | |

## CONDITIONNEL

| Présent | Passé 1ʳᵉ forme | Passé 2ᵉ forme |
|---|---|---|
| je conclurais | j' aurais conclu | j' eusse conclu |
| tu conclurais | tu aurais conclu | tu eusses conclu |
| il conclurait | il aurait conclu | il eût conclu |
| ns conclurions | ns aurions conclu | ns eussions conclu |
| vs concluriez | vs auriez conclu | vs eussiez conclu |
| ils concluraient | ils auraient conclu | ils eussent conclu |

## IMPÉRATIF

| Présent | | | Passé | | |
|---|---|---|---|---|---|
| conclus | concluons | concluez | aie conclu | ayons conclu | ayez conclu |

## INFINITIF / PARTICIPE

| INFINITIF | | PARTICIPE | | |
|---|---|---|---|---|
| **Présent** | **Passé** | **Présent** | **Passé** | **Passé composé** |
| conclure | avoir conclu | concluant | conclu, e | ayant conclu |

*Clore* prend un accent circonflexe sur le *o* qui précède *t*. Pour les verbes *éclore* et *enclore* qui se conjuguent sur ce modèle, certains dictionnaires donnent les formes avec un accent circonflexe, d'autres sans. Pour mettre fin à ces hésitations, les rectifications de l'orthographe de 1990 proposent d'écrire toutes les formes sans accent circonflexe.

**Remarque :** *éclore* ne s'emploie qu'à la 3e personne alors que *enclore* se rencontre aux deux premières personnes du pluriel *(nous enclosons, vous enclosez)*.

## INDICATIF — SUBJONCTIF

| Présent | Passé composé | | Présent | |
|---|---|---|---|---|
| je clos | j' ai | clos | que je close | |
| tu clos | tu as | clos | que tu closes | |
| il clôt | il a | clos | qu' il close | |
| *inusité* | ns avons | clos | que ns closions | |
| *inusité* | vs avez | clos | que vs closiez | |
| ils closent | ils ont | clos | qu' ils closent | |

| Imparfait | Plus-que-parfait | | Imparfait | |
|---|---|---|---|---|
| *inusité* | j' avais | clos | *inusité* | |
| | tu avais | clos | | |
| | il avait | clos | | |
| | ns avions | clos | | |
| | vs aviez | clos | | |
| | ils avaient | clos | | |

| Passé simple | Passé antérieur | | Passé | | |
|---|---|---|---|---|---|
| *inusité* | j' eus | clos | que j' aie | clos |
| | tu eus | clos | que tu aies | clos |
| | il eut | clos | qu' il ait | clos |
| | ns eûmes | clos | que ns ayons | clos |
| | vs eûtes | clos | que vs ayez | clos |
| | ils eurent | clos | qu' ils aient | clos |

| Futur simple | Futur antérieur | | Plus-que-parfait | | |
|---|---|---|---|---|---|
| je clorai | j' aurai | clos | que j' eusse | clos |
| tu cloras | tu auras | clos | que tu eusses | clos |
| il clora | il aura | clos | qu' il eût | clos |
| ns clorons | ns aurons | clos | que ns eussions | clos |
| vs clorez | vs aurez | clos | que vs eussiez | clos |
| ils cloront | ils auront | clos | qu' ils eussent | clos |

## CONDITIONNEL

| Présent | Passé 1re forme | | Passé 2e forme | |
|---|---|---|---|---|
| je clorais | j' aurais | clos | j' eusse | clos |
| tu clorais | tu aurais | clos | tu eusses | clos |
| il clorait | il aurait | clos | il eût | clos |
| ns clorions | ns aurions | clos | ns eussions | clos |
| vs cloriez | vs auriez | clos | vs eussiez | clos |
| ils cloraient | ils auraient | clos | ils eussent | clos |

## IMPÉRATIF

| Présent | | Passé | | |
|---|---|---|---|---|
| clos | *inusité* | aie clos | ayons clos | ayez clos |

## INFINITIF — PARTICIPE

| Présent | Passé | Présent | Passé | Passé composé |
|---|---|---|---|---|
| clore | avoir clos | closant | clos, se | ayant clos |

tableaux

# 82 ===== FAIRE 3<sup>E</sup> GROUPE

*Faire* et les verbes de sa famille ont la particularité d'avoir leur 2<sup>e</sup> personne du pluriel du présent de l'indicatif et de l'impératif en *-tes*, et non en *-ez*.

**Remarque :** noter la prononciation [fə] pour la 1<sup>re</sup> personne du pluriel du présent de l'indicatif, pour toutes les formes de l'imparfait de l'indicatif, pour la 1<sup>re</sup> personne du pluriel de l'impératif et pour le participe présent.

| INDICATIF | | SUBJONCTIF | |
|---|---|---|---|

**Présent**
je fais
tu fais
il fait
ns faisons
vs **faites**
ils font

**Passé composé**
j' ai fait
tu as fait
il a fait
ns avons fait
vs avez fait
ils ont fait

**Présent**
que je fasse
que tu fasses
qu' il fasse
que ns fassions
que vs fassiez
qu' ils fassent

**Imparfait**
je faisais
tu faisais
il faisait
ns faisions
vs faisiez
ils faisaient

**Plus-que-parfait**
j' avais fait
tu avais fait
il avait fait
ns avions fait
vs aviez fait
ils avaient fait

**Imparfait**
que je fisse
que tu fisses
qu' il fît
que ns fissions
que vs fissiez
qu' ils fissent

**Passé simple**
je fis
tu fis
il fit
ns fîmes
vs fîtes
ils firent

**Passé antérieur**
j' eus fait
tu eus fait
il eut fait
ns eûmes fait
vs eûtes fait
ils eurent fait

**Passé**
que j' aie fait
que tu aies fait
qu' il ait fait
que ns ayons fait
que vs ayez fait
qu' ils aient fait

**Futur simple**
je ferai
tu feras
il fera
ns ferons
vs ferez
ils feront

**Futur antérieur**
j' aurai fait
tu auras fait
il aura fait
ns aurons fait
vs aurez fait
ils auront fait

**Plus-que-parfait**
que j' eusse fait
que tu eusses fait
qu' il eût fait
que ns eussions fait
que vs eussiez fait
qu' ils eussent fait

## CONDITIONNEL

**Présent**
je ferais
tu ferais
il ferait
ns ferions
vs feriez
ils feraient

**Passé 1<sup>re</sup> forme**
j' aurais fait
tu aurais fait
il aurait fait
ns aurions fait
vs auriez fait
ils auraient fait

**Passé 2<sup>e</sup> forme**
j' eusse fait
tu eusses fait
il eût fait
ns eussions fait
vs eussiez fait
ils eussent fait

## IMPÉRATIF

**Présent**
fais faisons **faites**

**Passé**
aie fait ayons fait ayez fait

| INFINITIF | | PARTICIPE | | |
|---|---|---|---|---|

**Présent**
faire

**Passé**
avoir fait

**Présent**
faisant

**Passé**
fait, te

**Passé composé**
ayant fait

246

L'impératif singulier s'écrit sans *s* (*va*) sauf si le verbe est suivi du pronom complément *y* (*vas-y*).

*S'en aller* se conjugue comme *aller*. Noter la 2<sup>e</sup> personne du singulier de l'impératif présent avec élision du pronom réfléchi : *va-t'en*.

## INDICATIF

| Présent | | Passé composé | | |
|---|---|---|---|---|
| je | vais | je | suis | allé |
| tu | vas | tu | es | allé |
| il | va | il | est | allé |
| ns | allons | ns | sommes | allés |
| vs | allez | vs | êtes | allés |
| ils | vont | ils | sont | allés |

| Imparfait | | Plus-que-parfait | | |
|---|---|---|---|---|
| j' | allais | j' | étais | allé |
| tu | allais | tu | étais | allé |
| il | allait | il | était | allé |
| ns | allions | ns | étions | allés |
| vs | alliez | vs | étiez | allés |
| ils | allaient | ils | étaient | allés |

| Passé simple | | Passé antérieur | | |
|---|---|---|---|---|
| j' | allai | je | fus | allé |
| tu | allas | tu | fus | allé |
| il | alla | il | fut | allé |
| ns | allâmes | ns | fûmes | allés |
| vs | allâtes | vs | fûtes | allés |
| ils | allèrent | ils | furent | allés |

| Futur simple | | Futur antérieur | | |
|---|---|---|---|---|
| j' | irai | je | serai | allé |
| tu | iras | tu | seras | allé |
| il | ira | il | sera | allé |
| ns | irons | ns | serons | allés |
| vs | irez | vs | serez | allés |
| ils | iront | ils | seront | allés |

## SUBJONCTIF

| Présent | | |
|---|---|---|
| que j' | aille | |
| que tu | ailles | |
| qu' il | aille | |
| que ns | allions | |
| que vs | alliez | |
| qu' ils | aillent | |

| Imparfait | | |
|---|---|---|
| que j' | allasse | |
| que tu | allasses | |
| qu' il | allât | |
| que ns | allassions | |
| que vs | allassiez | |
| qu' ils | allassent | |

| Passé | | |
|---|---|---|
| que je | sois | allé |
| que tu | sois | allé |
| qu' il | soit | allé |
| que ns | soyons | allés |
| que vs | soyez | allés |
| qu' ils | soient | allés |

| Plus-que-parfait | | |
|---|---|---|
| que je | fusse | allé |
| que tu | fusses | allé |
| qu' il | fût | allé |
| que ns | fussions | allés |
| que vs | fussiez | allés |
| qu' ils | fussent | allés |

## CONDITIONNEL

| Présent | | Passé 1<sup>re</sup> forme | | Passé 2<sup>e</sup> forme | |
|---|---|---|---|---|---|
| j' | irais | je | serais | allé | je | fusse | allé |
| tu | irais | tu | serais | allé | tu | fusses | allé |
| il | irait | il | serait | allé | il | fût | allé |
| ns | irions | ns | serions | allés | ns | fussions | allés |
| vs | iriez | vs | seriez | allés | vs | fussiez | allés |
| ils | iraient | ils | seraient | allés | ils | fussent | allés |

## IMPÉRATIF

| Présent | | | Passé | | |
|---|---|---|---|---|---|
| va | allons | allez | sois allé | soyons allés | soyez allés |

## INFINITIF

| Présent | Passé |
|---|---|
| aller | être allé |

## PARTICIPE

| Présent | Passé | Passé composé |
|---|---|---|
| allant | allé, e | étant allé |

*tableaux*

# 84 — VERBES PRONOMINAUX DONT LE PARTICIPE PASSÉ S'ACCORDE TOUJOURS AVEC LE SUJET

Le **participe passé des verbes pronominaux suivants s'accorde toujours en genre et en nombre avec le sujet du verbe.**

## LES VERBES ESSENTIELLEMENT PRONOMINAUX

Les verbes essentiellement pronominaux n'existent que sous la forme pronominale.

### Les verbes non réciproques

Ce sont les verbes pour lesquels le pronom personnel ne peut être considéré comme un complément d'objet direct : *s'absenter, se blottir, se désister, s'enfuir, s'envoler, s'évader, s'évanouir, s'exclamer, s'infiltrer, se méfier, se moquer, se réfugier, se raviser,* etc.

À la vue du sang, Laurent s'est évanoui.

À la vue du sang, Agnès s'est évanouie.

À la vue du sang, les êtres sensibles se sont évanouis.

À la vue du sang, les âmes sensibles se sont évanouies.

**Exception :** Le verbe *s'arroger*, essentiellement pronominal, est transitif direct. Son participe passé s'accorde avec le complément d'objet direct seulement si celui-ci est placé avant le participe passé.

Les insurgés se sont **arrogé** tous les pouvoirs.

Les pouvoirs que les insurgés se sont **arrogés** paraissent exorbitants.

### Les verbes réciproques

Ce sont les verbes pour lesquels le pronom personnel renvoie aux personnes représentées par le sujet. Le verbe indique que ces personnes font une action les unes envers les autres.

Ces deux amies se sont entraidées.

Dans ce combat, les ennemis se sont entretués sans merci.

Devant le notaire, les héritiers se sont entredéchirés.

**Exception :** Le verbe *s'entrenuire*, essentiellement pronominal, est transitif indirect ; son participe passé est donc invariable.

Dans le règlement de cette affaire, les deux parties se sont **entrenui**.

## LES VERBES PRONOMINAUX DE SENS PASSIF

Le sujet ne fait pas l'action et le pronom réfléchi n'a pas de fonction particulière. L'agent de l'action n'est pas précisé.

Ces vêtements soldés se sont vendus en quelques heures.

Les mini-jupes se sont portées pendant quelques années.

Lors de ce repas, les vins se sont bus à température ambiante.

La piscine s'est vidée en une nuit.

## LES VERBES PRONOMINAUX PAR GALLICISME

Ces verbes, généralement suivis d'une préposition, doivent être entendus hors du sens réciproque : *s'apercevoir de, s'attendre à, se porter vers, se résoudre à, se saisir de, s'imaginer, se taire,* etc.

Ces deux amis se sont connus au lycée.

Une épaisse fumée s'est échappée de la cage d'escalier.

## LES VERBES TRANSITIFS INDIRECTS

Le participe passé des verbes pronominaux **toujours transitifs indirects est invariable** : se convenir, se mentir, se nuire, se parler, se plaire, se répondre, se ressembler, se rire, se sourire, se succéder, se suffire, se survivre, etc.

Pour s'assurer que le verbe est bien transitif indirect, on peut poser la question en employant l'auxiliaire *avoir*.

Dès le premier regard, ces deux personnes se sont **plu**.

Ces deux personnes ont plu à qui ? à elles-mêmes (à se).

*Se* est bien complément d'objet indirect. *Plaire* est transitif indirect, il n'admet jamais de complément d'objet direct.

Les Marseillais s'en sont **voulu** d'avoir laissé échapper la victoire.

Les Marseillais en ont voulu à qui ? à eux-mêmes (à s')

*S'* est bien complément d'objet indirect. *S'en vouloir* est transitif indirect, il n'admet jamais de complément d'objet direct.

## VERBE SUIVI D'UNE PRÉPOSITION + INFINITIF

Le participe passé d'un verbe pronominal **suivi d'une préposition et d'un infinitif est invariable**.

Francine s'est **promis** de parler à sa cousine au sujet de leur prochain voyage.

Pourquoi ces personnes se sont-elles **permis** d'entrer sans frapper ?

## SE FAIRE SUIVI D'UN INFINITIF

Le participe passé de *se faire* suivi d'un infinitif est toujours invariable.

Mme Vallin s'est **fait** conduire à la gare en taxi.

Ces coureurs se sont **fait** distancer dès les premiers kilomètres.

## LOCUTIONS VERBALES

Le participe passé des locutions verbales *se faire jour, se mettre à dos, se rendre compte, se rendre service, se faire fort de, s'en prendre à, s'y prendre* est invariable.

Des dissensions se sont **fait jour** parmi les membres de la majorité.

En prenant ses décisions seule, la directrice s'est **mis à dos** son équipe.

Valérie s'est **rendu compte** de son erreur.

Ces deux voisins se sont **rendu service**.

Les maçons se sont **fait fort** de terminer la maison en deux mois.

Les abeilles s'**en** sont **pris au** malheureux apiculteur.

La coiffeuse s'**y** est **pris** habilement et la cliente est contente.

tableaux

# 86

## VERBES PRONOMINAUX DONT LE PARTICIPE PASSÉ S'ACCORDE SELON LE COMPLÉMENT D'OBJET DIRECT (COD

Le participe passé des verbes **occasionnellement** pronominaux **s'accorde en fonction de la présence et/ou de la place du complément d'objet direct** qu'il convient de rechercher précisément.

### PRONOM RÉFLÉCHI COMPLÉMENT D'OBJET DIRECT

Si le **pronom réfléchi est complément d'objet direct, le participe passé s'accorde en genre et en nombre avec celui-ci.**
Pour bien se déterminer, il faut construire ces verbes avec l'auxiliaire *avoir*.
Karine s'est brûlée légèrement. Karine a brûlé elle-même (s') : accord.
Les employés se sont bien assurés. Les employés ont assuré eux-mêmes (s') : accord.
Karine s'est imaginée à l'hôpital. Karine a imaginé elle-même (s') à l'hôpital : accord.
Les joueurs se sont serrés contre le mur. Les joueurs ont serré eux-mêmes (se) contre le mur : accord.

### PRONOM RÉFLÉCHI COMPLÉMENT D'OBJET INDIRECT

Si le verbe a un **COD autre que le pronom réfléchi**, ce pronom réfléchi devient complément d'objet indirect (COI). Le **participe passé s'accorde alors en genre et en nombre avec le complément d'objet direct seulement quand celui-ci est placé avant le participe passé.**
Karine s'est **brûlé** les doigts. Karine a brûlé ses doigts. → COD (*doigts*) après le participe passé : pas d'accord.
Karine soigne les doigts qu'elle s'est brûlés. Karine soigne les doigts qu'elle a brûlés. → COD (*qu'/doigts*) avant le participe passé → accord avec le COD.
Ces employés se sont **assuré** une retraite. Ces employés ont assuré leur retraite. → COD (*retraite*) après le participe passé : pas d'accord.
Ces employés touchent la retraite qu'ils se sont assurée.
Ces employés touchent la retraite qu'ils ont assurée. → COD (*qu'/retraite*) avant le participe passé : accord avec le COD.
Les joueurs se sont **serré** la main. Les joueurs ont serré la main (de leurs adversaires). → COD (*main*) après le participe passé : pas d'accord.
La brûlure, Fabien se l'était imaginée plus douloureuse. La brûlure, Fabien l'avait imaginée plus douloureuse. → COD (*l'/brûlure*) avant le participe passé : accord avec le COD.

### VERBE PRONOMINAL SUIVI D'UN INFINITIF

Si le participe passé d'un verbe pronominal est suivi d'un infinitif, il s'accorde seulement si le sujet du verbe pronominal est aussi sujet de l'infinitif.
Karine s'est vue pâlir. C'est bien Karine qui pâlit. → accord.
Karine s'est **vu** remettre une ordonnance par le médecin. C'est le médecin qui remet l'ordonnance. → pas d'accord.

### SE LAISSER

Pour le verbe *se laisser*, l'usage admet désormais l'invariabilité dans tous les cas.
Karine s'est **laissé** (ou bien : laissée) tomber sur le canapé.
Karine s'est **laissé** soigner par le médecin.

# INDEX
# DES VERBES

# Signification des abréviations utilisées dans l'index

I : verbe intransitif

T : verbe transitif

Ti : verbe transitif indirect

E : verbe formant les temps composés avec l'auxiliaire *être*

A/E : verbe formant les temps composés avec l'auxiliaire *avoir* ou *être*

JE : emploi du pronom *Je* à la première personne du singulier

J' : emploi du pronom *J'* à la première personne du singulier

D : verbe défectif

Ip : verbe impersonnel

**84** : verbe pronominal dont le participe passé s'accorde selon le tableau 84

**85** : verbe pronominal dont le participe passé s'accorde selon le tableau 85

**86** : verbe pronominal dont le participe passé s'accorde selon le tableau 86

**1** à **83** : numéro du modèle de conjugaison du verbe

# Index des verbes

## A

abaisser ..................... T **3**
abaisser (s') ............. **84** **3**
abandonner .............. I/T **3**
abandonner (s') ..... **84** **3**
abasourdir ................ T **20**
abâtardir ................... T **20**
abattre ....................... T **62**
abattre (s') ........ **84** **62**
abcéder (s') ......... **84** **9**
abdiquer ................... T **3**
abêtir ......................... T **20**
abêtir (s') .......... **84** **20**
abhorrer .................... T **3**
abîmer ....................... T **3**
abîmer (s') ......... **86** **3**
abjurer ....................... T **3**
abolir ......................... T **20**
abominer ................... T **3**
abonder ..................... I/T **3**
abonner ..................... T **3**
abonner (s') ....... **84** **3**
abonnir ..................... T **20**
abonnir (s') ....... **84** **20**
aborder ............. I/T, A/E **3**
aboucher .................. T **3**
aboucher (s') ..... **84** **3**
abouler ...................... I/T **3**
abouter ...................... T **3**
aboutir ............. I/Ti, A/E **20**
aboyer ....................... I **18**
abraser ...................... T **3**
abréger ...................... T **10**
abreuver .................... T **3**
abreuver (s') ...... **84** **3**
abriter ........................ T **3**
abriter (s') ......... **84** **3**
abroger ...................... T **7**
abrutir ....................... T **20**
abrutir (s') ........ **84** **20**
absenter (s') ...... **84** **3**
absorber .................... T **3**
absorber (s') ...... **84** **3**

absoudre .................. T **57**
abstenir (s') ...... **84** **27**
abstraire .................... T **69**
abstraire (s') ..... **84** **69**
abuser ........................ T/Ti **3**
abuser (s') ......... **84** **3**
acagnarder (s') .. **84** **3**
accabler ..................... T **3**
accabler (s') ...... **84** **3**
accaparer ................... T **3**
accastiller ................. T **3**
accéder ...................... Ti **9**
accélérer .................... I/T **9**
accentuer .................. T **3**
accepter ..................... T **3**
accepter (s') ...... **84** **3**
accessoiriser ............ T **3**
accidenter ................. T **3**
acclamer .................... T **3**
acclimater ................. T **3**
acclimater (s') ... **84** **3**
accointer (s') ..... **84** **3**
accoler ....................... T **3**
accommoder ............. T **3**
accommoder (s') . **84** **3**
accompagner ............ T **3**
accomplir ................. T **20**
accomplir (s') .... **84** **20**
accorder .................... T **3**
accorder (s') ...... **86** **3**
accoster ..................... T **3**
accoter ....................... T **3**
accoucher ......... T/Ti, A/E **3**
accouder (s') ..... **84** **3**
accoupler .................. T **3**
accoupler (s') .... **84** **3**
accourir ..................... I **25**
accoutrer ................... T **3**
accoutrer (s') ..... **84** **3**
accoutumer ............... T **3**
accoutumer (s') .. **84** **3**
accréditer .................. T **3**
accrocher ................... I/T **3**
accrocher (s') .... **84** **3**
accroire ............... T, D **67**

accroître ............. T, A/E **66**
accroupir (s') ..... **84** **20**
accueillir ................... T **30**
acculer ....................... T **3**
acculturer .................. T **3**
accumuler .................. I/T **3**
accuser ...................... T **3**
accuser (s') ........ **84** **3**
acérer ......................... T **9**
acétifier ..................... T **4**
achalander ................. T **3**
acharner (s') ...... **84** **3**
acheminer .................. T **3**
acheminer (s') ... **84** **3**
**acheter** ................... T **15**
acheter (s') ........ **86** **15**
achever ...................... T **11**
achopper .................... I **3**
achromatiser ............ T **3**
acidifier ..................... T **4**
aciduler ..................... T **3**
aciérer ........................ T **9**
acoquiner (s') .... **84** **3**
**acquérir** ................. T **28**
acquiescer ................. Ti **6**
acquitter .................... T **3**
acquitter (s') ..... **84** **3**
acter .......................... T **3**
actionner ................... T **3**
activer ....................... T **3**
activer (s') ......... **84** **3**
actualiser .................. T **3**
adapter ...................... T **3**
adapter (s') ....... **84** **3**
additionner ............... T **3**
adhérer ...................... Ti **9**
adjectiver .................. T **3**
adjoindre ................... T **56**
adjoindre (s') .... **86** **56**
adjuger ...................... T **7**
adjuger (s') ........ **86** **7**
adjurer ...................... T **3**
admettre .................... T **63**
administrer ............... T **3**
administrer (s') .. **86** **3**

253

| | | | | | |
|---|---|---|---|---|---|
| admirer | T 3 | affliger (s') | 84 7 | agrémenter | T 3 |
| admonester | T 3 | afflouer | T 3 | agrémenter (s') | 84 3 |
| adonner (s') | 84 3 | affluer | I 3 | agresser | T 3 |
| adopter | T 3 | affoler | T 3 | agriffer (s') | 84 3 |
| adorer | T 3 | affoler (s') | 84 3 | agripper | T 3 |
| adosser | T 3 | affouiller | T 3 | agripper (s') | 84 3 |
| adosser (s') | 84 3 | affour(r)ager | T 7 | aguerrir | T 20 |
| adouber | T 3 | affourcher | I 3 | aguerrir (s') | 84 20 |
| adoucir | T 20 | affranchir | T 20 | aguicher | T 3 |
| adoucir (s') | 86 20 | affranchir (s') | 84 20 | ahaner | I 3 |
| adresser | T 3 | affréter | T 9 | ahurir | T 20 |
| adresser (s') | 86 3 | affriander | T 3 | aicher | T 3 |
| adsorber | T 3 | affrioler | T 3 | aider | T/Ti 3 |
| aduler | T 3 | affronter | T 3 | aider (s') | 84 3 |
| adultérer | T 9 | affronter (s') | 84 3 | aigrir | I/T 20 |
| advenir | I, E, Ip 27 | affubler | T 3 | aigrir (s') | 84 20 |
| aérer | T 9 | affubler (s') | 84 3 | aiguiller | T 3 |
| aérer (s') | 86 9 | affurer | T 3 | aiguilleter | T 14 |
| affabuler | I/T 3 | affûter | T 3 | aiguillonner | T 3 |
| affadir | T 20 | africaniser | T 3 | aiguiser | T 3 |
| affadir (s') | 84 20 | africaniser (s') | 84 3 | aiguiser (s') | 84 3 |
| affaiblir | T 20 | agacer | T 6 | ailler | T 3 |
| affaiblir (s') | 84 20 | agencer | T 6 | aimanter | T 3 |
| affairer (s') | 84 3 | agenouiller (s') | 84 3 | aimanter (s') | 84 3 |
| affaisser | T 3 | agglomérer | T 9 | aimer | T 3 |
| affaisser (s') | 84 3 | agglomérer (s') | 84 9 | aimer (s') | 84 3 |
| affaler | T 3 | agglutiner | T 3 | airer | I 3 |
| affaler (s') | 84 3 | agglutiner (s') | 84 3 | ajointer | T 3 |
| affamer | T 3 | aggraver | T 3 | ajourer | T 3 |
| affecter | T 3 | aggraver (s') | 84 3 | ajourner | T 3 |
| affectionner | T 3 | agioter | I 3 | ajouter | T/Ti 3 |
| affermer | T 3 | agir | I 20 | ajouter (s') | 84 3 |
| affermir | T 20 | agir (s') | Ip 85 20 | ajuster | T 3 |
| affermir (s') | 84 20 | agiter | T 3 | ajuster (s') | 84 3 |
| afficher | T 3 | agiter (s') | 84 3 | alanguir | T 20 |
| afficher (s') | 84 3 | agneler | I 12 | alanguir (s') | 84 20 |
| affiler | T 3 | agonir | T 20 | alarmer | T 3 |
| affilier | T 4 | agonir (s') | 84 20 | alarmer (s') | 84 3 |
| affilier (s') | 84 4 | agoniser | I 3 | alcaliniser | T 3 |
| affiner | T 3 | agrafer | T 3 | alcaliser | T 3 |
| affiner (s') | 84 3 | agrandir | T 20 | alcooliser | T 3 |
| affirmer | T 3 | agrandir (s') | 84 20 | alcooliser (s') | 84 3 |
| affirmer (s') | 84 3 | agréer | T/Ti 5 | alerter | T 3 |
| affleurer | I/T 3 | agréger | T 10 | aléser | T 9 |
| affliger | T 7 | agréger (s') | 84 10 | aleviner | T 3 |

index des verbes

# Index des verbes

## B

# Index des verbes

| | | |
|---|---|---|
| changer ........... I/T/Ti, A/E **7** | chevaler ..................... T **3** | chronométrer (se) ...... **84** **9** |
| changer (se) ............... **86** **7** | chevaucher ................. I/T **3** | chuchoter ..................... I/T **3** |
| chansonner ..................... T **3** | chevaucher (se) ........... **84** **3** | chuinter ........................... I **3** |
| **chanter** ........................ I/T **3** | cheviller ........................ T **3** | chuter ............................. I **3** |
| chantonner ..................... T **3** | chevreter ......................... I **14** | cibler .............................. T **3** |
| chantourner ................... T **3** | chevronner ..................... T **3** | cicatriser ..................... I/T **3** |
| chaparder ...................... T **3** | chevroter ..................... I/T **3** | cicatriser (se) ............. **84** **3** |
| chapeauter ..................... T **3** | chiader .......................... T **3** | ciller .............................. T **3** |
| chapeler ......................... T **12** | chialer ............................ I **3** | cimenter ......................... T **3** |
| chaperonner ................... T **3** | chicaner ...................... I/T **3** | cinématographier .......... T **4** |
| chapitrer ........................ T **3** | chicoter .......................... I **3** | cingler ......................... I/T **3** |
| chaponner ...................... T **3** | chienner ......................... I **3** | cintrer ............................ T **3** |
| chaptaliser ..................... T **3** | chier ............................... I **4** | circoncire ....................... T **72** |
| charbonner .................. I/T **3** | chiffonner .................... I/T **3** | circonscrire .................... T **76** |
| charcuter ....................... T **3** | chiffrer ........................... T **3** | circonscrire (se) ........ **84** **76** |
| charger .......................... T **7** | chiffrer (se) ............. D **84** **3** | circonstancier ............... T **4** |
| charmer ....................... I/T **3** | chigner ........................... I **3** | circonvenir ..................... T **27** |
| charpenter ..................... T **3** | chiner .......................... I/T **3** | circulariser ..................... T **3** |
| charrier ........................ I/T **4** | chinoiser ......................... I **3** | circuler ........................... I **3** |
| charroyer ....................... T **18** | chiper ............................. T **3** | cirer ............................... T **3** |
| chartériser ..................... T **3** | chipoter .......................... I **3** | cisailler .......................... T **3** |
| chasser ........................ I/T **3** | chipoter (se) ............... **84** **3** | ciseler ............................ T **13** |
| châtaigner ....................... I **3** | chiquer ........................... T **3** | citer ............................... T **3** |
| châtier ............................ T **4** | chlinguer ......................... I **8** | civiliser ........................... T **3** |
| chatonner ....................... I **3** | chlorer ............................ T **3** | civiliser (se) ............... **84** **3** |
| chatouiller ...................... T **3** | chloroformer ................... T **3** | clabauder ....................... T **3** |
| chatouiller (se) ............ **86** **3** | chlorurer ......................... T **3** | claboter .......................... I **3** |
| chatoyer .......................... I **18** | choir .................. I, A/E, D **51** | claironner ....................... I **3** |
| châtrer ............................ T **3** | choisir ............................ T **20** | clamecer ......................... I **3** |
| chatter ............................ I **3** | chômer ......................... I/T **3** | clamer ............................ T **3** |
| chauffer ....................... I/T **3** | choper ............................ T **3** | clamper .......................... T **3** |
| chauffer (se) ............... **86** **3** | chopiner .......................... I **3** | clamser ........................... I **3** |
| chauler ........................... T **3** | chopper .......................... I **3** | clapoter ........................... I **3** |
| chaumer ....................... I/T **3** | choquer ........................... T **3** | clapper ........................... I **3** |
| chausser ......................... T **3** | chorégraphier ................. T **4** | claquemurer ................... T **3** |
| chausser (se) .............. **84** **3** | chosifier ......................... T **4** | claquer ........................ I/T **3** |
| chauvir ............................ I **20** | chouchouter .................... T **3** | claquer (se) ................ **86** **3** |
| chavirer ....................... I/T **3** | chougner ......................... I **3** | claqueter ......................... I **14** |
| cheminer ......................... I **3** | chouiner .......................... I **3** | clarifier .......................... T **4** |
| chemiser ......................... T **3** | chouraver ....................... T **3** | classer ............................ T **3** |
| chercher ....................... I/T **3** | choyer ............................ T **18** | classer (se) ................ **84** **3** |
| chercher (se) ............... **86** **3** | christianiser .................... T **3** | classifier ........................ T **4** |
| chérir .............................. T **20** | chromer .......................... T **3** | claudiquer ....................... I **3** |
| chérir (se) ................... **84** **20** | chroniquer ...................... T **3** | claustrer ......................... T **3** |
| cherrer ............................ I **3** | chronométrer ................. T **9** | claveter .......................... T **14** |

| | | | | | |
|---|---|---|---|---|---|
| déboucler | T 3 | décapsuler | T 3 | décintrer | T 3 |
| débouler | I/T 3 | décapuchonner | T 3 | déclamer | I/T 3 |
| déboulonner | T 3 | décarbonater | T 3 | déclarer | T 3 |
| débouquer | I 3 | décarburer | T 3 | déclarer (se) | 84 3 |
| débourber | T 3 | décarcasser (se) | 84 3 | déclasser | T 3 |
| débourrer | I/T 3 | décarreler | T 12 | déclassifier | T 3 |
| débourser | T 3 | décarreler (se) | 84 12 | déclaveter | T 14 |
| déboussoler | T 3 | décarrer | I 3 | déclencher | T 3 |
| débouter | T 3 | décatir | T 20 | déclencher (se) | 84 3 |
| déboutonner | T 3 | décatir (se) | 84 20 | décléricaliser | T 3 |
| déboutonner (se) | 84 3 | décauser | T 3 | décliner | I/T 3 |
| débrailler (se) | 84 3 | décavaillonner | T 3 | décliner (se) | 84 3 |
| débrancher | T 3 | décaver | T 3 | décliqueter | T 14 |
| débrayer | I/T 16 | décéder | I, E 9 | décloisonner | T 3 |
| débrider | T 3 | déceler | T 13 | déclore | T, D 81 |
| débrocher | T 3 | décélérer | I 9 | déclouer | T 3 |
| débronzer | I 3 | décentraliser | T 3 | décocher | T 3 |
| débrouiller | T 3 | décentrer | T 3 | décoder | T 3 |
| débrouiller (se) | 84 3 | décentrer (se) | 84 3 | décoffrer | T 3 |
| débroussailler | T 3 | décercler | T 3 | décoiffer | T 3 |
| débucher | I/T 3 | décérébrer | T 9 | décoiffer (se) | 84 3 |
| débudgétiser | T 3 | décerner | T 3 | décoincer | T 6 |
| débureaucratiser | T 3 | décerveler | T 12 | décolérer | I 9 |
| débusquer | T 3 | décevoir | T 36 | décollectiviser | T 3 |
| débuter | I/T 3 | déchaîner | T 3 | décoller | I/T 3 |
| décacheter | T 14 | déchaîner (se) | 84 3 | décoller (se) | 84 3 |
| décadenasser | T 3 | déchanter | I 3 | décolleter | T 14 |
| décaféiner | T 3 | décharger | I/T 7 | décoloniser | T 3 |
| décaisser | T 3 | décharger (se) | 84 7 | décolorer | T 3 |
| décalaminer | T 3 | décharner | T 3 | décommander | T 3 |
| décalcifier | T 4 | déchaumer | T 3 | décommander (se) | 84 3 |
| décalcifier (se) | 84 4 | déchausser | I/T 3 | décompenser | I 3 |
| décaler | T 3 | déchausser (se) | 84 3 | décomplexer | T 3 |
| décaler (se) | 84 3 | déchiffonner | T 3 | décomposer | T 3 |
| décalotter | T 3 | déchiffrer | T 3 | décomposer (se) | 84 3 |
| décalquer | T 3 | déchiqueter | T 14 | décompresser | I/T 3 |
| décamper | I, A/E 3 | déchirer | T 3 | décomprimer | T 3 |
| décaniller | I 3 | déchirer (se) | 86 3 | décompter | I/T 3 |
| décanter | I/T 3 | déchlorurer | T 3 | déconcentrer | T 3 |
| décanter (se) | 84 3 | déchoir | I, A/E, D 51 | déconcentrer (se) | 84 3 |
| décapeler | T 12 | déchristianiser | T 3 | déconcerter | T 3 |
| décaper | T 3 | décider | T/Ti 3 | déconditionner | T 3 |
| décapitaliser | T 3 | décider (se) | 84 3 | déconfire | T 72 |
| décapiter | T 3 | décimaliser | T 3 | décongeler | T 13 |
| décapoter | T 3 | décimer | T 3 | décongestionner | T 3 |

# Index des verbes

index des verbes

# Index des verbes

# Index des verbes

| | |
|---|---|
| détecter | T 3 |
| déteindre | I/T 55 |
| dételer | I/T 12 |
| détendre | T 52 |
| détendre (se) | 84 52 |
| détenir | T 27 |
| déterger | T 7 |
| détériorer | T 3 |
| détériorer (se) | 84 3 |
| déterminer | T 3 |
| déterminer (se) | 84 3 |
| déterrer | T 3 |
| détester | T 3 |
| détirer | T 3 |
| détirer (se) | 84 3 |
| détoner | I 3 |
| détonner | I 3 |
| détordre | T 52 |
| détortiller | T 3 |
| détourer | T 3 |
| détourner | T 3 |
| détourner (se) | 84 3 |
| détracter | T 3 |
| détraquer | T 3 |
| détraquer (se) | 84 3 |
| détremper | T 3 |
| détricoter | T 3 |
| détromper | T 3 |
| détromper (se) | 84 3 |
| détrôner | T 3 |
| détroquer | T 3 |
| détrousser | T 3 |
| détruire | T 78 |
| détruire (se) | 86 78 |
| dévaler | I/T 3 |
| dévaliser | T 3 |
| dévaloriser | T 3 |
| dévaloriser (se) | 84 3 |
| dévaluer | T 3 |
| dévaluer (se) | 84 3 |
| devancer | T 6 |
| dévaser | T 3 |
| dévaster | T 3 |
| développer | T 3 |
| développer (se) | 84 3 |

| | |
|---|---|
| devenir | I, E 27 |
| déventer | T 3 |
| dévergonder (se) | 84 3 |
| déverguer | T 8 |
| dévernir | T 20 |
| déverrouiller | T 3 |
| déverser | T 3 |
| déverser (se) | 84 3 |
| dévêtir | T 23 |
| dévêtir (se) | 84 23 |
| dévider | T 3 |
| dévider (se) | 84 3 |
| dévier | I/T 4 |
| deviner | T 3 |
| deviner (se) | 84 3 |
| dévirer | T 3 |
| dévirginiser | T 3 |
| déviriliser | T 3 |
| dévisager | T 7 |
| dévisager (se) | 84 7 |
| deviser | I/T 3 |
| dévisser | I/T 3 |
| dévisser (se) | 84 3 |
| dévitaliser | T 3 |
| dévitrifier | T 4 |
| dévoiler | T 3 |
| dévoiler (se) | 84 3 |
| devoir | T 43 |
| devoir (se) | 84 43 |
| dévolter | T 3 |
| dévorer | T 3 |
| dévorer (se) | 84 3 |
| dévouer | T 3 |
| dévouer (se) | 84 3 |
| dévoyer | T 18 |
| dévoyer (se) | 84 18 |
| dézinguer | T 3 |
| diaboliser | T 3 |
| diagnostiquer | T 3 |
| dialoguer | I/T 8 |
| dialyser | T 3 |
| diamanter | T 3 |
| diaphragmer | I/T 3 |
| diaprer | T 3 |
| dicter | T 3 |

| | |
|---|---|
| diéser | T 9 |
| diffamer | T 3 |
| différencier | T 4 |
| différencier (se) | 84 4 |
| différentier | T 4 |
| différer | I/T 9 |
| diffracter | T 3 |
| diffuser | I/T 3 |
| diffuser (se) | 84 3 |
| digérer | T 9 |
| digérer (se) | 84 9 |
| digitaliser | T 3 |
| digresser | I 3 |
| dilacérer | T 9 |
| dilapider | T 3 |
| dilater | T 3 |
| dilater (se) | 84 3 |
| diligenter | T 3 |
| diluer | T 3 |
| diluer (se) | 84 3 |
| dimensionner | T 3 |
| dimensionner (se) | 84 3 |
| diminuer | I/T, A/E 3 |
| diminuer (se) | 84 3 |
| dîner | I 3 |
| dinguer | I 8 |
| diphtonguer | T 8 |
| diplômer | T 3 |
| dire | T 73 |
| dire (se) | 86 73 |
| diriger | T 7 |
| diriger (se) | 84 7 |
| discerner | T 3 |
| discipliner | T 3 |
| discontinuer | I 3 |
| disconvenir | Ti, A/E 27 |
| discorder | I 3 |
| discourir | I 25 |
| discréditer | T 3 |
| discriminer | T 3 |
| disculper | T 3 |
| disculper (se) | 84 3 |
| discutailler | I 3 |
| discuter | I/T/Ti 3 |
| discuter (se) | 84 3 |

index des verbes

273

# Index des verbes

| | | |
|---|---|---|
| disgracier .......... T **4** | diversifier .......... T **4** | draguer .......... T **8** |
| disjoindre .......... T **56** | divertir .......... T **20** | drainer .......... T **3** |
| disjoindre (se) .......... **84 56** | divertir (se) .......... **84 20** | dramatiser .......... T **3** |
| disjoncter .......... I **3** | diviniser .......... T **3** | draper .......... T **3** |
| disloquer .......... T **3** | diviser .......... T **3** | draper (se) .......... **84 3** |
| disloquer (se) .......... **84 3** | diviser (se) .......... **84 3** | drayer .......... T **16** |
| disparaître .......... I, A/E **64** | divorcer .......... I, A/E **6** | dresser .......... T **3** |
| dispatcher .......... T **3** | divulguer .......... T **8** | dresser (se) .......... **84 3** |
| dispenser .......... T **3** | divulguer (se) .......... **84 8** | dribbler .......... I **3** |
| dispenser (se) .......... **84 3** | documenter .......... T **3** | driver .......... I/T **3** |
| disperser .......... T **3** | documenter (se) .......... **84 3** | droguer .......... T **8** |
| disperser (se) .......... **84 3** | dodeliner .......... I **3** | droguer (se) .......... **84 8** |
| disposer .......... I/T/Ti **3** | dogmatiser .......... I **3** | droper .......... I/T **3** |
| disposer (se) .......... **84 3** | doigter .......... T **3** | drosser .......... T **3** |
| disputailler .......... I **3** | doler .......... T **3** | duper .......... T **3** |
| disputer .......... T **3** | domestiquer .......... T **3** | dupliquer .......... T **3** |
| disputer (se) .......... **86 3** | domicilier .......... T **4** | durcir .......... I/T **20** |
| disqualifier .......... T **4** | dominer .......... I/T **3** | durer .......... I **3** |
| disqualifier (se) .......... **84 4** | dominer (se) .......... **84 3** | duveter (se) .......... **84 14** |
| disséminer .......... T **3** | dompter .......... T **3** | dynamiser .......... T **3** |
| disséminer (se) .......... **84 3** | donner .......... I/T **3** | dynamiter .......... T **3** |
| disséquer .......... T **9** | donner (se) .......... **86 3** | |
| disserter .......... I **3** | doper .......... T **3** | |
| dissimuler .......... T **3** | doper (se) .......... **84 3** | |
| dissimuler (se) .......... **84 3** | dorer .......... T **3** | **E** |
| dissiper .......... T **3** | dorer (se) .......... **86 3** | |
| dissocier .......... T **4** | dorloter .......... T **3** | ébahir .......... T **20** |
| dissocier (se) .......... **84 4** | dorloter (se) .......... **84 3** | ébahir (s') .......... **84 20** |
| dissoner .......... I **3** | **dormir** .......... I **22** | ébarber .......... T **3** |
| dissoudre .......... T **57** | doser .......... T **3** | ébattre (s') .......... **84 62** |
| dissoudre (se) .......... **84 57** | doter .......... T **3** | ébaucher .......... T **3** |
| dissuader .......... T **3** | doter (se) .......... **84 3** | ébaucher (s') .......... **84 3** |
| distancer .......... T **6** | double-cliquer .......... I **3** | ébaudir .......... T **20** |
| distancier (se) .......... **84 4** | doubler .......... I/T **3** | ébaudir (s') .......... **84 20** |
| distendre .......... T **52** | doubler (se) .......... **84 3** | éberluer .......... T **3** |
| distendre (se) .......... **84 52** | doublonner .......... I **3** | éblouir .......... T **20** |
| distiller .......... I/T **3** | doucher .......... T **3** | éborgner .......... T **3** |
| distinguer .......... T **8** | doucher (se) .......... **84 3** | ébouillanter .......... T **3** |
| distinguer (se) .......... **84 8** | doucir .......... T **20** | ébouillanter (s') .......... **84 3** |
| distordre .......... T **52** | douer .......... T **3** | ébouler .......... T **3** |
| distraire .......... T **69** | douiller .......... I **3** | ébouler (s') .......... **84 3** |
| distraire (se) .......... **84 69** | douter .......... T **3** | ébourgeonner .......... T **3** |
| distribuer .......... T **3** | douter (se) .......... **84 3** | ébouriffer .......... T **3** |
| divaguer .......... I **8** | dragéifier .......... T **4** | ébourrer .......... T **3** |
| diverger .......... I **7** | drageonner .......... I **3** | ébouter .......... T **3** |

index des verbes

# Index des verbes

loconner ... I 3
loculer ... I 3
loquer ... T 3
lotter ... I/T 3
louer ... T 3
luctuer ... I 3
luer ... I 3
luidifier ... T 4
lûter ... I/T 3
ocaliser ... I/T 3
oirer ... I 3
oisonner ... I 3
olâtrer ... I 3
olioter ... T 3
olkloriser ... T 3
omenter ... T 3
oncer ... I/T 6
onctionnaliser ... T 3
onctionnariser ... T 3
onctionner ... I 3
onder ... T 3
onder (se) ... 84 3
ondre ... I/T 52
ondre (se) ... 84 52
orcer ... I/T 6
orcer (se) ... 84 6
orcir ... I 20
orclore ... T, D 81
orer ... T 3
orfaire ... I/T/Ti, D 82
orfaitiser ... T 3
orger ... T 7
orger (se) ... 86 7
orjeter ... I/T 14
orjeter (se) ... 84 14
orlonger ... T 7
ormaliser ... T 3
ormaliser (se) ... 84 3
ormater ... T 3
ormater (se) ... 84 3
ormer ... T 3
ormer (se) ... 84 3
ormuler ... T 3
orniquer ... I 3
ortifier ... T 4

fortifier (se) ... 86 4
fossiliser ... T 3
fossiliser (se) ... 84 3
fouailler ... T 3
foudroyer ... T 18
fouetter ... I/T 3
fouetter (se) ... 84 3
fouger ... I 7
fouiller ... I/T 3
fouiller (se) ... 84 3
fouiner ... I 3
fouir ... T 20
fouler ... T 3
fouler (se) ... 86 3
fourbir ... T 20
fourcher ... I/T 3
fourgonner ... I 3
fourguer ... T 8
fourmiller ... I 3
fournir ... T 20
fournir (se) ... 86 20
fourrager ... I/T 7
fourrer ... T 3
fourrer (se) ... 86 3
fourvoyer ... T 18
fourvoyer (se) ... 84 18
foutre ... T, D 62
foutre (se) ... D 84 62
fracasser ... T 3
fracasser (se) ... 84 3
fractionner ... T 3
fractionner (se) ... 84 3
fracturer ... T 3
fracturer (se) ... 86 3
fragiliser ... T 3
fragmenter ... T 3
fragmenter (se) ... 84 3
fraîchir ... I 20
fraiser ... T 3
framboiser ... T 3
franchir ... T 20
franchiser ... T 3
franciser ... T 3
franger ... T 7
frapper ... I/T 3

frapper (se) ... 86 3
fraterniser ... I 3
frauder ... I/T 3
frayer ... I/T 16
frayer (se) ... 86 16
fredonner ... I/T 3
frégater ... T 3
freiner ... I/T 3
frelater ... T 3
frémir ... I 20
fréquenter ... T 3
fréquenter (se) ... 84 3
fréter ... T 9
frétiller ... I 3
fretter ... T 3
fricasser ... T 3
fricoter ... I/T 3
frictionner ... T 3
frictionner (se) ... 86 3
frigorifier ... T 4
frimer ... I 3
fringuer ... I/T 8
fringuer (se) ... 84 8
friper ... T 3
friper (se) ... 84 3
frire ... I/T, D 72
friser ... I/T 3
frisotter ... Ti 3
frissonner ... I 3
friter (se) ... 84 3
fritter ... T 3
froisser ... T 3
froisser (se) ... 86 3
frôler ... T 3
frôler (se) ... 84 3
froncer ... T 6
fronder ... I/T 3
frotter ... I/T 3
frotter (se) ... 86 3
frouer ... I 3
froufrouter ... I 3
fructifier ... I 4
frustrer ... T 3
fuguer ... I 8
fuir ... I/T 33# Index des verbes

| Verbe | | |
|---|---|---|
| floconner | I | 3 |
| floculer | I | 3 |
| floquer | T | 3 |
| flotter | I/T | 3 |
| flouer | T | 3 |
| fluctuer | I | 3 |
| fluer | I | 3 |
| fluidifier | T | 4 |
| flûter | I/T | 3 |
| focaliser | I/T | 3 |
| foirer | I | 3 |
| foisonner | I | 3 |
| folâtrer | I | 3 |
| folioter | T | 3 |
| folkloriser | T | 3 |
| fomenter | T | 3 |
| foncer | I/T | 6 |
| fonctionnaliser | T | 3 |
| fonctionnariser | T | 3 |
| fonctionner | I | 3 |
| fonder | T | 3 |
| fonder (se) | 84 | 3 |
| fondre | I/T | 52 |
| fondre (se) | 84 | 52 |
| forcer | I/T | 6 |
| forcer (se) | 84 | 6 |
| forcir | I | 20 |
| forclore | T, D | 81 |
| forer | T | 3 |
| forfaire | I/T/Ti, D | 82 |
| forfaitiser | T | 3 |
| forger | T | 7 |
| forger (se) | 86 | 7 |
| forjeter | I/T | 14 |
| forjeter (se) | 84 | 14 |
| forlonger | T | 7 |
| formaliser | T | 3 |
| formaliser (se) | 84 | 3 |
| formater | T | 3 |
| formater (se) | 84 | 3 |
| former | T | 3 |
| former (se) | 84 | 3 |
| formuler | T | 3 |
| forniquer | I | 3 |
| fortifier | T | 4 |
| fortifier (se) | 86 | 4 |
| fossiliser | T | 3 |
| fossiliser (se) | 84 | 3 |
| fouailler | T | 3 |
| foudroyer | T | 18 |
| fouetter | I/T | 3 |
| fouetter (se) | 84 | 3 |
| fouger | I | 7 |
| fouiller | I/T | 3 |
| fouiller (se) | 84 | 3 |
| fouiner | I | 3 |
| fouir | T | 20 |
| fouler | T | 3 |
| fouler (se) | 86 | 3 |
| fourbir | T | 20 |
| fourcher | I/T | 3 |
| fourgonner | I | 3 |
| fourguer | T | 8 |
| fourmiller | I | 3 |
| fournir | T | 20 |
| fournir (se) | 86 | 20 |
| fourrager | I/T | 7 |
| fourrer | T | 3 |
| fourrer (se) | 86 | 3 |
| fourvoyer | T | 18 |
| fourvoyer (se) | 84 | 18 |
| foutre | T, D | 62 |
| foutre (se) | D 84 | 62 |
| fracasser | T | 3 |
| fracasser (se) | 84 | 3 |
| fractionner | T | 3 |
| fractionner (se) | 84 | 3 |
| fracturer | T | 3 |
| fracturer (se) | 86 | 3 |
| fragiliser | T | 3 |
| fragmenter | T | 3 |
| fragmenter (se) | 84 | 3 |
| fraîchir | I | 20 |
| fraiser | T | 3 |
| framboiser | T | 3 |
| franchir | T | 20 |
| franchiser | T | 3 |
| franciser | T | 3 |
| franger | T | 7 |
| frapper | I/T | 3 |
| frapper (se) | 86 | 3 |
| fraterniser | I | 3 |
| frauder | I/T | 3 |
| frayer | I/T | 16 |
| frayer (se) | 86 | 16 |
| fredonner | I/T | 3 |
| frégater | T | 3 |
| freiner | I/T | 3 |
| frelater | T | 3 |
| frémir | I | 20 |
| fréquenter | T | 3 |
| fréquenter (se) | 84 | 3 |
| fréter | T | 9 |
| frétiller | I | 3 |
| fretter | T | 3 |
| fricasser | T | 3 |
| fricoter | I/T | 3 |
| frictionner | T | 3 |
| frictionner (se) | 86 | 3 |
| frigorifier | T | 4 |
| frimer | I | 3 |
| fringuer | I/T | 8 |
| fringuer (se) | 84 | 8 |
| friper | T | 3 |
| friper (se) | 84 | 3 |
| frire | I/T, D | 72 |
| friser | I/T | 3 |
| frisotter | Ti | 3 |
| frissonner | I | 3 |
| friter (se) | 84 | 3 |
| fritter | T | 3 |
| froisser | T | 3 |
| froisser (se) | 86 | 3 |
| frôler | T | 3 |
| frôler (se) | 84 | 3 |
| froncer | T | 6 |
| fronder | I/T | 3 |
| frotter | I/T | 3 |
| frotter (se) | 86 | 3 |
| frouer | I | 3 |
| froufrouter | I | 3 |
| fructifier | I | 4 |
| frustrer | T | 3 |
| fuguer | I | 8 |
| **fuir** | I/T | 33 |

index des verbes

index des verbes

| | | |
|---|---|---|
| lourder | T **3** | |
| lourer | T **3** | |
| louveter | I **14** | |
| louvoyer | I **18** | |
| lover | T **3** | |
| lover (se) | **84** **3** | |
| lubrifier | T **4** | |
| luger | I **7** | |
| luire | I **78** | |
| luncher | I **3** | |
| lustrer | T **3** | |
| luter | T **3** | |
| lutiner | T **3** | |
| lutter | I **3** | |
| luxer | T **3** | |
| luxer (se) | **86** **3** | |
| lyncher | T **3** | |
| lyophiliser | T **3** | |

| | | |
|---|---|---|
| macadamiser | T **3** | |
| macérer | I/T **9** | |
| mâcher | T **3** | |
| machiner | T **3** | |
| mâchonner | T **3** | |
| mâchouiller | T **3** | |
| mâchurer | T **3** | |
| macler | I/T **3** | |
| maçonner | T **3** | |
| maculer | T **3** | |
| madériser | T **3** | |
| madériser (se) | **84** **3** | |
| maganer | T **3** | |
| maganer (se) | **84** **3** | |
| magasiner | I **3** | |
| magner (se) | **84** **3** | |
| magnétiser | T **3** | |
| magnétoscoper | T **3** | |
| magnifier | T **4** | |
| magouiller | I **3** | |
| maigrir | I/T, A/E **20** | |
| mailler | I/T **3** | |

| | | |
|---|---|---|
| mailler (se) | **84** **3** |
| maintenir | T **27** |
| maintenir (se) | **84** **27** |
| maîtriser | T **3** |
| maîtriser (se) | **84** **3** |
| majorer | T **3** |
| malaxer | T **3** |
| malmener | T **11** |
| malter | T **3** |
| maltraiter | T **3** |
| manager | T **7** |
| manchonner | T **3** |
| mandater | T **3** |
| mander | T **3** |
| mangeotter | T **3** |
| **manger** | I/T **7** |
| manier | T **4** |
| manier (se) | **84** **4** |
| manifester | I/T **3** |
| manifester (se) | **84** **3** |
| manigancer | T **6** |
| manipuler | T **3** |
| manœuvrer | I/T **3** |
| manœuvrer (se) | **84** **3** |
| manquer | I/T/Ti **3** |
| manquer (se) | **84** **3** |
| mansarder | T **3** |
| manucurer | T **3** |
| manufacturer | T **3** |
| manutentionner | T **3** |
| mapper | T **3** |
| maquer (se) | **84** **3** |
| maquetter | T **3** |
| maquignonner | T **3** |
| maquiller | T **3** |
| maquiller (se) | **86** **3** |
| marabouter | T **3** |
| marauder | I **3** |
| marbrer | T **3** |
| marchander | T **3** |
| marcher | I **3** |
| marcotter | T **3** |
| margauder | I **3** |
| marger | I/T **7** |
| marginaliser | T **3** |

| | | |
|---|---|---|
| marginer | T **3** |
| margoter | I **3** |
| marier | T **4** |
| marier (se) | **84** **4** |
| mariner | I/T **3** |
| marivauder | I **3** |
| marmiter | T **3** |
| marmonner | T **3** |
| marmoriser | T **3** |
| marner | I **3** |
| maronner | I **3** |
| maroquiner | T **3** |
| maroufler | T **3** |
| marquer | I/T **3** |
| marquer (se) | **84** **3** |
| marqueter | T **14** |
| marrer (se) | **84** **3** |
| marronner | I **3** |
| marsouiner | I **3** |
| marteler | T **13** |
| martyriser | T **3** |
| masculiniser | T **3** |
| masquer | T **3** |
| massacrer | T **3** |
| massacrer (se) | **84** **3** |
| masser | T **3** |
| masser (se) | **86** **3** |
| massicoter | T **3** |
| mastiquer | T **3** |
| masturber | T **3** |
| masturber (se) | **86** **3** |
| matcher | I/T **3** |
| matelasser | T **3** |
| matelasser (se) | **84** **3** |
| mater | I/T **3** |
| mâter | T **3** |
| matérialiser | T **3** |
| matérialiser (se) | **84** **3** |
| materner | T **3** |
| matir | T **20** |
| matraquer | T **3** |
| matricer | T **6** |
| maturer | I **3** |
| **maudire** | T **74** |
| maudire (se) | **84** **74** |

index des verbes

# Index des verbes

index des verbes

provenir ........................ I, E **27**
proverbialiser .................. T **3**
provigner ........................ T **3**
provisionner .................... T **3**
provoquer ....................... T **3**
psalmodier ...................... I/T **4**
psychanalyser .................. T **3**
psychiatriser ................... T **3**
publier ........................... T **4**
puddler .......................... T **3**
puer ............................... I/T **3**
puiser ............................ T **3**
pulluler .......................... I **3**
pulser ............................ I/T **3**
pulvériser ....................... T **3**
punaiser ......................... T **3**
punir .............................. T **20**
purger ............................ T **7**
purifier .......................... T **4**
purifier (se) .................. 86 **4**
putréfier ........................ T **4**
putréfier (se) ................ 84 **4**
pyramider ....................... I **3**
pyrograver ...................... T **3**

## Q

quadriller ....................... T **3**
quadrupler ...................... I/T **3**
qualifier ......................... T **4**
qualifier (se) ................ 84 **4**
quantifier ....................... T **4**
quémander ...................... T **3**
quereller ........................ T **3**
quereller (se) ............... 84 **3**
quérir ........................ T, D **28**
questionner ..................... T **3**
questionner (se) .......... 84 **3**
quêter ............................ T **3**
queuter ........................... I **3**
quintoyer ........................ I **18**
quintupler ....................... I/T **3**

quitter ........................... T **3**
quitter (se) .............. D 84 **3**

## R

rabâcher ......................... T **3**
rabaisser ........................ T **3**
rabaisser (se) ............... 84 **3**
rabattre .......................... T **62**
rabattre (se) ................ 84 **62**
rabibocher ...................... T **3**
rabioter .......................... I/T **3**
rabonnir ......................... I/T **20**
raboter ........................... T **3**
rabougrir (se) ............... 84 **20**
rabouter ......................... T **3**
rabrouer ......................... T **3**
raccommoder ................... T **3**
raccommoder (se) ..... 84 **3**
raccompagner .................. T **3**
raccorder ........................ T **3**
raccorder (se) .............. 84 **3**
raccourcir ....................... I/T **20**
raccourcir (se) ............. 86 **20**
raccrocher ...................... I/T **3**
raccrocher (se) ............ 84 **3**
racheter .......................... T **15**
racheter (se) ............... 86 **15**
raciner ........................... T **3**
racketter ........................ T **3**
racler ............................. T **3**
racler (se) .................... 86 **3**
racoler ........................... T **3**
raconter ......................... T **3**
raconter (se) ............... 86 **3**
racornir .......................... T **20**
racornir (se) ................ 84 **20**
rader .............................. T **3**
radicaliser ...................... T **3**
radicaliser (se) ............ 84 **3**
radier ............................. T **4**
radier (se) ................... 84 **4**
radiner ........................... I **3**

radiobaliser ..................... T **3**
radiodiffuser .................... T **3**
radiographier ................... T **4**
radioguider ..................... T **3**
radioscoper ..................... T **3**
radoter ........................... I/T **3**
radouber ......................... T **3**
radoucir .......................... T **20**
radoucir (se) ................ 84 **20**
raffermir ......................... T **20**
raffermir (se) ............... 84 **20**
raffiner .......................... I/T **3**
raffoler .......................... Ti **3**
raffûter .......................... T **3**
rafistoler ........................ T **3**
rafler ............................. T **3**
rafraîchir ........................ I/T **20**
rafraîchir (se) .............. 86 **20**
ragaillardir ..................... T **20**
rager .............................. I **7**
ragréer ........................... T **5**
raguer ............................ I **8**
raguer (se) ................... 84 **8**
raidir ............................. I/T **20**
raidir (se) .................... 84 **20**
railler ............................ I/T **3**
railler (se) ................... 84 **3**
rainer ............................ T **3**
rainurer .......................... T **3**
raire ........................... I, D **69**
raisonner ........................ I/T **3**
raisonner (se) .............. 84 **3**
rajeunir ............. I/T, A/E **20**
rajeunir (se) ................ 84 **20**
rajouter .......................... T **3**
rajuster .......................... T **3**
ralentir ........................... I/T **20**
ralentir (se) ................. 84 **20**
râler .............................. I **3**
ralinguer ........................ I **8**
rallier ............................ T **4**
rallier (se) ................... 84 **4**
rallonger ........................ I/T **7**
rallonger (se) ............... 84 **7**
rallumer ......................... T **3**

# Index des verbes

| | | |
|---|---|---|
| rallumer (se) ........... **86** **3** | raser ........................ T **3** | rayer (se) ............... **84** **16** |
| ramager ................... I/T **7** | raser (se) ............... **86** **3** | rayonner .................... I **3** |
| ramasser ................. T **3** | rassasier ................. T **4** | razzier ...................... T **4** |
| ramasser (se) ......... **84** **3** | rassasier (se) ......... **84** **4** | ré(é)crire ................ T **76** |
| ramender ................ T **3** | rassembler .............. T **3** | réabonner ................. T **3** |
| ramener ................... T **11** | rassembler (se) ...... **84** **3** | réabonner (se) ........ **84** **3** |
| ramener (se) .......... **84** **11** | rasseoir ................... T **40** | réabsorber ............... T **3** |
| ramer ....................... I/T **3** | rasseoir (se) .......... **84** **40** | réaccoutumer (se) ..... **84** **3** |
| rameuter .................. T **3** | rasséréner .............. T **9** | réactiver .................. T **3** |
| ramifier (se) .......... **84** **4** | rasséréner (se) ...... **84** **9** | réactualiser ............. T **3** |
| ramollir ................... T **20** | rassir ....................... I **20** | réadapter ................. T **3** |
| ramollir (se) .......... **84** **20** | rassir (se) .............. **84** **20** | réadapter (se) ......... **84** **3** |
| ramoner ................... T **3** | rassurer ................... T **3** | réadmettre ............... T **63** |
| ramper ..................... I **3** | rassurer (se) .......... **84** **3** | réaffirmer ................ T **3** |
| rancarder ................ T **3** | ratatiner .................. T **3** | réaffirmer (se) ........ **84** **3** |
| rancir ...................... I **20** | ratatiner (se) ......... **84** **3** | réagir ...................... I **20** |
| rançonner ................ T **3** | râteler ..................... T **12** | réaléser .................. T **9** |
| randomiser .............. T **3** | rater ........................ I/T **3** | réaligner .................. T **3** |
| randonner ................ I **3** | ratiboiser ................ T **3** | réaliser .................... T **3** |
| ranger ..................... T **7** | ratifier ..................... T **4** | réaliser (se) ........... **84** **3** |
| ranger (se) ............. **84** **7** | ratiner ..................... T **3** | réaménager .............. T **7** |
| ranimer .................... T **3** | ratiociner ................ I **3** | réamorcer ................ T **6** |
| ranimer (se) ........... **84** **3** | rationaliser ............. T **3** | réanimer ................... T **3** |
| rapapilloter ............. T **3** | rationner ................. T **3** | réapparaître ........ I, A/E **64** |
| rapatrier .................. T **4** | rationner (se) ......... **84** **3** | réapprendre ............. T **53** |
| rapatrier (se) ......... **84** **4** | ratisser ................... T **3** | réapproprier (se) ........ **86** **3** |
| râper ....................... T **3** | ratonner .................. T **3** | réapprovisionner ........... T **3** |
| rapetasser .............. T **3** | rattacher ................. T **3** | réapprovisionner (se) **84** **3** |
| rapetisser ............... I/T **3** | rattacher (se) ......... **84** **3** | réargenter ................ T **3** |
| rapetisser (se) ....... **84** **3** | rattraper .................. T **3** | réargenter (se) ....... **84** **3** |
| rapiécer ................... T **9** | rattraper (se) ......... **84** **3** | réarmer .................... I/T **3** |
| rapiner ..................... I/T **3** | raturer .................... T **3** | réarmer (se) ........... **84** **3** |
| raplatir .................... T **20** | ravager .................... T **7** | réarranger ................ T **7** |
| rappareiller ............. T **3** | ravaler .................... T **3** | réarranger (se) ........... **84** **7** |
| rapparier ................. T **4** | ravaler (se) ............ **84** **3** | réassigner ............... T **3** |
| rappeler ................... T **12** | ravauder .................. T **3** | réassortir ................ T **20** |
| rappeler (se) .......... **84** **12** | ravigoter .................. T **3** | réassurer ................. T **3** |
| rappliquer ............... I/T **3** | raviner .................... T **3** | réassurer (se) ........ **86** **3** |
| rapporter ................. T **3** | ravir ........................ T **20** | rebaisser ................. I **3** |
| rapporter (se) ........ **84** **3** | raviser (se) ............ **84** **3** | rebaisser (se) ......... **84** **3** |
| rapprocher .............. T **3** | ravitailler ................ T **3** | rebander .................. T **3** |
| rapprocher (se) ....... **84** **3** | ravitailler (se) ....... **84** **3** | rebaptiser ................ T **3** |
| raquer ..................... I/T **3** | raviver .................... T **3** | rebâtir ..................... T **20** |
| raréfier ................... T **4** | raviver (se) ............ **84** **3** | rebattre ................... T **62** |
| raréfier (se) .......... **84** **4** | rayer ....................... T **16** | rebeller (se) ........... **84** **3** |

**299**

index des verbes

# Index des verbes

| | | | | | | | | |
|---|---|---|---|---|---|---|---|---|
| rebiffer (se) | 84 | 3 | rechausser | T | 3 | reconvertir | T | 20 |
| rebiquer | I | 3 | rechausser (se) | 84 | 3 | reconvertir (se) | 84 | 20 |
| reblanchir | T | 20 | rechercher | T | 3 | recopier | T | 4 |
| reboiser | T | 3 | rechigner | Ti | 3 | recorder | T | 3 |
| rebondir | I | 20 | rechristianiser | T | 3 | recorriger | T | 7 |
| reborder | T | 3 | rechuter | I | 3 | recoucher | T | 3 |
| reboucher | T | 3 | récidiver | I, A/E | 3 | recoucher (se) | 84 | 3 |
| reboucher (se) | 84 | 3 | réciter | T | 3 | recoudre | T | 58 |
| rebouter | T | 3 | réclamer | T | 3 | recoudre (se) | 86 | 58 |
| reboutonner | T | 3 | réclamer (se) | 84 | 3 | recouper | T | 3 |
| reboutonner (se) | 84 | 3 | reclasser | T | 3 | recouper (se) | 84 | 3 |
| rebroder | T | 3 | reclasser (se) | 84 | 3 | recourber | T | 3 |
| rebrousser | T | 3 | recoiffer | T | 3 | recourber (se) | 84 | 3 |
| rebuter | T | 3 | recoiffer (se) | 84 | 3 | recourir | I/Ti | 25 |
| rebuter (se) | 84 | 3 | récoler | T | 3 | recouvrer | T | 3 |
| recacheter | T | 14 | recoller | I/T | 3 | recouvrir | T | 29 |
| recadrer | T | 3 | recoller (se) | 84 | 3 | recouvrir (se) | 84 | 29 |
| recalcifier | T | 4 | récolter | T | 3 | recracher | I/T | 3 |
| recaler | T | 3 | recombiner | T | 3 | recracher (se) | 84 | 3 |
| recapitaliser | T | 3 | recommander | T | 3 | recréer | T | 5 |
| récapituler | T | 3 | recommander (se) | 84 | 3 | récréer | T | 5 |
| recarreler | T | 12 | recommencer | T | 6 | récréer (se) | 84 | 5 |
| recaser | T | 3 | récompenser | T | 3 | recrépir | T | 20 |
| recaser (se) | 84 | 3 | récompenser (se) | 84 | 3 | recreuser | T | 3 |
| recauser | I | 3 | recomposer | T | 3 | récrier (se) | 84 | 4 |
| recaver (se) | 84 | 3 | recomposer (se) | 86 | 3 | récriminer | I | 3 |
| recéder | T | 9 | recompter | T | 3 | recristalliser | T | 3 |
| receler | I/T | 13 | réconcilier | T | 4 | recroqueviller | T | 3 |
| recéler | I/T | 9 | réconcilier (se) | 84 | 4 | recroqueviller (se) | 84 | 3 |
| recenser | T | 3 | recondamner | T | 3 | recruter | T | 3 |
| recentrer | T | 3 | reconduire | T | 78 | recruter (se) | 84 | 3 |
| receper | T | 11 | reconfigurer | T | 3 | rectifier | T | 4 |
| recéper | T | 9 | réconforter | T | 3 | recueillir | T | 30 |
| réceptionner | T | 3 | réconforter (se) | 84 | 3 | recueillir (se) | 84 | 30 |
| **recevoir** | T | 36 | reconnaître | T | 64 | recuire | T | 78 |
| recevoir (se) | 84 | 36 | reconnaître (se) | 86 | 64 | reculer | I/T | 3 |
| réchampir | T | 20 | reconnecter | T | 3 | reculer (se) | 84 | 3 |
| rechanger | T | 7 | reconnecter (se) | 84 | 3 | reculotter | T | 3 |
| rechanter | T | 3 | reconquérir | T | 28 | reculotter (se) | 84 | 3 |
| rechaper | T | 3 | reconsidérer | T | 9 | récupérer | I/T | 9 |
| réchapper | I | 3 | reconsolider | T | 3 | récurer | T | 3 |
| recharger | T | 7 | reconstituer | T | 3 | récuser | T | 3 |
| rechasser | I/T | 3 | reconstituer (se) | 86 | 3 | récuser (se) | 84 | 3 |
| réchauffer | T | 3 | reconstruire | T | 78 | recycler | T | 3 |
| réchauffer (se) | 86 | 3 | reconstruire (se) | 86 | 78 | recycler (se) | 84 | 3 |

revenir .................... I, E **27**
rêver ........................ I/T/Ti **3**
réverbérer ................ T **9**
réverbérer (se) ......... **84** **9**
reverdir .................... I/T **20**
révérer ..................... T **9**
revernir .................... T **20**
reverser ................... T **3**
revêtir ..................... T **23**
revigorer .................. T **3**
revirer ...................... I **3**
réviser ..................... T **3**
revisiter ................... T **3**
revisser .................... T **3**
revitaliser ................. T **3**
revivifier .................. T **4**
revivre ..................... I/T **71**
revoir ...................... T **37**
revoir (se) ............... **84** **37**
revoler ..................... I/T **3**
révolter .................... T **3**
révolter (se) ............. **84** **3**
révolutionner ............ T **3**
révolvériser .............. T **3**
révoquer .................. T **3**
revoter ..................... I/T **3**
revouloir .................. T **45**
révulser ................... T **3**
rewriter .................... T **3**
rhabiller ................... T **3**
rhabiller (se) ............ **84** **3**
rhumer ..................... T **3**
ricaner ..................... I **3**
ricocher ................... I **3**
rider ........................ T **3**
rider (se) ................. **84** **3**
ridiculiser ................. T **3**
ridiculiser (se) ......... **84** **3**
rifler ....................... T **3**
rigidifier ................... T **4**
rigidifier (se) ........... **84** **4**
rigoler ..................... I **3**
rimailler ................... I **3**
rimer ....................... I/T **3**
rincer ...................... T **6**

rincer (se) ............... **86** **6**
ringardiser ............... T **3**
ripailler .................... I **3**
riper ........................ I/T **3**
ripoliner ................... T **3**
riposter .................... I **3**
**rire** ......................... I/Ti **77**
rire (se) ................... **85** **77**
risquer ..................... T **3**
risquer (se) .............. **84** **3**
rissoler .................... I/T **3**
ristourner ................. T **3**
ritualiser .................. T **3**
rivaliser ................... I **3**
river ........................ T **3**
riveter ..................... T **14**
rober ....................... T **3**
robotiser .................. T **3**
rocher ..................... I **3**
rôdailler ................... I **3**
roder ....................... T **3**
rôder ....................... I **3**
rogner ..................... I/T **3**
rognonner ................ I **3**
roidir ....................... T **20**
roidir (se) ................ **84** **20**
romancer .................. T **6**
romaniser ................. I/T **3**
romaniser (se) .......... **84** **3**
**rompre** .................... I/T **60**
rompre (se) .............. **86** **60**
ronchonner ............... I **3**
ronéoter ................... T **3**
ronéotyper ............... T **3**
ronfler ..................... I **3**
ronger ..................... T **7**
ronger (se) .............. **86** **7**
ronronner ................. I **3**
roquer ..................... I **3**
roser ....................... T **3**
rosir ........................ I/T **20**
rosser ...................... T **3**
roter ....................... I **3**
rôtir ........................ I/T **20**
rôtir (se) ................. **86** **20**

roucouler ................. I/T **3**
rouer ....................... T **3**
rougeoyer ................ I **18**
rougir ...................... I/T **20**
rouiller .................... I/T **3**
rouiller (se) ............. **84** **3**
rouir ........................ T **20**
rouler ...................... I/T **3**
rouler (se) ............... **86** **3**
roulotter .................. T **3**
roupiller ................... I **3**
rouscailler ................ I **3**
rouspéter ................. I **9**
roussir ..................... I/T **20**
router ...................... T **3**
rouvrir ..................... I/T **29**
rouvrir (se) .............. **86** **29**
rucher ...................... T **3**
rudoyer .................... T **18**
ruer ........................ I **3**
ruer (se) .................. **84** **3**
rugir ........................ I/T **20**
ruiner ...................... T **3**
ruiner (se) ............... **86** **3**
ruisseler .................. I **12**
ruminer .................... T **3**
rupiner ..................... I **3**
ruser ....................... I **3**
rustiquer .................. T **3**
rutiler ...................... I **3**
rythmer .................... T **3**

## S

sabler ...................... T **3**
sablonner ................. T **3**
saborder ................... T **3**
saborder (se) ........... **84** **3**
saboter .................... T **3**
sabrer ...................... T **3**
saccader .................. T **3**
saccager .................. T **7**
saccharifier .............. T **4**
sacquer .................... T **3**

# Index des verbes

**index des verbes**

# Index des verbes

| | | | | | | | | |
|---|---|---|---|---|---|---|---|---|
| spéculer | I | 3 | subjuguer | T | 8 | supplémenter | T | 3 |
| speeder | I | 3 | sublimer | T | 3 | supplicier | T | 4 |
| spiritualiser | T | 3 | submerger | T | 7 | supplier | T | 4 |
| spolier | T | 4 | subodorer | T | 3 | supporter | T | 3 |
| sponsoriser | T | 3 | subordonner | T | 3 | supporter (se) | 84 | 3 |
| sporuler | I | 3 | suborner | T | 3 | supposer | T | 3 |
| sprinter | I | 3 | subroger | T | 7 | supprimer | T | 3 |
| squatter | T | 3 | subsister | I | 3 | supprimer (se) | 84 | 3 |
| squeezer | T | 3 | substantifier | T | 4 | suppurer | I | 3 |
| stabiliser | T | 3 | substantiver | T | 3 | supputer | T | 3 |
| stabiliser (se) | 84 | 3 | substituer | T | 3 | surabonder | I | 3 |
| staffer | T | 3 | substituer (se) | 84 | 3 | surajouter | T | 3 |
| stagner | I | 3 | subsumer | T | 3 | surajouter (se) | 84 | 3 |
| standardiser | T | 3 | subtiliser | I/T | 3 | suralimenter | T | 3 |
| stariser | T | 3 | subvenir | Ti | 27 | suralimenter (se) | 84 | 3 |
| stationner | I | 3 | subventionner | T | 3 | surarmer | T | 3 |
| statuer | I | 3 | subvertir | T | 20 | surbaisser | T | 3 |
| statufier | T | 4 | succéder | Ti | 9 | surcharger | T | 7 |
| statufier (se) | 84 | 4 | succéder (se) | 85 | 9 | surchauffer | T | 3 |
| sténographier | T | 4 | succomber | I/Ti | 3 | surclasser | T | 3 |
| sténotyper | T | 3 | sucer | T | 6 | surcomprimer | T | 3 |
| stéréotyper | T | 3 | sucer (se) | 86 | 6 | surcontrer | T | 3 |
| stérer | T | 9 | suçoter | T | 3 | surcoter | T | 3 |
| stériliser | T | 3 | sucrer | T | 3 | surcouper | T | 3 |
| stigmatiser | T | 3 | sucrer (se) | 84 | 3 | surdéterminer | T | 3 |
| stimuler | T | 3 | suer | I/T | 3 | surdimensionner | T | 3 |
| stipendier | T | 4 | **suffire** | Ti | 72 | surélever | T | 11 |
| stipuler | T | 3 | suffire (se) | 85 | 72 | surenchérir | I | 20 |
| stocker | T | 3 | suffixer | T | 3 | surendetter | T | 3 |
| stopper | I/T | 3 | suffoquer | I/T | 3 | surentraîner | T | 3 |
| stranguler | T | 3 | suggérer | T | 9 | suréquiper | T | 3 |
| stratifier | T | 4 | suggestionner | T | 3 | surestimer | T | 3 |
| stresser | T | 3 | suicider (se) | 84 | 3 | surestimer (se) | 84 | 3 |
| stresser (se) | 84 | 3 | suiffer | T | 3 | surévaluer | T | 3 |
| striduler | I | 3 | suinter | I | 3 | surévaluer (se) | 84 | 3 |
| strier | T | 4 | **suivre** | I/T | 70 | surexciter | T | 3 |
| structurer | T | 3 | suivre (se) | 84 | 70 | surexploiter | T | 3 |
| structurer (se) | 84 | 3 | sulfater | T | 3 | surexposer | T | 3 |
| stupéfier | T | 4 | sulfiter | T | 3 | surexposer (se) | 84 | 3 |
| stuquer | T | 3 | sulfurer | T | 3 | surfacer | Ti | 6 |
| styler | T | 3 | superposer | T | 3 | surfacturer | T | 3 |
| styliser | T | 3 | superposer (se) | 84 | 3 | surfaire | T | 82 |
| subdéléguer | T | 9 | superviser | T | 3 | surfer | I | 3 |
| subdiviser | T | 3 | supplanter | T | 3 | surfiler | T | 3 |
| subir | T | 20 | suppléer | T/Ti | 5 | surgeler | T | 13 |

# Index des verbes

| | | | | | | | |
|---|---|---|---|---|---|
| teinter | T **3** | thématiser | T **3** | torsader | T **3** |
| teinter (se) | **86** **3** | théoriser | T **3** | tortiller | T **3** |
| télécharger | T **7** | thésauriser | T **3** | tortiller (se) | **84** **3** |
| télécommander | T **3** | tiédir | I/T **20** | torturer | T **3** |
| télécopier | T **4** | tiller | T **3** | torturer (se) | **86** **3** |
| télédiffuser | T **3** | tilter | I **3** | tosser | I **3** |
| télégraphier | T **4** | timbrer | T **3** | totaliser | T **3** |
| téléguider | T **3** | tinter | I/T **3** | toucher | I/T/Ti **3** |
| télépayer | T **16** | tintinnabuler | I **3** | toucher (se) | **86** **3** |
| téléphoner | T/Ti **3** | tiquer | I **3** | touer | T **3** |
| téléphoner (se) | **85** **3** | tirailler | T **3** | touiller | T **3** |
| télescoper | T **3** | tire-bouchonner | I **3** | toupiller | I **3** |
| télescoper (se) | **84** **3** | tirer | I/T/Ti **3** | toupiner | I **3** |
| télétransmettre | T **63** | tirer (se) | **86** **3** | tourber | I **3** |
| télétravailler | I **3** | tisonner | T **3** | tourbillonner | I **3** |
| téléviser | T **3** | tisser | T **3** | tourmenter | T **3** |
| témoigner | T/Ti **3** | titiller | T **3** | tourmenter (se) | **84** **3** |
| tempérer | T **9** | titrer | T **3** | tournailler | I **3** |
| tempêter | I **3** | titriser | T **3** | tournasser | T **3** |
| temporiser | I **3** | tituber | I **3** | tournebouler | T **3** |
| tenailler | T **3** | titulariser | T **3** | tourner | I/T **3** |
| tendre | T/Ti **52** | toiler | T **3** | tourner (se) | **86** **3** |
| tendre (se) | **86** **52** | toiletter | T **3** | tournicoter | I **3** |
| tenir | I/T/Ti **27** | toiletter (se) | **84** **3** | tournoyer | I **18** |
| tenir (se) | **84** **27** | toiser | T **3** | tousser | I **3** |
| tenonner | T **3** | tolérer | T **9** | toussoter | I **3** |
| ténoriser | I **3** | tomber | I/T, A/E **3** | trabouler | I **3** |
| tenter | T **3** | tomer | T **3** | tracasser | T **3** |
| tercer | T **6** | tondre | T **52** | tracasser (se) | **84** **3** |
| tergiverser | I **3** | tonifier | T **4** | tracer | I/T **6** |
| terminer | T **3** | tonitruer | I **3** | tracter | I/T **3** |
| terminer (se) | **84** **3** | tonner | I, Ip **3** | traduire | T **78** |
| ternir | T **20** | tonsurer | T **3** | traduire (se) | **84** **78** |
| ternir (se) | **84** **20** | tontiner | T **3** | traficoter | I **3** |
| terrasser | T **3** | toper | I **3** | trafiquer | T/Ti **3** |
| terreauter | T **3** | toquer | I **3** | trahir | T **20** |
| terrer | T **3** | toquer (se) | **84** **3** | trahir (se) | **84** **20** |
| terrer (se) | **84** **3** | torcher | T **3** | traînailler | I **3** |
| terrifier | T **4** | torcher (se) | **86** **3** | traînasser | I **3** |
| terroriser | T **3** | torchonner | T **3** | traîner | I/T **3** |
| tester | I/T **3** | tordre | T **52** | traîner (se) | **84** **3** |
| tétaniser | T **3** | tordre (se) | **86** **52** | traire | T **69** |
| téter | T **9** | toréer | I **5** | traiter | T/Ti **3** |
| texturer | T **3** | torpiller | T **3** | traiter (se) | **84** **3** |
| théâtraliser | T **3** | torréfier | T **4** | tramer | T **3** |

# Index des verbes

voir (se) .............. **86** **37**
voisiner ...................... I **3**
voiturer ..................... T **3**
volatiliser .................. T **3**
volatiliser (se) ......... **84** **3**
voler .......................... I/T **3**
voleter ...................... I **14**
voliger ...................... T **7**
volleyer ..................... I **3**
volter ........................ I **3**
voltiger ..................... I **7**
vomir ......................... T **20**
voter ......................... I/T **3**
vouer ......................... T **3**
vouer (se) ............... **86** **3**
**vouloir** .............. T/Ti **45**
vouloir (se) ......... **84** **45**
voussoyer ................. T **18**

voussoyer (se) ......... **84** **18**
voûter ........................ T **3**
voûter (se) .............. **84** **3**
vouvoyer .................. T **18**
vouvoyer (se) ......... **84** **18**
voyager ..................... I **7**
vriller ........................ I/T **3**
vrombir ...................... I **20**
vulcaniser .................. T **3**
vulgariser .................. T **3**

### W

warranter ................. T **3**

### Y

yoyot(t)er ................ I **3**

### Z

zapper ....................... I/T **3**
zébrer ....................... T **9**
zester ........................ T **3**
zézayer ..................... I **16**
ziber .......................... T **3**
zieuter ...................... I/T **3**
zigouiller ................... T **3**
zigzaguer ................... I **8**
zinguer ...................... T **8**
zinzinuler ................... I **3**
zipper ........................ T **3**
zoner ......................... I/T **3**
zoomer ...................... I **3**
zouker ....................... I **3**
zozoter ...................... I **3**

index des verbes

# INDEX DES NOTIONS CLÉS

## A

## B C

# Index des notions clés

# Index des notions clés

**index des notions**

# Index des notions clés

## Q R

# Index des notions clés

index des notions

# Alphabet phonétique

## 12 voyelles

| | | | |
|---|---|---|---|
| [a] | ami ; mat | [ɔ] | sort ; donner |
| [ɑ] | mât ; bas | [ø] | bleu ; nœud |
| [e] | café ; parler | [œ] | beurre ; œuf |
| [ɛ] | mère ; belle ; fête | [ə] | chemin ; revoir |
| [i] | ici ; pli | [u] | fou ; goût |
| [o] | sot ; eau ; rôle | [y] | user ; mûr |

## 4 voyelles nasales

| | | | |
|---|---|---|---|
| [ɑ̃] | blanc ; vendre | [ɛ̃] | brun ; parfum |
| [ɛ̃] | fin ; plein ; pain | [ɔ̃] | monde ; sombre |

## 3 semi-consonnes (ou semi-voyelles)

| | | | |
|---|---|---|---|
| [j] | yaourt ; rail ; rien | [ɥ] | nuit ; lui |
| [w] | oui ; rouage | | |

## 17 consonnes

| | | | |
|---|---|---|---|
| [b] | barbe ; table | [R] | rare ; pour |
| [k] | cave ; marquer ; ski | [s] | sur ; trace ; leçon |
| [d] | dur ; sud | [t] | tous ; retard |
| [f] | feu ; photo | [v] | vivre ; wagon |
| [g] | gant ; vague | [z] | rose ; zéro |
| [l] | lune ; rouler ; ville | [ʃ] | chat ; riche |
| [m] | main ; permis | [ʒ] | jeton ; manger |
| [n] | navire ; farine | [ɲ] | vigne ; agneau |
| [p] | poule ; taper | | |

Remarque : les deux phonèmes [ɛ̃] et [œ̃] tendent à être confondus dans beaucoup de régions.

Achevé d'imprimer en Chine par Leo Paper - Dépôt légal Mai 2012 - édition: 02 - 16/0430/5